Rosa-Maria Dallapiazza, Eduard von Ja
Beate Blüggel, Anja Schümann

TANGRAM

Deutsch als Fremdsprache

Arbeitsbuch 2

Max Hueber Verlag

Dieses Werk folgt der seit dem 1. August 1998 gültigen Rechtschreibreform. Ausnahmen bilden Texte, bei denen künstlerische, philologische oder lizenzrechtliche Gründe einer Änderung entgegenstehen.

3. 2. 1. | Die letzten Ziffern
2004 03 02 01 00 | bezeichnen Zahl und Jahr des Druckes.
Alle Drucke dieser Auflage können, da unverändert, nebeneinander benutzt werden.
1. Auflage

Zeichnungen: ofczarek!
Verlagsredaktion: Silke Hilpert, Werner Bönzli
Lithographie: Agentur Langbein Wullenkord
Druck und Bindung: Schoder Druck, Gersthofen
Printed in Germany
ISBN 3-19-011584-2

Inhalt

Inhalt

Inhalt

Piktogramme

Text auf Cassette und CD mit Haltepunkt. Die Transkriptionen der Texte zum Arbeitsbuch befinden sich in den Einlegern der Cassetten und CDs.

Text auf Extra-Cassette und CD „Nachklang“ mit „Geschichten vom Franz“ nach Christine Nöstlinger, gesprochen von Andrea Wildner-Zander

Schreiben

Wörterbuch

Hinweis aufs Kursbuch

Regel

Gewohnte Verhältnisse?

LEKTION 1

A

Häuser und Wohnungen

A 1

Wie heißen diese Häuser auf Deutsch? Ergänzen Sie.

8 Hochhaus	Reihenhaus	Fachwerkhaus	Wohnheim	Villa *(f)*
Bauernhof *(m)*	Ökohaus	Einfamilienhaus	Gartenhaus	Altbau *(m)*
Schloss *(n)*				

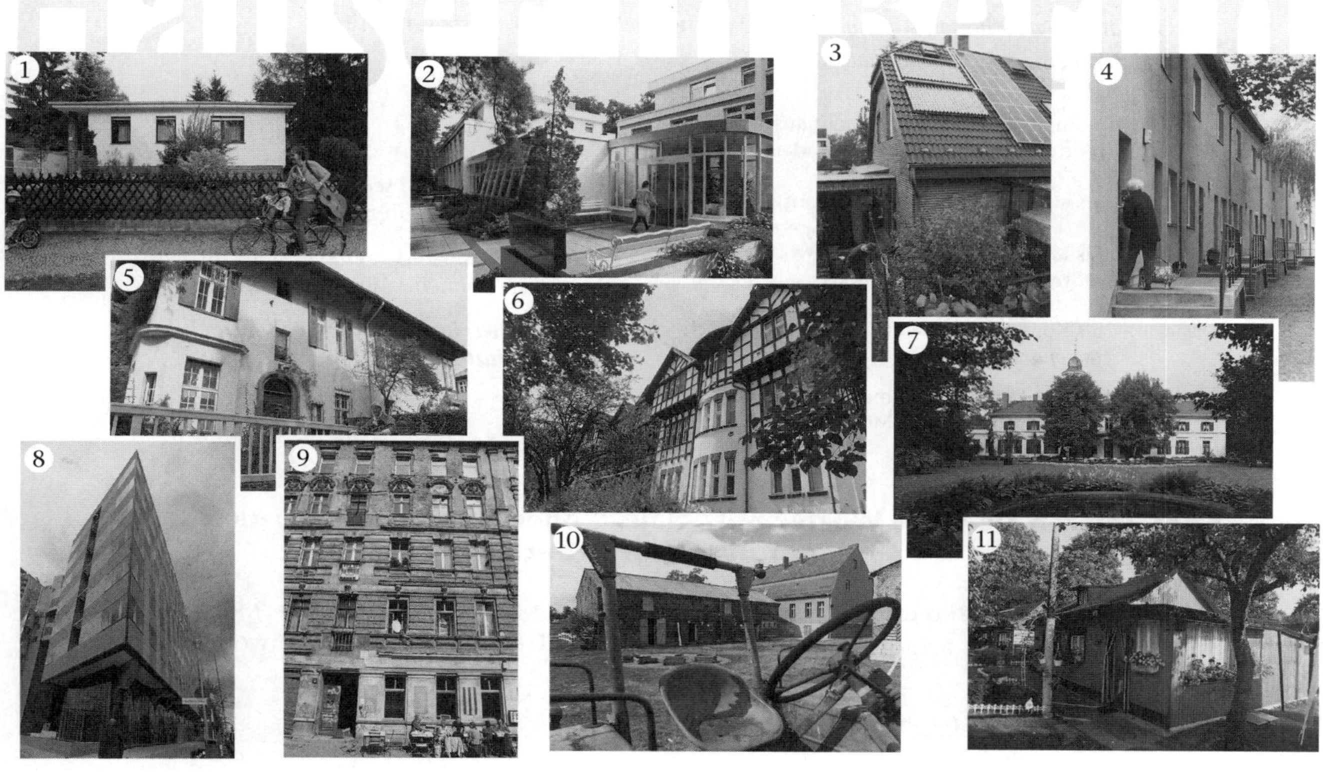

Welche Beschreibung passt zu welchem Haustyp? Ergänzen Sie.

Hochhaus das, ¨-er; ein sehr hohes Haus mit vielen (mehr als sechs) Etagen und vielen Wohnungen

________; ein Haus, das vor 1949 gebaut wurde

________ *, -en*; ein großes, sehr teures Haus mit einem großen Garten

________; ein Haus (meistens Einfamilienhaus) in einer Reihe von gleichen, aneinander gebauten Häusern

________; ein Haus mit Wänden aus Holz, Lehm und Ziegeln, bei dem die Holzbalken von außen sichtbar sind

________; großes und sehr wertvolles Haus, in dem Könige oder Fürsten leben oder lebten; meistens mit großem Garten oder Park

________; Haus für eine Familie

________; großes Haus mit vielen Einzelzimmern oder kleinen Appartements für allein stehende Personen, z.B. Studenten, Lehrlinge, alte Leute

________; Grundstück mit Wohnhaus eines Bauern, Ställen und Scheune

________; besonders umweltfreundliches Haus (mit Solarheizung, Wasserspartechnik usw.)

________; kleines Haus im Garten

KURSBUCH A1-A2

A 2

Wer wohnt wo? Warum? Diskutieren oder schreiben Sie.

Erich Bieler, Rentner,
75 Jahre alt, Monatsrente
DM 1 980,–,
ist nicht gern allein

Silke Hofmann, Studentin,
22 Jahre alt, kommt aus
Norddeutschland, studiert
in München, Stipendium
DM 980,– monatlich,
liebt alte Sachen

Familie Stadelmayer,
er Busfahrer, sie Hausfrau,
Monatseinkommen
DM 4 200,– netto,
lieben Tiere

Claus Miehlke, 28,
Immobilienmakler,
Jahreseinkommen
DM 180 000,–,
geht gern aus

Ich glaube, Silke wohnt in einem Studentenwohnheim, weil sie nicht viel Geld hat.

Oder in einem schönen Altbau in einer Wohngemeinschaft, weil sie gern mit anderen Leuten zusammen ist.

Ein Kompositum wie z.B. „Hochhaus" kann man im Wörterbuch an drei Stellen finden:

als eigenen Eintrag (= Hochhaus)

Hochhaus *das; ein sehr hohes Haus mit vielen Etagen u. Wohnungen*

als Kompositum beim Grundwort (= Haus)
(allgemeine Bedeutung; Artikel)

Haus *das; -es, Häuser; ein Gebäude, in dem Menschen wohnen …* ||K-: ***Bauern-, Hoch-***

als Kompositum beim Spezialwort (= hoch)
(besondere Bedeutung)

hoch, *höher, höchst-, Adj; …* ||K-: ***Hoch-, -gebirge, -haus; …***

Wenn Sie ein Kompositum im Wörterbuch suchen, überprüfen Sie alle diese Möglichkeiten.

A 3

Kombinieren Sie diese Wörter mit „Haus-" oder „-haus" und vergleichen Sie mit dem Wörterbuch.

~~Arzt~~ ◆ Eigentümer ◆ ~~Eltern~~ *(Pl)* ◆ Ferien *(Pl)* ◆ krank ◆ Meister ◆ Möbel ◆ Ordnung ◆ Schuhe *(Pl)* ◆ Traum ◆ Tier ◆ Treppen *(Pl)* ◆ Tür ◆ wohnen

Haus-	-haus
2 der Hausarzt	*1 das Elternhaus*

Was passt wo? Ergänzen Sie.

1 Haus der Kindheit
2 man geht hin, wenn man krank ist
3 Haus für den Urlaub
4 passt auf und macht kleine Reparaturen
5 Haus mit Wohnungen
6 Regeln für die Hausbewohner
7 hier kann man seine Wohnung einrichten
8 sollte man nachts abschließen
9 hier sind die meisten Leute Patienten
10 trägt man nicht auf der Straße
11 hier wohnt man in der Fantasie
12 z.B. Hund oder Katze
13 ihm gehören Häuser
14 zwischen Wohnungstür und Haustür

Wählen Sie sieben Wörter mit „Haus-" oder „-haus" und schreiben Sie eine Geschichte.

A 4

Welche Häuser gibt es in Ihrer Nähe?

In meiner Straße gibt es …
In meinem Wohnviertel sind …
In meinem Dorf findet man …

KURSBUCH A3

A 5 **Lesen Sie die Fragen und das Formular. Welche Frage passt wo? Markieren Sie.**

An welchem Objekt sind Sie interessiert?	15	Wann und wo sind Sie geboren?	
Wie heißen Sie?		Wie lange arbeiten Sie schon da?	
Wie ist Ihr Vorname?		Haben Sie Haustiere?	
Was sind Sie von Beruf?		Wie hoch ist Ihre jetzige Miete?	
Wie viel verdienen Sie?		Wie viele Personen werden in die Wohnung einziehen?	
Sind Sie verheiratet?		Ab wann möchten Sie die Wohnung mieten?	
Wo wohnen Sie im Moment?		Bei welcher Firma arbeiten Sie?	
Haben Sie Kinder?		Wie lange soll der Mietvertrag laufen?	
Spielen Sie ein Musikinstrument?			

Selbstauskunft

1 Name: Vorname: 2

3 Geburtsdatum: Geburtsort:

4 Anschrift 6

5 Familienstand: Kinder: 8

7 Beruf: beschäftigt seit: 10

9 Arbeitgeber: monatl. Einkommen DM: 12

11 Miete (incl. NK) z.Zt. DM: Zahl der Personen im Haushalt: 14

13 Musikinstrumente: Haustiere:

15 Ich bin an der -Zimmer-Wohnung / dem -Haus

in interessiert. 17

16 Mietbeginn ab: Dauer des Mietverhältnisses bis:

Frankfurt, den (Datum) (Unterschrift)

GID Immobilien
Heidestraße 21
60136 Frankfurt

Füllen Sie das Formular (für sich) aus.

Wohnung dringend gesucht!

B **B 1**

Was bedeuten die Abkürzungen? Ergänzen Sie.

6020 1½-und 2-Zimmer-Wohnungen (Frankfurt)

Bockenheim: sehr helle und ruh. 2 ZKB, DG, gr. Wohnkü. in opt. Lage zur Uni u. Messe, DM 1250,– + NK+ Kt.WG geeig. ✉ ZF519122

Bornheim: 2-ZW, 65m², Blk., hell 850,– + U/Kt., Abst. 1000,– 06182/21840

Nachmieter: ges. zum 1.10., ruh. geleg. 2-ZW in Höchst, ca. 75m², Nähe S-Bahn, 890,– + 250,– NK, 2MM Kt. v. priv. ☎ 069/301202 ab 18 Uhr

Rödelheim, gemütl. 1½ Zi., 40m², EBK,Warmmiete DM 900,– + KT, ab sof. Träger Immobilien, 069/624414 od. 705001

Wohnraum auf Zeit
City-Mitwohnzentrale 069/19430

6051 Großwohnungen und Häuser im Umland

Häuschen im Grünen: 4-ZKB, Dusche/WC getr., G-WC, Terrasse m. gr. Gart., traumhafte Lage, Gar., 1400,– 06035/9201510

Oberursel-RH/DHH, 150m², EBK, Terr., kl. Gart., TG, DM 2490,– zzgl. NK + Uml.,

Einbauküche ◆ Kaution ◆ Umlagen ◆ Wohnküche ◆ Quadratmeter ◆ zwei Monatsmieten ◆ Zweizimmerwohnung ◆ Nebenkosten ◆ von privat ◆ ~~Abstand~~ ◆ geeignet ◆ Balkon ◆ Garten ◆ zuzüglich (plus) ◆ Reihenhaus ◆ Terrasse ◆ Doppelhaushälfte ◆ Zimmer/Küche/Bad ◆ Gäste-WC ◆ sofort ◆ Garage ◆ Tiefgarage ◆ Dachgeschoss ◆ Neubau

Abst.	*Abstand*	geeig.	______	G-WC	______
2-ZW	______	ZKB	______	Terr.	______
EBK	______	v. priv.	______	Gart.	______
Uml./U	______	zzgl.	______	RH	______
Kt.	______	2 MM	______	DHH	______
m²	______	DG	______	TG	______
Blk.	______	Wohnkü.	______	Gar.	______
NK	______	sof.	______	NB	______

Wählen Sie zwei Anzeigen und vergleichen Sie die Wohnungen.

Größe ◆ Lage ◆ Ausstattung ◆ Kosten

Die Dreizimmerwohnung in Bornheim ist größer und teurer als die Dreizimmerwohnung in Fechenheim. Sie hat einen Balkon und sie ist ab sofort frei.
Die Wohnung in Fechenheim ist günstiger, aber man kann erst am 1. Mai einziehen.

Erinnern Sie sich?

A 65 m, AB, Citylage, 1250,– + 250,– U
B 90 m, NB, 1250,– + 300,– U, 20 km vom Zentrum
C 120 m, NB, Erstbezug, 1850,– + 450,– NK

Wohnung A ist 65m² **groß**. Wohnung B ist größ**er** und modern**er als** Wohnung A. Sie ist **genau so** teuer **wie** Wohnung A, aber die Umlagen sind etwas **höher** und sie liegt **nicht so** zentral **wie** Wohnung A.
Wohnung C ist **die** größ**te** und modern**ste** Wohnung, aber sie ist auch **am** teuer**sten**.

Aufgaben

Wie heißen die Steigerungsformen der Adjektive?
Machen Sie eine Liste für die Adjektive im Text.
Welche unregelmäßigen Steigerungsformen kennen Sie?

B 2

Suchen Sie für alle diese Leute ein passendes Angebot bei den Anzeigen von B1 und ergänzen Sie.

1 Anja T. und ihr Mann Ralf suchen eine Wohnung mit Balkon. Sie brauchen die Wohnung ganz schnell und können bis zu 2000 Mark inklusive Nebenkosten zahlen.
2 Michael R. ist Student und sucht eine Wohnung bis zu 1000 Mark, alles inklusive. Er will keinen Abstand zahlen.
3 Das Ehepaar M. hat ein kleines Kind. Sie suchen ein Haus mit großem Garten.
4 Carmen O. ist drei Monate in Frankfurt und sucht eine Wohnung in Uni-Nähe.
5 Eine WG (zwei Personen) sucht eine günstige Wohnung. Sie wollen keine Maklergebühren zahlen.

	Zimmer	Größe	Miete	Umlagen	Wo?	Ab wann?	Telefon
1	*2*	*65 m²*	*850,–*	*?*	*Bornheim*	*?*	*06182/ 21840*
2							

B 3

Lesen Sie die Antworten und ergänzen Sie die passenden Fragen.

Wie ist die Adresse? ◆ Was sind Sie von Beruf? ◆ Wie viele Personen wollen einziehen? ◆ Haben Sie Kinder? ◆ ~~Wie hoch ist die Miete?~~ ◆ Wie hoch sind die Maklergebühren? ◆ Haben Sie Haustiere? ◆ Wie hoch ist der Abstand? ◆ Wie hoch sind die Nebenkosten? ◆ Wofür ist das? ◆ Wie viele Zimmer hat die Wohnung? ◆ Spielen Sie ein Musikinstrument? ◆ Sind Sie verheiratet? ◆ Ab wann ist die Wohnung frei? ◆ Wie viel verdienen Sie monatlich? ◆ Wie hoch ist die Kaution?

Dialog 1

1 *Wie hoch ist die Miete?* ________ 960 Mark im Monat.
2 ________ 270 Mark pauschal.
3 ________ Zwei Zimmer, Bad und Kochnische.
4 ________ 3500 Mark.
5 ________ Für den Teppichboden und einige Möbel.
6 ________ Am Fliederbusch 5, in Karben.
7 ________ Wie üblich – drei Monatsmieten.
8 ________ 1½ Monatsmieten.
9 ________ Ab sofort.

Dialog 2

1 ________ Kellnerin.
2 ________ 2500 Mark netto im Monat.
3 ________ Ja, eine Tochter.
4 ________ Zwei, meine Tochter und ich.
5 ________ Nein, ich bin geschieden.
6 ________ Ja, eine Katze.
7 ________ Ja, ein bisschen Klavier.

Hören und vergleichen Sie. Spielen Sie zu zweit einen Dialog.

Erinnern Sie sich?

W-Frage
Fragewort Verb Subjekt …? ____
Ja/Nein-Frage
Verb Subjekt …? ____

Aufgaben

Warum heißen die Fragesätze so?
Markieren Sie die Satzmelodie.
Sortieren Sie die Fragen von B3 und markieren Sie die Verben.
Welche W-Fragen kennen Sie noch? Machen Sie eine Liste.

B 4 **Schreiben und spielen Sie einen ähnlichen Dialog zu einer Anzeige von B1.**

Heuer. *Guten Tag, mein Name ist ...*
Ist die Wohnung noch frei?

...

KURSBUCH B3-B4

B 5 **Ergänzen Sie die passenden Wörter.**

Westend v. priv. schöne mod. 4 ZW, EBK geg. Abstand, Blk., Gar., 1950,– + NK + Kt in ruh. Lage ✉ ZF 123342

LEONORE UND BERNHARD FRISCH
Kolpingstr. 12 b
97070 Würzburg

12.4.01

Ihre Anzeige in der Frankfurter Rundschau
ZF 123342

Sehr geehrte Damen und Herren,
wir haben Ihre ________ *(1) in der Frankfurter Rundschau vom 11. April gelesen und* ________ *(2) uns sehr für die* ________ *(3).*
Wir wohnen zur Zeit in Würzburg, müssen aber aus beruflichen ________ *(4) demnächst nach Frankfurt ziehen.* ________ *(5) suchen wir zum 1. April eine Wohnung in Frankfurt. Wir möchten die Wohnung für zwei Jahre* ________ *(6), danach gehen wir voraussichtlich nach Würzburg zurück.*
Wir hätten gern noch einige nähere ________ *(7). Wie hoch ist der* ________ *(8) für die EBK?* ________ *(9) es möglich, in der Wohnung Klavier zu spielen (ca. drei Stunden pro Woche)? Wir haben eine kleine Katze: Sind* ________ *(10) bei Ihnen erlaubt?*
Wir hoffen auf eine baldige ________ *(11).*
Mit freundlichen ________ *(12)*

Leonore Frisch

1	a) Anzeige	b) Brief	c) Werbung
2	a) freuen	b) wollen	c) interessieren
3	a) Garage	b) Wohnung	c) Anzeige
4	a) Fragen	b) Gründen	c) Ursachen
5	a) Obwohl	b) Weil	c) Deshalb
6	a) kaufen	b) mieten	c) brauchen
7	a) Informationen	b) Mitteilungen	c) Anzeigen
8	a) Kaution	b) Maklergebühr	c) Abstand
9	a) Ist	b) Kann	c) Hat
10	a) Gäste	b) Haustiere	c) Kinder
11	a) Antwort	b) Auskunft	c) Besuch
12	a) Wiedersehen	b) Grüßen	c) Worten

B 6 **Sie möchten diese Wohnung mieten. Schreiben Sie einen Brief an den Vermieter.**

Nachmieter ges. f. 4 ZW, 112 m², DG, Bornh., 1300,– + NK+ Kt ✉ ZF 1781893

KURSBUCH B5

C

Der Ton macht die Musik

C 1 1/3

Hören und vergleichen Sie.

Das „e" spricht man im Deutschen lang [e:], kurz [ɛ], ganz kurz [ə], in Verbindung mit „r" am Wortende auch [ɐ] oder gar nicht (–).

Problem	hell	Miete	teuer	dunkel [kl̩]
leben	Ende	geschenkt	leider	Häuschen [xn̩]
sehe	fremd	bitte	Mieter	vermitteln [tl̩n]

C 2 1/4

[ə], [ɐ] oder (–)? Hören und markieren Sie.

	[ə]	[ɐ]	(–)		[ə]	[ɐ]	(–)		[ə]	[ɐ]	(–)
dichten			X	Besuch				ich fahre			
ich dichte	X			Besucher				fahren			
Dichter		X		ich besuche				Fahrer			
Gedicht				besuchen				Fahrerin			
Liebe				schenken				Hilfe			
lieber				ich schenke				helfen			
lieben				geschenkt				geholfen			
beliebt				Geschenke				Helfer			
Frage				Treppe				Klingel			
Fragen				Treppen				klingeln			
bügeln				Regel				ich klingle			
ich bügle				Regeln				Schlüssel			

1/4 **Hören Sie noch einmal, sprechen Sie nach, markieren Sie dabei den Wortakzent.**

Ergänzen Sie die Regeln.

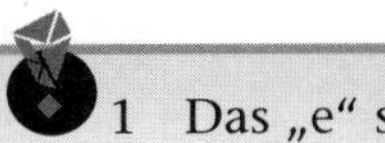

1. Das „e" spricht man als [ə], [ɐ], oder gar nicht (–), wenn es keinen ____________ hat.
2. Am Wortende spricht man ein unbetontes „-e" meistens [ ]* und ein unbetontes „-er" immer [ ].
3. Das „e" in den unbetonten Endsilben „-en", „-el" und „-eln" spricht man fast immer ______ . Der folgende Konsonant wird dann etwas länger gesprochen: dichten [dixtn̩], Regel [re:gl̩], Regeln [re:gl̩n].**
4. Das „e" in den Vorsilben „ge-" und „be-" spricht man [ ].

* In der Umgangssprache und bei schnellem Sprechen fällt das [ə] beim Verb oft weg: „Ich lern' Deutsch.", „Ich hab' keine Lust.", „Ich wollt' kommen, aber ich konnt' nicht."

** Nach „b" und „p" spricht man -en als [m̩]: „lieben" [li:bm̩], Treppen [trɛpm̩]. Nach „g" und „k" spricht man -en als [ŋ],: Fragen [fra:gŋ], schenken [ʃɛŋkŋ].

bügeln	ich bügle
klingeln	ich klingle
lächeln	ich lächle

In der Umgangssprache sagt man oft auch „ich bügel", „ich klingel" …

C 3

Wo spricht man [ə]? Markieren Sie.

Probleme ◆ Angebote ◆ Kinder ◆ Söhne ◆ Wasser ◆ Woche ◆ Wochen ◆ Umlagen ◆ Größe ◆ Garten ◆ Pauschale ◆ Rätsel ◆ Schlüssel ◆ Tiere ◆ Zimmer ◆ Küche ◆ Hausmeister ◆ ich lerne ◆ spiele ◆ singe ◆ lache ◆ weine ◆ hoffe ◆ wollte ◆ musste ◆ hatte ◆ würde ◆ wäre ◆ Beruf ◆ begonnen ◆ beendet ◆ besser ◆ bezahlbar ◆ geben ◆ gegeben ◆ gegen ◆ genug ◆ in zentraler Lage ◆ mehrere Angebote ◆ eine feste Summe ◆ am Jahresende ◆ viele Möbel

Hören Sie, sprechen Sie nach und vergleichen Sie.

C 4

Üben Sie zu zweit.

rechnen – nachdenken ◆ arbeiten – spielen ◆ zeichnen – schreiben ◆ reiten – schwimmen ◆ unterrichten – lernen ◆ dichten – lesen ◆ berichten – nichts sagen ◆ heiraten – ledig bleiben

Rechnest du?
Nein, ich denke nach.

Ich rechne.
Wir rechnen auch.

Hast du gerechnet?
Nein, ich habe nachgedacht.

C 5

1/ 6-7

Hören Sie, sprechen Sie nach und üben Sie.

Der Traummakler

- ● Ich suche eine schöne, große, helle Wohnung.
- ■ In ruhiger, zentraler Lage und nicht zu teuer?
- ● Vier Zimmer, Küche, Bad oder Dusche.
- ■ Ohne Abstand und Kaution? Nur eine Miete Provision?
- ● Genau! Ich sehe, Sie verstehen …
- ■ Da habe ich mehrere Angebote: eine hübsche, gemütliche Dachgeschosswohnung, ein Häuschen mit Garten, eine schnuckelige Villa.
- ● Die Miete?
- ■ Bezahlbar – ich finde, sehr günstig, eigentlich fast geschenkt.
- ● Ich habe Kinder: eine Tochter, zwei Söhne.
- ■ Für große Familien ganz ideal.
- ● Ein Klavier, zwei Hunde, drei kleine Katzen.
- ■ Haustiere sind Bedingung.
- ● Ich komme aus Chile, mein Mann ist Däne.
- ■ Wir alle sind Fremde, fast überall.
- ● Ich möchte bald umziehen.
- ■ Wann immer Sie möchten: Hier ist der Schlüssel!

Nebenkosten

Steuer, Versicherungen, Wasser,
Strom für Klingel und Treppenhaus,
Gartenpflege, Hausmeister usw.
Alle vier Wochen eine feste Summe,
am Jahresende die Abrechnung
nach Größe oder Zahl der Bewohner.
Ein Rätsel: nachzahlen oder Erstattung?
Oder einfacher: Ich zahle
als Umlage eine Pauschale.

D

Tapetenwechsel

D 1

Wie heißt das auf Deutsch? Kombinieren Sie die Wörter und ergänzen Sie.

Anlage ◆ Boden ◆ Decke ◆ Ecke ◆ Figur ◆ Holz ◆ Kerzen ◆ Krone ◆ Leuchter ◆ Obst ◆ Schale ◆ Schrank ◆ Sitz ◆ Ständer ◆ Stereo ◆ Stoff ◆ Tiere ◆ Tisch ◆ Vase ◆ Wand

1 *der Kronleuchter, -*
2 ____________
3 ____________
4 ____________
5 ____________
6 ____________
7 ____________
8 ____________
9 ____________
10 ____________

Finden Sie die passenden Wörter und ergänzen Sie weitere Einrichtungsgegenstände.

11 ______ 16 ______
12 ______ 17 ______
13 ______ 18 ______
14 ______ ______
15 ______ ______

D 2

Sortieren Sie die Adjektive.

~~gemütlich~~ ◆ kühl ◆ leer ◆ kitschig ◆ ordentlich ◆ stilvoll ◆ hell ◆ konservativ ◆ langweilig ◆ chaotisch ◆ modern ◆ nüchtern ◆ großzügig ◆ freundlich ◆ luxuriös ◆ voll ◆ extravagant ◆ protzig ◆ …

gemütlich

Finden Sie weitere passende Adjektive. Wie finden Sie die Zimmer von D1? Schreiben Sie.

Zimmer 1 ______ Zimmer 2 ______

D 3

Wie finden Sie die Türen? Was meinen Sie: Wie sieht die Wohnung hinter der Tür aus? Wer wohnt da? Raten Sie.

A B C D

Ich finde Tür A sehr schön. In dem Haus wohnen bestimmt viele Leute, weil …

Hinter Tür C ist es bestimmt sehr gemütlich eingerichtet.
Die Leute haben wahrscheinlich viel Geld.
…

Erinnern Sie sich?

Aufgaben Machen Sie eine Liste mit den Wechselpräpositionen. Wann benutzt man diese Präpositionen mit Dativ? Wann mit Akkusativ? Beschreiben Sie die Zimmer von C 1.

D 4

Wie heißen die Zimmer und Orte auf Deutsch? Ergänzen Sie.

1 Garten,

D 5

Wo sind die Leute? Hören und markieren Sie.

☐ in der Küche	☐ im Kinderzimmer	☐ im Schlafzimmer	1 im Keller
☐ in der Toilette	☐ im Flur	☐ im Wohnzimmer	☐ in der Garage
☐ im Bad	☐ im Esszimmer	☐ im Hobbyraum	☐ im Garten

KURSBUCH D1-D4

D 6

Sprechen Sie über die Fotos. Dann hören und markieren Sie.

Kathrin, 21
Als Kind mit ihren Eltern aus Prag gekommen. Gerade von zu Hause ausgezogen, studiert Illustration.

Karin, 29, Biologin
Arbeitete zwei Jahre in Amsterdam und führte mit ihrem Mann eine Wochenendehe.

Bernadette, 31
Schauspielerin aus Luxemburg, verheiratet, Mutter einer 15 Monate alten Tochter

Inge, 27
Hat sechs Jahre als Fremdsprachenkorrespondentin gearbeitet, studiert Soziale Arbeit im 2. Semester. Nach langjähriger Beziehung Single.

1 Das Thema der Sendung ist:
- ☐ Leben in Hamburg.
- ☐ Einsamkeit.
- ☐ Nachbarschaft.

2 Die Frauen
- ☐ haben Probleme mit ihrer WG.
- ☐ möchten zurück zu ihren Eltern.
- ☐ hatten eine schwere Zeit.

D 7

Wer hatte welche Probleme? Hören Sie noch einmal und machen Sie Notizen.

Kathrin	*Karin*	*Bernadette*	*Inge*

D 8 **Ergänzen Sie die Aussagen der vier Frauen.**

Kathrin ~~anfangen~~ ◆ Angst ◆ froh ◆ lernen ◆ schwer fallen ◆ vorhaben

1 Ich habe vor drei Monaten *angefangen*, in München zu studieren.
2 Am Anfang war ich ______________, von zu Hause weggegangen zu sein.
3 Ich wollte ja ______________, selbständig zu leben.
4 Mir ______________ es total ______________, auf Leute zuzugehen.
5 Immer hatte ich ______________, mich aufzudrängen oder andere zu stören.
6 Ich ______________ jedenfalls fest ______________, hier zu bleiben und mein Studium zu beenden.

Karin anstrengend ◆ froh ◆ leicht ◆ Lust ◆ superglücklich ◆ überreden

7 Ich war ______________, nach Amsterdam gehen zu können.
8 Es war sehr ______________, neben dem Beruf auch noch eine Sprache lernen zu müssen.
9 Sie haben mich ______________, den Arbeitsvertrag auf zwei Jahre zu verlängern.
10 Mein Mann hatte keine ______________ mehr, jedes Wochenende zwischen Amsterdam und Hamburg hin- und herzufahren.
11 Es ist nicht so ______________, in einer fremden Stadt Freunde zu finden.
12 Ich bin heute sehr ______________, diese Erfahrung gemacht zu haben.

Bernadette bitten ◆ (sich) freuen ◆ hoffen ◆ schlimm ◆ Gefühl ◆ wichtig

13 Zuerst habe ich mich darauf ______________, in eine andere Stadt umzuziehen.
14 Plötzlich in einer Großstadt leben zu müssen, das war ______________ für mich.
15 Ich habe meinen Mann ______________, wenigstens am Wochenende nach Hause zu kommen.
16 Als Verkäuferin konnte ich mit Leuten reden und hatte das ______________, etwas Sinnvolles zu tun.
17 Ich habe ______________, durch das Vorlesen interessante Leute zu treffen und meine Depressionen loszuwerden.
18 Es ist wohl einfach ______________, Geduld zu haben, sich selbst genug Zeit zu geben.

Inge aufhören ◆ normal ◆ schwierig ◆ toll ◆ versuchen ◆ wichtig

19 Es war für mich ganz ______________, immer mit einem Partner zusammen zu sein und alles gemeinsam zu machen.
20 Ich habe nach der Trennung ______________, mich zu verabreden oder auszugehen.
21 Es war ganz schön ______________, eine passende WG zu finden.
22 Es ist einfach ______________, nach Hause zu kommen und immer jemand zum Reden zu haben.
23 Dann habe ich ______________, neue Leute kennen zu lernen.
24 Es ist halt ______________, auf andere zuzugehen, dranzubleiben, selbst zu investieren.

1/9 **Hören Sie noch einmal und vergleichen Sie. Unterstreichen Sie dabei alle „Infinitive mit zu".**

Nach welchen Ausdrücken steht der „Infinitiv mit zu"? Lesen Sie die Sätze noch einmal, machen Sie eine Liste und ergänzen Sie die Regeln.

Der „Infinitiv mit zu" steht nach

Verben	*Adjektiv/Nomen + „sein"*	*Nomen + „haben"*
anfangen	*ich war froh*	*Angst haben*

das Verb ◆ „sein“ oder „haben“ ◆ Verbstamm ◆ Verb + „zu“ + Modalverb ◆ beide Verben ◆ Adjektiven und Nomen

1 Der „Infinitiv mit zu“ steht nach einigen Verben und Ausdrücken mit ______________ ______________. Er kann weitere Ergänzungen haben, aber ______________ steht immer am Ende.

2 Bei trennbaren Verben steht „zu“ zwischen Vorsilbe und ______________.

3 Steht der „Infinitiv mit zu“ im Perfekt, dann steht „zu“ zwischen Partizip Perfekt und ______________ ______________.

4 Gibt es beim „Infinitiv mit zu“ ein Modalverb, dann stehen ______________ im Infinitiv; die Reihenfolge ist ______________.

D 9 Haben Sie ähnliche Erfahrungen gemacht? Dann schreiben Sie einen kleinen Text und benutzen Sie auch diese Satzanfänge.

Ich habe angefangen, …
Es ist mir schwer gefallen, …
Ich habe mich gefreut, …
Ich hatte immer Angst, …
Ich hatte das Gefühl, …
Ich habe keine Lust, …
Ich versuche, …

Ich habe vor, …
Ich hoffe, …
Es ist toll, …
Es ist schwierig, …
Es ist wichtig, …
Ich bin froh, …
…

Vor zwei Jahren bin ich nach Deutschland gekommen. Ich habe gleich angefangen, Deutsch zu lernen.

D10 Hören und antworten Sie.

Guten Tag, liebe Hörerinnen und Hörer, herzlich willkommen zu unserer Gesprächsrunde „Wo der Schuh drückt“. Hier ist schon unser erster Gesprächspartner am Telefon. Hallo, guten Tag.

- *Was ist Ihr Problem? Wo drückt Sie der Schuh?*
  - *Ich habe vor → umzuziehen. ↘*
- *Aha. Sie haben vor umzuziehen. Das ist doch ganz normal. Und was ist das Problem?*
  - *Ich versuche seit einem Jahr, → eine neue Wohnung zu finden. ↘*
- *Sie versuchen seit einem Jahr, eine neue Wohnung zu finden? Ein Jahr – das ist eine lange Zeit.*
  - *Es kann doch nicht normal sein, → so lange suchen zu müssen. ↘*

vorhaben	umziehen
seit einem Jahr versuchen	eine neue Wohnung finden
doch nicht normal sein können	so lange suchen müssen
zuerst angefangen haben	die Wohnungsanzeigen lesen
dann versucht haben	anrufen und Besichtigungstermine vereinbaren
sehr schwierig sein (Prät.)	Termine bekommen
einmal das Gefühl haben (Prät.)	mein Ziel erreicht haben
einen Vermieter überredet haben	mir einen Termin geben
vergessen haben	die Adresse aufschreiben
drei Makler gebeten haben	mir eine passende Wohnung besorgen
mir richtig peinlich sein (Prät.)	die Makler gefragt haben
geglaubt haben	Provision, Kaution und Abstand bezahlen können
einfach aufhören	eine neue Wohnung suchen
keine Lust mehr haben	mit unfreundlichen Vermietern und Maklern telefonieren
einfach lernen müssen	mit meiner Wohnung zufrieden sein

E

Zwischen den Zeilen

E 1

Ergänzen Sie die Adjektiv-Nomen und die Regeln.

gut	das **Gut**e, alles **Gut**e etwas **Gut**es, nichts **Gut**es
besonder-	das **Besonder**e, alles **Besonder**e etwas **Besonder**es, nichts **Besonder**es

Es gibt nichts Gutes außer: Man tut es. *(Erich Kästner)*

Etwas Warmes braucht der Mensch. *(Suppen-Werbung)*

Alles Gute kommt von oben. *(Sprichwort)*

ähnlich	das/alles	*Ähnliche*
	etwas/nichts	________
neu	das/alles	________
	etwas/nichts	________
passend	das/alles	________
	etwas/nichts	________
schön	das/alles	________
	etwas/nichts	________
wichtig	das/alles	________
	etwas/nichts	________
interessant	das/alles	________
	etwas/nichts	________

alles ◆ -e ◆ -es ◆ etwas ◆ groß ◆ klein ◆ neutrum ◆ nichts

1 Viele Adjektive kann man auch als Nomen benutzen. Sie stehen dann oft nach dem bestimmten Artikel „das" oder nach „ ________ ", „ ________ " und „ ________ ". Diese Adjektiv-Nomen sind ________ , Nominativ und Akkusativ sind gleich.

2 Nach „etwas" und „nichts" hat das Adjektiv-Nomen die Endung ________ , nach „das" und „alles" hat das Adjektiv-Nomen die Endung ________ .

3 Adjektive schreibt man ________ , Adjektiv-Nomen schreibt man ________ .

E 2

Ergänzen Sie die passenden Adjektiv-Nomen aus E1.

1 ● Rolfs Wohnung gefällt mir nicht – alles ist so kalt und leer.
■ Was? Wenig Möbel, viel Platz, kühle Farben – das ist doch gerade das *Interessante* .

2 ● Kaufen Sie Ihre Kleidung spontan oder planen Sie ihre Einkäufe genau?
■ Meistens ganz spontan, wenn ich etwas ________ sehe.

3 ● Alles ________ für deinen Umzug am Wochenende.
■ Danke. Ich bin froh, wenn alles vorbei ist.

4 ● Was ist das denn?
■ Ich weiß auch nicht so genau, aber ich habe so was* ________ schon mal bei MöbelFun gesehen. Ich glaube, das ist ein Bücherregal.

5 ● Und? Habt ihr in der Stadt was* ________ gefunden?
■ Nein, entweder war es die falsche Farbe oder die falsche Größe.

6 ● Wie ist denn die neue Wohnung von Sabine?
■ Ach, na ja. Wenn du mich fragst, nichts ________ . Das Übliche halt.

7 ● Hast du schon gehört? Vera hat einen neuen Freund.
■ Ja, das ist doch nichts ________ . Das weiß ich schon lange.

8 ● Wolltest du mir gestern nicht noch was* erzählen?
■ Ich weiß nicht mehr – das war sicher nichts ________ .

* In der gesprochenen Sprache sagt man oft „was" für „etwas".

Hören und vergleichen Sie.

F Geschichten vom Franz:

Schöne Männer

von Christine Nöstlinger (Zeichnungen von Erhard Dietl)

F 1 Lesen Sie den Text und zeichnen Sie ein Bild von Franz.

Der Franz ist acht Jahre und acht Monate alt. Er wohnt mit seiner Mama, seinem Papa und seinem großen Bruder, dem Josef, in der Hasengasse.
Seine Freundin, die Gabi, wohnt gleich nebenan in der Wohnung. Sie ist so alt wie der Franz. Einen Freund hat der Franz auch. Der heißt Eberhard Most und geht mit ihm in die Klasse. Er beschützt den Franz. Das hat der Franz auch manchmal nötig, weil er der kleinste und schwächste Bub in der Klasse ist.
Die Oma vom Franz wohnt im Altersheim. Der Franz besucht sie jede Woche zweimal.
Hin und wieder passiert es dem Franz auch, dass ihn jemand für ein Mädchen hält. Weil er blonde Ringellocken hat und einen Herzkirschenmund. Und veilchenblaue Sternenaugen.

Arbeiten Sie zu dritt oder zu viert und vergleichen Sie Ihre Bilder.

F 2 Hören Sie jetzt die Geschichte. Was passt zu wem? Markieren Sie.

Franz 1

	Franz	Gabi	Peter	
1	X	X		wohnen in der Hasengasse.
2	X			besucht oft die Oma im Altersheim.
3				bekommt bei Stress eine Pieps-Stimme.
4				ist einfach zu schön für einen Buben.
5				kann nur „wirklich schöne Menschen" lieben.
6				fährt jedes Wochenende aufs Land zu Tante Anneliese.
7				ist ein Patenkind von Tante Anneliese.
8				spricht viel von Peter.
9				ist sportlich, kann gut singen und weiß einfach alles.
10				ist froh, dass sein Konkurrent nicht „wirklich schön" ist.

Was meinen Sie: Wer liebt wen? Markieren und schreiben Sie.

F 3

Welche Erklärung passt? Hören Sie noch einmal und markieren Sie.

1 Eberhard Most *beschützt* den Franz.
- a) Er *hilft* dem Franz.
- b) Er *ärgert* den Franz.

2 Wenn *sich* der Franz *aufregt, …*
- a) Wenn er *etwas sagen will, …*
- b) Wenn er *sehr sauer oder froh* ist, …

3 …, bekommt er *eine Pieps-Stimme.*
- a) *spricht* er *hoch und leise.*
- b) *schreit* er *laut.*

4 *Hin und wieder* passiert es dem Franz, …
- a) *Manchmal* passiert es dem Franz, …
- b) *Dauernd* passiert es dem Franz, …

5 …, dass *ihn* jemand *für ein Mädchen hält.*
- a) dass jemand *denkt: Er ist ein Mädchen.*
- b) dass jemand *ihn doof findet.*

6 Oft *plagt die Eifersucht den Franz.*
- a) Oft ist der Franz *fröhlich. Er findet das Leben schön.*
- b) Oft ist der Franz *traurig. Er glaubt, Gabi liebt einen anderen.*

7 *Angeblich* kann der Peter …
- a) *Gabi sagt:* Der Peter kann …
- b) *Ohne Probleme* kann der Peter …

8 Gabi hat dem Franz noch nie *vorgeschwärmt,* dass …
- a) Gabi hat dem Franz noch nie *leise ins Ohr geflüstert,* dass …
- b) Gabi hat dem Franz noch nie *mit Begeisterung erzählt,* dass …

F 4

Schreiben Sie über Franz, Gabi und Peter.

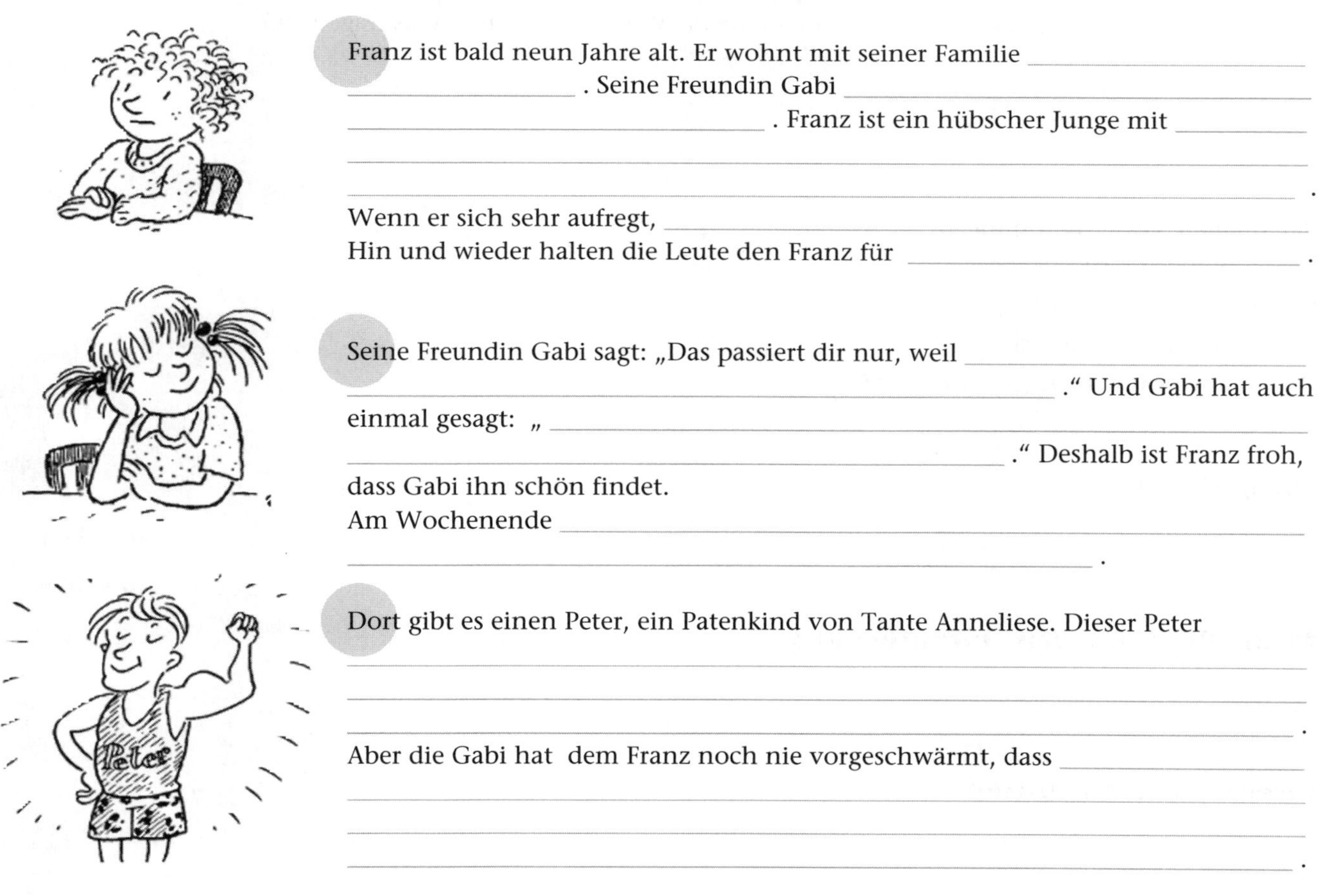

Franz ist bald neun Jahre alt. Er wohnt mit seiner Familie ____________________ ____________________. Seine Freundin Gabi ____________________ ____________________. Franz ist ein hübscher Junge mit ____________________ ____________________ ____________________.

Wenn er sich sehr aufregt, ____________________

Hin und wieder halten die Leute den Franz für ____________________.

Seine Freundin Gabi sagt: „Das passiert dir nur, weil ____________________ ____________________." Und Gabi hat auch einmal gesagt: „____________________ ____________________." Deshalb ist Franz froh, dass Gabi ihn schön findet.

Am Wochenende ____________________ ____________________.

Dort gibt es einen Peter, ein Patenkind von Tante Anneliese. Dieser Peter ____________________ ____________________ ____________________.

Aber die Gabi hat dem Franz noch nie vorgeschwärmt, dass ____________________ ____________________ ____________________ ____________________.

Vergleichen und korrigieren Sie Ihre Geschichten.
Waren Sie schon einmal eifersüchtig? Erzählen oder schreiben Sie.

G

Kurz & bündig

Wortschatzarbeit

Was passt zu „Wohnzimmer", zu „Esszimmer", zu „Häuser"? Finden Sie ein Wort zu jedem Buchstaben.

Wohnzimmer	Esszimmer	Häuser
W	E	H
o	s	Altb a u
h	s	e
n	Sit z ecke	u
z	i	s
i	m	e
m	m	r
m	e	
e	r	
Aqua r ium		

Wohnungssuche

4-ZW Bornheim, ca. 100m², gr. Blk., G-WC, 1490,– + NK, Abst. f. EBK, 069/541722

Sie haben Interesse an der Wohnung. Rufen Sie an. Was fragen Sie?

____

______________________________ .

______________________________ .

Sie sind der Vermieter. Jemand ruft an und möchte die Wohnung mieten. Was fragen Sie?

____

____

____

Beschreiben Sie die Wohnungen?

Meine Wohnung ist ____________________

Die Wohnung von … ist ____________________

Unser Unterrichtsraum ist ____________________

Wie und wo würden Sie gern wohnen? ____________________

____

„Infinitiv mit zu"

______________________________ zu haben.

______________________________ zu können.

Meine Regel für den „Infinitiv mit zu"

____

____

Interessante Ausdrücke

____

______________________________ .

____

____

Erinnerungen

LEKTION 2

A

Stationen des Lebens

A 1

Herr Schümann hat zu seinem 70. Geburtstag ein Fotoalbum geschenkt bekommen. Was passt wo? Ergänzen Sie.

1

2

3

4

5

6

7

8

9

10

- 5 1931: Klein-Ernie auf dem Eisbärfell (27 Monate)
- ☐ 1938: Der Ernst des Lebens beginnt – erster Tag auf dem Gymnasium
- ☐ 1949–56: Ausbildung und Arbeit als Maschinenschlosser
- ☐ 8. Juli 1966: Hochzeit mit Ruth, der Traumfrau!
- ☐ 1969: Der stolze Papa mit seiner Anja (1 Jahr)
- ☐ 1973: „De swatte Hahn" – Premiere im Kurhaus
- ☐ Ernst als Berufsschullehrer (1965–93) – hier 1976 mit seiner Klasse
- ☐ Umzug nach Föhr 1981: Das erste Eigenheim
- ☐ Dezember 1990: Die erste Fernreise (Mauritius)
- ☐ Herbst 97: Opa liest vor

A 2

Schreiben oder sprechen Sie über das Leben von Herrn Schümann.

Als Kind/19-Jähriger/Lehrling/Rentner/ ... ◆ Mit neun Jahren ... ◆ Dann/Danach/Drei Jahre später ... ◆ (Im Jahre) 19... / Von 19... bis 19... ◆ seit 19.../bis 19... ◆ Zwischen 19... und 19... ◆ In den 70er-Jahren ... ◆ Anfang/Ende der 90er-Jahre ... ◆ Damals ... ◆ ...

Abitur machen ◆ als Berufsschullehrer / Maschinenschlosser arbeiten ◆ auf die Insel Föhr ziehen ◆ aufs Gymnasium kommen ◆ eine Ausbildung zum Berufsschullehrer machen ◆ ein Haus bauen ◆ eine Lehre als Maschinenschlosser beginnen ◆ eine Tochter bekommen ◆ der Enkelin vorlesen ◆ heiraten ◆ nach Mauritius fliegen ◆ Theater spielen

Ernst Schümann wurde 1929 geboren. Mit neun Jahren ist er aufs Gymnasium gekommen. ...

Erinnern Sie sich?

Beim Perfekt gibt es verschiedene Verbgruppen, z.B.

gemacht	**ge**flogen	verreist	stud**iert**
ein**ge**kauft	um**ge**zog**en**	begonn**en**	

Aufgaben

Ordnen Sie diese Verben den Gruppen zu: *arbeiten, bekommen, besuchen, fahren, heiraten, passieren, vorlesen, vorspielen*
Finden Sie für jede Gruppe mindestens zwei weitere Beispiele.
Welche Endung hat das Partizip Perfekt bei regelmäßigen/unregelmäßigen Verben?
Welche Verben bilden das Partizip Perfekt ohne „-ge-"?
Welche Verben benutzt man selten im Perfekt?

KURSBUCH A2-A4

A 3

Sie haben in Ihrer Fotokiste dieses Foto gefunden. Schreiben Sie einen Brief an einen alten Freund oder eine alte Freundin.

KURSBUCH B1-B4

B

Berühmte Frauen

B 1

Welche Informationen enthält der „Klappentext"? Machen Sie Notizen.

Christine Nöstlinger
Die Kinder- und Jugendbuchautorin Christine Nöstlinger, 1936 in Wien geboren, studierte Grafik und arbeitete nach der Ausbildung als Illustratorin. Sie heiratete den Journalisten Ernst Nöstlinger, bekam zwei Töchter, schrieb für Tageszeitungen und Magazine und arbeitete für den österreichischen Rundfunk. Erst später machte sie Karriere als Schriftstellerin: „Eigentlich war ein glücklicher Zufall der Grund dafür, dass ich mit dem Schreiben von Kinder- und Jugendliteratur begann. 1970 bekam ich den Auftrag, die Bilder für ein Kinderbuch zu malen." Was sie damals nicht wusste: Sie musste dann auch den Text dazu selber schreiben. „Die feuerrote Friederike" wurde ein Riesenerfolg. Seitdem gab es kein Jahr, in dem die Autorin nicht mindestens ein Buch veröffentlichte.
Heute stehen ihre Bücher in fast jedem Kinderzimmerregal. Sie erhielt Literaturpreise wie den „Goldenen Griffel" und den „Deutschen Jugendbuchpreis".
Christine Nöstlinger lebt in Wien.

Christine Nöstlinger
geb. 1936 in Wien
studierte

B 2

Unterstreichen Sie die Verben und ergänzen Sie die Tabelle.

Regelmäßige Verben / Mischverben: Präteritum (-t-)		Unregelmäßige Verben: Präteritum	
arbeiten		beginnen	
heiraten		bekommen	
machen		erhalten	
müssen		geben	
studieren	*studierte*	schreiben	
veröffentlichen		werden	
wissen			

Ergänzen Sie die Regeln.

Verb-Endung (2x) ◆ mündliche Berichte ◆ -t- ◆ *ich* und *sie/er/es* ◆ Verbstamm ◆ schriftliche Berichte ◆ -en

1 Mit Präteritum und Perfekt berichtet man über Vergangenes (vor fünf Minuten, gestern, vor zehn Jahren ...).
Präteritum: z. B. Märchen, ______________________, Lebensläufe
Perfekt: z. B. Konversation, ______________________, persönliche Briefe

2 Regelmäßige Verben *(machen)* und Modalverben *(müssen)* haben im Präteritum vor der ______________ immer das Präteritum-Signal ________ *(ich mach-**t**-e, ich muss-**t**-e)*.
Die Endungen sind gleich bei ______________ (Singular) Endung *-te*
wir und *sie* (Plural) Endung ____

3 Unregelmäßige Verben verändern im Präteritum den ______________ *(geben → gab)*. Bei *ich* und *sie/er/es* gibt es keine ______________ .
Ausnahme: Es gibt einige „Mischverben". Sie verändern ihren Stamm, haben aber die gleichen Endungen wie regelmäßige Verben: *wissen - wusste, (ver)bringen – (ver)brachte, denken – dachte, kennen – kannte, nennen – nannte.*

B 3

Was passt zusammen? Ergänzen Sie die Verbformen im Präteritum.

~~aß~~ ◆ traf ◆ saß ◆ blieb ◆ fand ◆ flog ◆ gab ◆ sah ◆ ging ◆ kam ◆ fuhr ◆ las ◆ nahm ◆ sang ◆ wusste ◆ sprach ◆ ~~begann~~ ◆ starb ◆ trank ◆ kroch ◆ schlief ◆ verbrachte ◆ dachte ◆ vergaß

Verben **ohne** Vokalwechsel im Präsens			Verben **mit** Vokalwechsel im Präsens *(sie/er/es)*			
Infinitiv	Präteritum	Partizip Perfekt	Infinitiv	Präsens	Präteritum	Partizip Perfekt
beginnen	*begann*		essen		*aß*	
bleiben			fahren			
denken			geben			
finden			lesen			
fliegen			nehmen			
gehen			schlafen			
kommen			sehen			
kriechen			sprechen			
singen			sterben			
sitzen			treffen			
trinken			vergessen			
verbringen			wissen			

Ergänzen Sie die restlichen Verbformen im Präsens und Perfekt.

Lerntipp:

Einige unregelmäßige Verben haben im Präteritum und Partizip Perfekt dieselben Stammvokale.
Bilden Sie verschiedene Verbgruppen und lernen Sie diese Verben zusammen, z. B.:

kommen – kam – gekommen
bekommen – bekam – bekommen
nehmen – nahm – genommen
beginnen – begann – begonnen
treffen – traf – ...
...

lesen – las – gelesen
sehen – sah – gesehen
...

finden – fand – gefunden
...

KURSBUCH B5

B 4

Schreiben Sie einen Klappentext wie in B1.

Sinasi Dikmen

- geboren 1945 in Ladik (Türkei)
- nach Abschluss der Schule Besuch der Berufsfachschule für Gesundheit
- vier Jahre Beamter im staatlichen Gesundheitsdienst der Türkei
- 1972 Ankunft in der Bundesrepublik Arbeit als Krankenpfleger in Ulm
- 1979 Satiren über den Alltag als Gastarbeiter und seine Erfahrungen mit den Deutschen
- 1985 Gründung des „Knobi-Bonbon-Kabaretts"
- lebt und arbeitet in Ulm

Wenn der Türke...

Wenn der Türke zweimal klingelt
von und mit Sinasi Dikmen

Die Politiker mögen darüber streiten, ob die BRD schon ein Einwanderungsland ist oder nicht. Sinasi Dikmen, *der Inbegriff der Satire der Ausländer in Deutschland* geht mit dieser Tatsache ganz locker um. In einem Jugendstilhaus wohnen ein orthodoxer Grieche, ein katholischer Pole, ein atheistischer Jugoslawe und ein moslemischer Kurde zusammen. Dazu kommt der Bonsaieuropäer – der Italiener – und der edel Ausländer – ein Schweizer. Der Hausmeister dieses babylonischen Hauses ist ein protestantischer Schwabe. Das Haus gehört selbstverständlich einem moslemischen Türken. Das Chaos ist vorprogrammiert, jeder ist gegen jeden, der Schwabe gegen alle. Was fühlt ein schwäbischer Hausmeister, wenn er plötzlich einen türkischen Herrn bekommt? Wird der Türke sich mit der Übernahme des Hauses auch die Meinung des schwäbischen Hausmeisters über die Ausländer aneignen? Wo und warum hat der Grieche seine klassische griechische Nase vergessen und was haben die Türken alles dafür unternommen, damit der Grieche seine Nase wieder bekommt?
»Wenn der Türke

Dienstag 19.
Mittwoch 20.
Januar
Dienstag 16.
Mittwoch 17.
Freitag 19.
Samstag 20.
Februar
Freitag 19.
Samstag 20.
Dienstag 30.

KÄS
BARETT
UNGSSCHNEIDEREI

KURSBUCH C1

C

Erinnerungen

C 1

Was passt wo?

Augen ◆ Farben ◆ Geräusch ◆ hören ◆ Nase ◆ Parfum ◆ Salz ◆ Zucker ◆ Stimmen ◆ schmecken ◆ Schweiß ◆ sehen ◆ Zunge

		Sinne / Eindrücke	Körperteile / Sinnesorgane	Beispiele	
1	*riechen*	*Geruch*		,	
2		*Geschmack*		,	
3			*Ohren*	*Musik,*	
4				*Foto,*	

C 2

Ergänzen Sie die passenden Begriffe.

Erfahrung ◆ Gedächtnis ◆ Gefühl ◆ Gehirn ◆ Persönlichkeit ◆ Stimmung

____
Mit diesem Organ kann man denken und fühlen.

____
Man spürt es in seinem Inneren (aber nicht mit seinem Verstand).

____
Die Fähigkeit, sich an etwas zu erinnern.

____
Man fühlt sich gut oder schlecht.

____
Ein Wissen oder Können, das man nicht theoretisch aus Büchern, sondern in der Praxis bekommt.

____
Alle charakteristischen Eigenschaften eines Menschen.

C 3

Woran können Sie sich besonders gut oder schlecht erinnern (Namen, Zahlen, Gesichter, ...)? Erzählen oder schreiben Sie.

Ich kann mich gut an ...
... kann ich mir nicht merken.

KURSBUCH C2-C4

C 4

Was passt wo?

Wasserhahn *(m)* ◆ Regen *(m)* ◆ Blitz *(m)* ◆ Faust *(f)* ◆ Gewitter *(n)* ◆ Bohrer *(m)* ◆ ~~Donner~~ *(m)* ◆ Wind *(m)*

hören *der Donner,* _______________
sehen _______________
fühlen _______________
riechen _______________

Was haben Sie als Kind bei Gewitter gemacht? Erzählen Sie.

C 5

Lesen Sie den Text und unterstreichen Sie alle Geräusche.

Caroline Link:
Jenseits der Stille

Ich heiße Lara Bischoff. Als ich acht Jahre alt war, hatte ich lange blonde Haare, die braunen Augen meiner Mutter und die stolze Nase meines Vaters. In meinem Kinderzimmer fühlte ich mich zu Hause. Da waren meine Puppen und ein alter Teddy, den ich besonders liebte. Ich schlief im Erdgeschoss, Papa und Mama oben. Angst hatte ich nicht. Ich wusste, dass sie in meiner Nähe waren. Bevor ich einschlief, lag ich oft wach und hörte auf die Geräusche in unserem Haus. Ein Wasserhahn im Bad tropfte, und die Treppe knarrte leise, wenn jemand nach oben ging. Geräusche waren für mich nicht einfach nur Geräusche. Ich übersetzte sie in Bilder. Wenn der Wind wehte, dann sprachen die Bäume miteinander. Wenn mein Vater seinen Bohrer herausholte, dann hörte ich Flugzeuge starten.
Eines Nachts wachte ich von einem lauten Donnern auf. Ich hatte das Gefühl, ein großer Mann im Himmel schlägt mit seiner Faust gegen eine alte Holztür. Als ich aus dem Fenster sah, erleuchtete ein heller Blitz den Garten. Ich zog mir die Decke über den Kopf und hoffte, dass das Gewitter schnell weiterzieht. Aber der Donner wurde immer lauter, und als der nächste Blitz mein Zimmer taghell erleuchtete, sprang ich aus dem Bett und rannte mit meinem Teddy unterm Arm die Treppe hoch zum Schlafzimmer meiner Eltern. Ich hatte das Gefühl, die Welt geht unter, und konnte es kaum glauben, aber die beiden schliefen wirklich tief und fest. Ich rüttelte meinen Vater an der Schulter, bis er aufwachte. Als er die Lampe neben dem Bett anmachte, sah er mich irritiert an. Er verstand nicht, warum ich solche Angst hatte. Aufgeregt beschrieb ich mit meinen kleinen Händen das schreckliche Gewitter, die Blitze und den Mann, der mit der Faust gegen die Himmelstür schlägt. Langsam verstand er, was draußen los war, lächelte und zog mich mit seinen wunderbaren großen Händen ins Bett. Wenn heute meine Kinder bei Gewitter zu mir ins Bett kriechen, muss ich immer noch daran denken, wie sicher ich mich damals fühlte im Bett meiner Eltern.

Caroline Link
geb. 1964 in Bad Nauheim, Studium an der Münchner Hochschule für Fernsehen und Film. Mit ihrem Kinodebüt „Jenseits der Stille" wurde sie international erfolgreich und gewann mehrere Preise. In „Jenseits der Stille" erzählt Caroline Link die Geschichte von Lara – Tochter gehörloser Eltern –, die die faszinierende Welt der Musik entdeckt und somit langsam Abschied nimmt von Kindheit und Elternhaus.

Wie versucht Lara ihren Eltern das Gewitter zu erklären?
Warum haben Laras Eltern das Gewitter nicht bemerkt?

C 6

Ergänzen Sie.

1 ______ ich acht Jahre alt ______ , hatte ich lange blonde Haare, ... *b*
2 Ein Wasserhahn im Bad tropfte, und die Treppe knarrte leise, ______ jemand nach oben ______ .
3 ______ der Wind ______ , dann sprachen die Bäume miteinander.
4 ______ mein Vater seinen Bohrer ______ , dann hörte ich Flugzeuge starten.
5 ______ ich aus dem Fenster ______ , erleuchtete ein heller Blitz den Garten.
6 ..., und ______ der nächste Blitz mein Zimmer taghell ______ , sprang ich aus dem Bett und rannte mit meinem Teddy unterm Arm die Treppe hoch zum Schlafzimmer meiner Eltern.
7 ______ er die Lampe neben dem Bett ______ , sah er mich irritiert an.
8 ______ heute meine Kinder bei Gewitter zu mir ins Bett ______ , muss ich immer noch daran denken, wie sicher ich mich fühlte im Bett meiner Eltern.

Lesen Sie die Sätze noch einmal und markieren Sie.

a Gegenwart oder Zukunft *b* Vergangenheit: ein Zustand oder ein einmaliges Ereignis
c Vergangenheit: ein wiederholtes Ereignis

C 7

„Wenn" oder „als"? Ergänzen Sie die Regeln.

temporale ◆ als ◆ am Anfang ◆ wenn

1 „Wenn" und „als" sind ______ Konjunktionen und stehen ______ von Nebensätzen.
2 Gegenwart oder Zukunft: ______
Vergangenheit: ein Zustand oder ein einmaliges Ereignis: ______
Vergangenheit: ein wiederholtes Ereignis: *wenn*

C 8

„Wenn" oder „als"? Ergänzen Sie die Sätze.

Lars erzählt:

Als ich ein kleiner Junge war (1) *(sein/ein kleiner Junge)*, hatte ich große Angst vor Gewitter. ______________ (2) *(ein Gewitter/sein/besonders stark)*, bin ich immer zu meinen Eltern ins Bett gekrochen. ______________ (3) *(sehen/einen Blitz)*, haben wir immer langsam bis zum Donner gezählt. Meine Mutter hat dann gesagt: „So viele Kilometer ist das Gewitter von uns entfernt." Und mein Vater hat immer gesagt, dass man sich immer ganz flach auf den Boden legen soll, ______________ (4) *(bei Gewitter/sein/draußen in der Natur)*. ______________ (5) *(ein starkes Gewitter/sein/einmal/besonders nah)*, hat er alle Stecker im Haus aus den Steckdosen gezogen. Einmal, ______________ (6) *(ich/sein/allein zu Hause)*, gab es ein schreckliches Gewitter. ______________ (7) *(das Gewitter/sein/ganz nah)*, bin ich im ganzen Haus rumgelaufen und habe die Stecker aus den Steckdosen gezogen. Und ich habe bei jedem Blitz gezählt. ______________ (8) *(der Donner/kommen/schon bei „2")*, habe ich mich unter dem Bett versteckt und gedacht: ______________ (9) *(ich/mich verstecken/hier)*, kann mir nichts passieren. Später, ______________ (10) *(das Gewitter/sein/vorbei)*, habe ich mich ins Bett gelegt und geschlafen. ______________ (11) *(meine Eltern/kommen/nach Hause)*, haben sie das mit den Steckern nicht bemerkt. Und ______________ (12) *(wir/aufwachen/am nächsten Tag)*, war es schon Mittag. Wir hatten alle verschlafen, weil …

Hören Sie und vergleichen Sie.

C 9

Hören und antworten Sie.

Sie haben Ihren ersten Termin beim Psychologen und beantworten seine Fragen.

- *Es ist gut, dass Sie zu mir gekommen sind. Um Ihnen helfen zu können, muss ich möglichst viel von Ihnen wissen. Sie haben mir ja erzählt, dass Sie manchmal diese Angstzustände haben. In welchen Situationen haben Sie denn Angst?*
  - ■ *Manchmal, → wenn ich nachts alleine bin. ↘*
- *Manchmal, wenn Sie nachts alleine sind? Interessant. Können Sie sich erinnern, wann Sie das erste Mal diese Angst hatten?*
  - ■ *Mit drei Jahren, → als ich nachts aufgewacht bin und meine Eltern nicht da waren. ↘*

Angst	manchmal	nachts alleine sein
	mit drei Jahren	nachts aufwachen, Eltern nicht da sein
einsam	mit vierzehn	Eltern fahren ohne mich in Urlaub
	immer	Freunde verreisen
wütend	meistens	Leute haben keine Zeit für mich
	im Kindergarten	kein Kind will mit mir spielen
nervös	in der Schule	nach zwei Monaten noch nicht lesen können
	immer	irgendwas nicht gleich verstehen
traurig	oft	sich von jemand verabschieden müssen
	mit achtzehn	von zu Hause wegziehen
glücklich	immer	Leute interessieren sich für mich
	jetzt gerade	dieses Gespräch haben

D Der Ton macht die Musik

D 1 **Hören Sie, sprechen Sie nach und ergänzen Sie „ei" oder „ie".**

bl___ben – bl___ben	h___ß – h___ß	l___der – L___der
r___chen – r___chen	schr___ben – schr___ben	s___t – s___ht
W___n – W___n	Z___le – Z___le	Z___t – z___ht

D 2 **Wo spricht man „ie" als [jə]? Hören und markieren Sie.**

Allergien ◆ Asien ◆ Australien ◆ Biografie ◆ Brasilien ◆ Energie ◆ Familie ◆ Fantasie ◆ Ferien ◆ Garantie ◆ Immobilie ◆ Italien ◆ Kalorien ◆ Komödie ◆ Knie ◆ Linie ◆ Materialien ◆ Medien ◆ Melodien ◆ Petersilie ◆ Prinzipien ◆ Spanien ◆ Studien ◆ Textilien

Hören Sie noch einmal, sprechen Sie nach und markieren Sie den Wortakzent.

Ergänzen Sie die Regeln.

1 Unbetontes „ie" und „ien" am Wortende spricht man [jə] und [jən].
Beispiele: *Asien,* ______________________

2 Betontes „ie" und „ien" am Wortende spricht man [iː] und [iːən].
Beispiele: *Allergien,* ______________________

D 3 **Wo spricht man [j]? Hören und markieren Sie.**

Adjektiv ◆ anonym ◆ Handy ◆ Jahr ◆ Jeans ◆ jemand ◆ jetzt ◆ Job ◆ Journalist ◆ Jugend ◆ Juli ◆ Junge ◆ New York ◆ Party ◆ Projekt ◆ Subjekt ◆ Symbol ◆ Yuppie

Ergänzen Sie die Regeln.

1 Den Buchstaben ____ spricht man meistens [j] und nur bei Fremdwörtern [ʤ] oder [ʒ].
2 Den Buchstaben ____ spricht man nur am Wortanfang [j].

D 4 **Hören und sprechen Sie.**

Kneipen-Ferien
Sieben Familien aus Siegen
wollten nach Spanien fliegen.
In der Kneipe beim Bier
meinten dann aber vier:
„Wir bleiben jetzt doch lieber hier."

Wiener Lieder beispielsweise
Beim Wein in Wien schrieb ich viele Zeilen –
leider nur Lieder, keine Reime.
Heiße Lieder, beispielsweise
„Eine Liebe im Mai" und „Die Hochzeitsreise".

Zungenbrecher
Jedes Jahr im Juni und Juli
joggen junge joblose Yuppie-Journalisten
in Jeans und Jeansjacken durch New York

Freie Fantasien
Allergien in Australien,
Immobilien in Italien,
und Textilien aus Brasilien:
kniefrei, viele Materialien,
Studien über Kleinfamilien,
Ferien ohne Kalorien,
Prinzipien ohne Garantien:
Das sind meine Fantasien.

E

Das werde ich nie vergessen ...

E 1

Was passt wo? Ergänzen Sie die Definitionen.

Ausreiseantrag der, ¨-e ◆ Botschaft die, -en ◆ Bürger, der - ◆ DDR die ◆ Führung die ◆ Gesetz das, -e ◆ ~~Grenze~~ die, -n ◆ Grenzübergang der, ¨-e ◆ Menschenmasse die, -n ◆ Opposition die ◆ Partei die, -en ◆ Protest der, -e ◆ Reform die, -en ◆ Versammlungsfreiheit die

1 *Eine Grenze* ______ trennt zwei Länder.
2 ______ ist der Eingang und Ausgang eines Landes.
3 ______ ist die offizielle Vertretung eines Staates im Ausland.
4 ______ sind die Einwohner einer Stadt oder eines Staates.
5 ______ ist die Abkürzung für „Deutsche Demokratische Republik".
6 ______ ist die offizielle schriftliche Bitte, das Land verlassen zu dürfen.
7 ______ sind Worte oder Handlungen, die zeigen, dass man mit etwas nicht einverstanden ist.
8 ______ sind Veränderungen zur Verbesserung einer Gesellschaft oder Organisation.
9 ______ ist die Leitung eines Staates oder einer Organisation.
10 ______ sind Menschen mit anderen (politischen) Meinungen als die offizielle Meinung.
11 ______ ist eine offizielle Organisation von Personen mit gemeinsamen politischen Zielen.
12 ______ ist das Recht der Bürger eines Staates, sich öffentlich zu treffen und Werbung für ihre (politischen) Ziele zu machen.
13 ______ ist ein Recht, das der Staat macht und das für alle Bürger des Staates gilt.
14 ______ sind sehr viele Menschen an einem Ort.

KURSBUCH E1-E4

E 2

Lesen Sie den Text und ergänzen Sie die passenden Wörter aus E1.

Die „sanfte Revolution"

Die „sanfte Revolution"
Der 9. November 1989 war ein historischer Tag für Deutschland: Die DDR öffnete fast 30 Jahre nach dem Bau der Berliner Mauer ihre Grenzen und leitete damit eine Entwicklung ein, die schon ein knappes Jahr später zur Wiedervereinigung Deutschlands führte. Wie war es dazu gekommen?
Schon seit Mitte der 80er-Jahre hatte die Unzufriedenheit der Menschen in der DDR dramatisch zugenommen. Während andere osteuropäische Länder tiefgreifende wirtschaftliche und politische ______ begonnen hatten, hielt die DDR-______ jede Art von Reform für überflüssig und gefährlich. Die ______ wurde zu einer Insel der Orthodoxie in einem Meer radikaler Veränderungen, und immer mehr DDR-______ fassten den Entschluss, ihre Heimat zu verlassen.
Im Sommer 1989 hatten über 120 000 DDR-Bürger einen ______ gestellt. Andere hatten durch die Besetzung der westdeutschen ______ in Budapest, Prag, Warschau und Ost-Berlin ihre Ausreise in die Bundesrepublik erreicht. Und nachdem Ungarn Anfang September seine ______ geöffnet hatte, reisten täglich Tausende von DDR-Bürgern über Ungarn und Österreich in den Westen aus. Insgesamt waren 1989 bis zum Ende der ersten Novemberwoche über 225 000 Ostdeutsche in die Bundesrepublik geflohen.
Aber auch die ______ innerhalb der DDR war im Laufe des Jahres 1989 stärker geworden. Nachdem es schon im Frühjahr zu massiven ______ gegen die Fälschung der Kommunalwahlergebnisse gekommen war, gründeten sich im September und Oktober offiziell die ersten Organisationen und ______ der Opposition. Anfang September hatte in Leipzig die erste „Montagsdemonstration" mit 1 200 Teilnehmern stattgefunden. Ende Oktober beteiligten sich bereits über 300 000 Menschen und forderten lautstark Reise- und ______.
Nachdem die DDR-Führung unter dem Druck der Ereignisse ein neues ______ zur Regelung der Ausreise angekündigt und allen DDR-Bürgern die freie Ausreise versprochen hatte, zogen am Abend und in der Nacht des 9. November 1989 spontan Tausende von Ost-Berlinern zur Mauer. Die Soldaten an den ______ waren unsicher, weil sie von den neuen Ausreiseregelungen nur durch Radio und Fernsehen gehört, aber keine neuen Anweisungen erhalten hatten. Doch unter dem Ansturm der ______ öffneten sie schließlich die Schlagbäume: In Berlin begann die Nacht ohne Grenzen, die Mauer hatte ihren Schrecken verloren. Willy Brandt, der zur Zeit des Mauerbaus Bürgermeister von Berlin gewesen war, kommentierte am nächsten Tag in West-Berlin diese sanfte Revolution mit dem Satz: „Jetzt wächst zusammen, was zusammengehört."

Kennen Sie andere Revolutionen? Berichten Sie.

E 3 **Lesen Sie die Beispielsätze und ergänzen Sie die passenden Verben und die Regeln.**

Rückschau (Was war oder passierte vorher?)	Erzähl-Zeit (Was war oder passierte?)
1 Während andere osteuropäische Länder tiefgreifende wirtschaftliche und politische Reformen ________ ________ ,	, ________ die DDR-Führung jede Art von Reform für überflüssig und gefährlich.
2 Nachdem Ungarn Anfang September seine Grenzen ________ ________ ,	, ________ täglich Tausende von DDR-Bürgern über Ungarn und Österreich in den Westen ________ .
Insgesamt ________ 1989 bis zum Ende der ersten Novemberwoche über 225 000 Ostdeutsche in die Bundesrepublik ________ .	
3 Aber auch die Opposition innerhalb der DDR ________ im Laufe des Jahres 1989 stärker ________ .	
Nachdem die DDR-Führung unter dem Druck der Ereignisse ein neues Gesetz zur Regelung der Ausreise ________ und allen DDR-Bürgern die freie Ausreise ________ ________ ,	________ am Abend und in der Nacht des 9. November 1989 spontan Tausende von Ost-Berlinern zur Mauer.
Die Mauer ________ ihren Schrecken ________ .	In Berlin ________ die Nacht ohne Grenzen.

„hatt-" oder „war-" ◆ Vergangenes ◆ Plusquamperfekt ◆ nachdem

1 Über ________ berichtet man im Präteritum oder im Perfekt. Wenn man etwas beschreiben will, was schon vorher passiert ist, dann benutzt man das ________ .
2 Plusquamperfekt = ________ + Partizip Perfekt
3 In Nebensätzen mit ________ benutzt man sehr oft das Plusquamperfekt.

Lesen Sie den Text in E2 noch einmal und unterstreichen Sie alle Plusquamperfekt-Formen.

E 4 **Was passt zusammen? Schreiben Sie Sätze mit „nachdem".**

Bayern München gewinnt Europameisterschaft
Kultusministerkonferenz beschließt Rechtschreibreform
Berlin wird neue Hauptstadt Deutschlands
Ferienbeginn in Nordrhein-Westfalen
Bundestag verabschiedet neues Staatsangehörigkeitsrecht
Schwerer Atomunfall in Tschernobyl
Rot-Grün gewinnt die Bundestagswahl
Proteste gegen Arbeitslosigkeit nehmen zu.
Lady Di tödlich verunglückt
Nelson Mandela neuer Präsident von Südafrika
Telekom senkt Telefongebühren
Euro wird gemeinsame europäische Währung

feierten die Menschen das Ende der Apartheid. ◆ feierten die Münchner drei Tage lang. ◆ musste man bei Urlaubsreisen in andere europäische Länder kein Geld mehr wechseln. ◆ mussten die Verlage alle Schulbücher korrigieren. ◆ stellten viele Ausländer einen Antrag auf Einbürgerung. ◆ stieg die Zahl der Internet-Anschlüsse in Deutschland. ◆ trauerten viele Menschen auf der ganzen Welt. ◆ versprach die Regierung wirtschaftliche Reformen. ◆ wählte der Bundestag Gerhard Schröder zum neuen Bundeskanzler. ◆ waren die Autobahnen überfüllt. ◆ zogen die meisten ausländischen Botschaften nach Berlin um.

Nachdem in Tschernobyl ein schwerer Atomunfall passiert war, diskutierte man überall neu über die Gefahren von Atomkraftwerken.

KURSBUCH F1-F2

F

Zwischen den Zeilen

F 1

Sortieren Sie die Zeitangaben.

damals ◆ danach ◆ dann ◆ ein paar Wochen ◆ einmal ◆ früher ◆ ~~immer~~ ◆ jetzt ◆ kurz ◆ lange ◆ letztes Jahr ◆ manchmal ◆ nie ◆ oft ◆ schließlich ◆ seit zehn Jahren ◆ später ◆ ständig ◆ stundenlang ◆ zuerst

Häufigkeit	Reihenfolge und	Zeitpunkt	Zeitdauer
immer, ______	______	______	______
______	______	______	______
______	______	______	______
______	______	______	______
______	______	______	______

F 2

Ergänzen Sie den Text mit passenden Zeitangaben.

Ein Freund fürs Leben

D. und ich hatten uns zum ersten Mal nur kurz im Urlaub gesehen, als ich *einmal* (1) mit meinen Eltern zu Bekannten nach Berlin gefahren war. *Danach* (2) hatten wir lange nichts mehr voneinander gehört. Ein paar Jahre ______ (3) trafen wir uns in der Schule wieder. Zuerst wollte ich nichts von ihm wissen, weil alle sagten: „Lass die Finger von ihm, der ist viel zu kompliziert." Aber ______ (4) habe ich mich doch für ihn entschieden: D. hatte mich schon bei unserem ersten Treffen interessiert, schon ______ (5) in Berlin hatte ich ihn näher kennen lernen wollen, und jetzt hatte ich endlich die Gelegenheit dazu.
Am Anfang war unsere Beziehung nicht leicht: Ich wollte nur eine lockere Beziehung, aber D. wollte ______ (6) mit mir zusammen sein. Aber als ich ihn dann besser kennen lernte, konnte ich stundenlang mit ihm zusammen sein, und es war ______ (7) langweilig. Schon ______ (8), als Schulkind, hatte ich gern gelesen, aber mit D. zusammen machte mir das Lesen noch mehr Spaß. Und ich habe durch ihn viele neue Freunde gefunden.
Unser Verhältnis ist sehr gut. Wir streiten uns nur ______ (9), wenn ich ihn nicht verstehen kann. D. spricht nämlich ______ (10) sehr schnell. Aber wenn alles klar ist, geht es sehr gut zwischen uns. ______ (11) sind wir sogar zusammen nach Deutschland geflogen und haben dort ______ (12) Urlaub gemacht. Da gab es keine Probleme, weil D. mir immer geholfen hat.
D. und ich, wir kennen uns ______ (13). Das ist nicht sehr ______ (14), finde ich. Am liebsten würde ich mein ganzes Leben mit ihm verbringen.

Wer ist D. ? Hören und vergleichen Sie.

G

Geschichten vom Franz:
Von alten und neuen Weihnachtsgeschenken

von Christine Nöstlinger (Zeichnungen von Erhard Dietl)

G 1

Was fällt Ihnen zu „Weihnachten" ein? Ergänzen Sie zuerst das Assoziogramm, dann lesen Sie den Text.

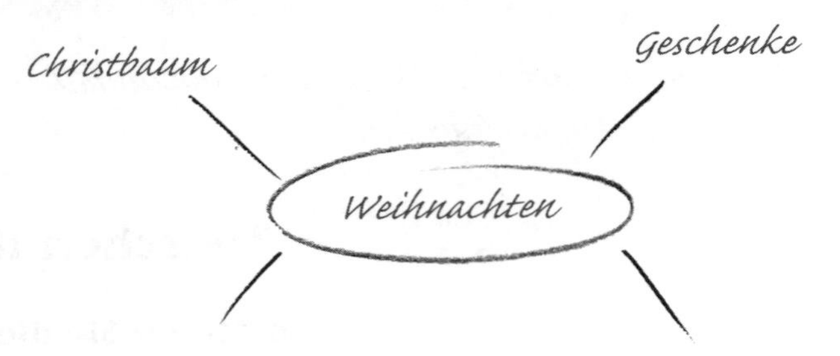

Zu Weihnachten fährt die Gabi auch immer mit ihren Eltern zur Tante Anneliese und zum Peter. Der Franz nimmt es der Gabi sehr übel, dass sie zu Weihnachten nicht daheim bleibt. Jedes Jahr will er sie dazu überreden, nicht wegzufahren.
Wenn der Franz wollte, könnte er ja mitkommen. Doch Weihnachten ohne Mama und Papa, Oma und Josef, kann sich der Franz nicht gut vorstellen. Und Weihnachten mit diesem Peter kann er sich noch weniger gut vorstellen.
Gleich am letzten Schultag vor Weihnachten fahren die Gabi und ihre Eltern los. Und darum beschenken der Franz und die Gabi einander auch schon einen Tag vor dem Heiligen Abend. Sie machen das sehr feierlich.

Arbeiten Sie zu dritt oder zu viert und vergleichen Sie.
Wie feiern Franz und Gabi Weihnachten?
Diskutieren Sie.

G 2

Wie heißen diese Sachen? Ergänzen Sie.

Ansteckknopf ◆ Nussknacker ◆ Schraubenzieher ◆ Duschhaube ◆ Stirnband ◆ Hosenknöpfe ◆ Quakfrösche aus Blech ◆ Briefpapier mit Zierrand

1 ____________________

2 ____________________

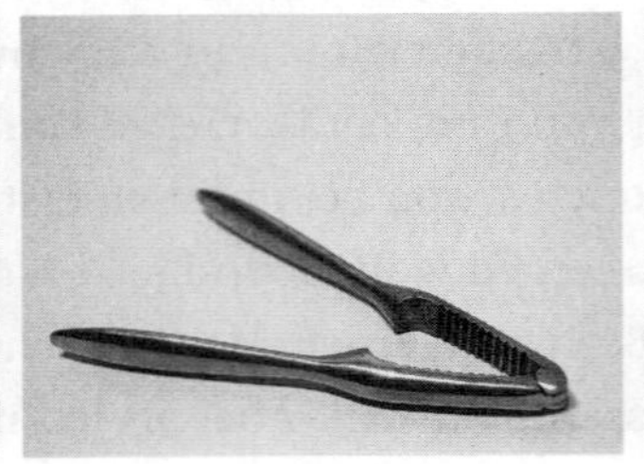

3 ____________________

4 ____________________

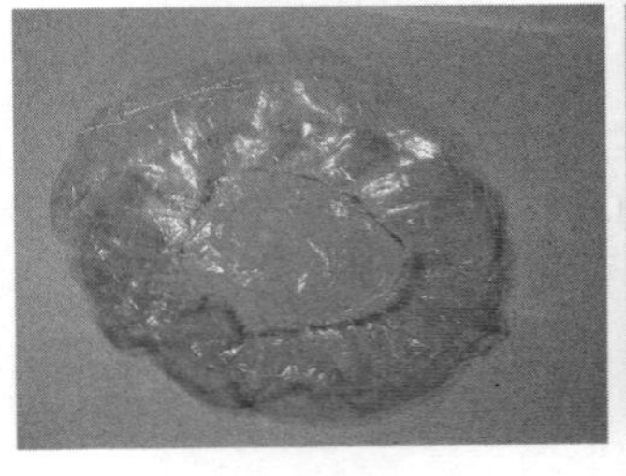

5 ____________________

6 ____________________

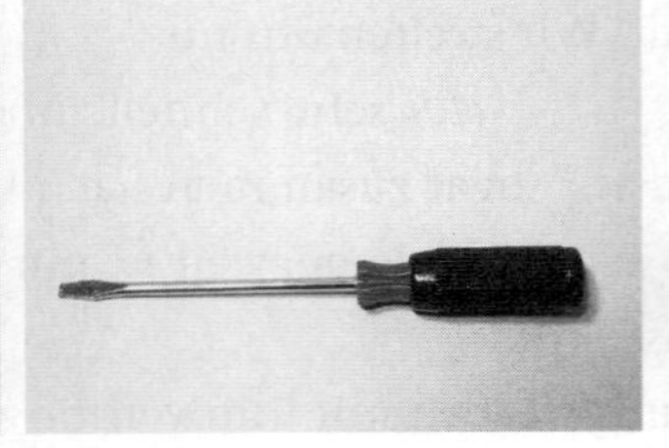

7 ____________________

8 ____________________

G 3

Lesen Sie die Aussagen. Stimmt das? Hören Sie die Geschichte und markieren Sie richtig oder falsch.

		richtig	falsch
1	Der Franz ist sauer, dass die Gabi an Weihnachten wegfährt.	X	
2	Der Franz und die Gabi feiern Weihnachten schon einen Tag vor Weihnachten.		
3	Sie singen Weihnachtslieder und tauschen ihre Geschenke aus.		
4	Der Franz freut sich immer sehr über die Geschenke von der Gabi.		
5	Die Gabi will dem Franz in diesem Jahr einen Nussknacker schenken.		
6	Der Franz glaubt, dass die Gabi ihm immer nur alte Sachen schenkt.		
7	Der Franz weiß noch nicht genau, was er der Gabi dieses Jahr schenken soll.		
8	Die Mama meint, der Franz soll der Gabi das teure Briefpapier schenken.		
9	Der Papa will der Mama einen Hosenknopf schenken.		

Arbeiten Sie zu dritt oder zu viert und vergleichen Sie.
Erzählen Sie jetzt die Geschichte mit eigenen Worten.

G 4

Welche Erklärung passt? Hören Sie noch einmal und markieren Sie.

1 Der Franz und die Gabi beschenken **einander** schon einen Tag vor dem Heiligen Abend. c

2 Die Gabi hat einen **winzigen** Puppenchristbaum aus Plastik. An dem sind noch **winzigere** Kerzen. ☐

3 Der Franz **tut** immer **so, als ob** er sich über die Geschenke von der Gabi sehr freuen würde. ☐

4 Doch da muss er ziemlich **mogeln**. ☐

5 Die Gabi schenkt dem Franz nämlich immer sehr **sonderbare** Sachen. ☐

6 Der Franz **hat den schweren Verdacht**, dass die Gabi gar nie Weihnachtsgeschenke für ihn besorgt, … ☐

7 … sondern ihm bloß alten **Kram** schenkt, den keiner mehr braucht. ☐

8 Was der Franz der Gabi dieses Jahr schenkt, muss er **sich** noch **gut überlegen**. ☐

9 Die Mama vom Franz meint: „Sei nicht so **kleinlich**. Beim Schenken darf man nicht rechnen.“ ☐

10 Der Papa meint: „Schenk ihr einen alten Hosenknopf. So **ein geiziges Stück** verdient nicht mehr.“ ☐

a) nicht die wahren/echten Gefühle zeigen, sondern andere Gefühle

b) lange und gründlich über etwas nachdenken

c) sich gegenseitig: er sie und sie ihn

d) vermuten, glauben, ziemlich sicher sein

e) Gegenteil: tolerant, großzügig

f) ein Mensch, der nicht gern Geld ausgibt

g) nicht die Wahrheit sagen, gegen die (Spiel)regeln verstoßen

h) sehr, sehr klein

i) Sachen, Zeug

j) merkwürdig, komisch

Arbeiten Sie zu dritt oder zu viert und vergleichen Sie.

G 5

Haben Sie sich schon einmal über Geschenke geärgert? Was haben Sie da gemacht? Erzählen oder schreiben Sie.

H

Kurz & bündig

Das Präteritum

Schreiben Sie einen Lebenslauf.

Erich Fried

- geboren 1921 in Wien
- Besuch des Gymnasiums in Wien
- schreibt schon als Kind Gedichte
- seit 1938 Emigrant in London
- 1952–1968 Kommentator des deutschen Programms der BBC*

* British Broadcasting Corporation = britischer Radiosender

- seit 1958 zahlreiche Veröffentlichungen (Gedichte, ein Roman, Prosabände, Hörspiele, Übersetzungen)
- Politisches Engagement gegen den Vietnam-Krieg und die Politik Israels gegenüber den Palästinensern
- zahlreiche Preise (u.a. 1965 Schiller-Gedächtnispreis des Landes Baden-Württemberg, 1983 Bremer Literaturpreis, 1987 Georg-Büchner-Preis)
- 1988 Tod in Baden-Baden

Meine Regel für das Präteritum

____

Welche Verben verändern im Präteritum ihren Stamm?

____

Lebensläufe

Schreiben Sie über das Leben eines Menschen, den sie gut kennen.

____

____

„Wenn" oder „als"?

Schreiben Sie über Ihre Schulzeit. Beginnen Sie die Antworten mit „wenn" oder „als".

Wann haben Sie sich auf die Schule gefreut?

____

Wann hatten Sie Angst, in die Schule zu gehen?

____

Wann hatten Sie Streit mit Freunden?

____

Wann hatten Sie Ärger mit Lehrern?

____

Wann haben Sie sich besonders viel Mühe gegeben?

____

Wann hatten Sie überhaupt keine Lust, in die Schule zu gehen?

____

Das Plusquamperfekt

Sie sind letzte Woche von einer großen Reise zurückgekommen und berichten einer Freundin davon in einem Brief. Schreiben Sie über die Reisevorbereitung.

Wir hatten vor der Reise alles genau geplant und organisiert. Ich war schon zwei Monate vorher ins Reisebüro gegangen und hatte Prospekte besorgt.

____

____

Interessante Ausdrücke

____

____

REISEN UND HOTELS

LEKTION 3

A Entdecken Sie eine fremde Stadt!

A 1 **Was kann man in einer fremden Stadt sehen? Ergänzen Sie.**

1 2 3 4 5 6 7 8 9

7 Museum	Theater	Kirche	Rathaus	Denkmal
Zoo	Park	Bahnhof	Aussichtsturm	

A 2 **Wo sind die Menschen, die hier sprechen? Hören und markieren Sie.**

1/22 Dialog 1 ________ 2 ________ 3 ________ 4 ________ 5 ________

KURSBUCH A1-A3

A 3 **Ergänzen Sie die passenden Wörter.**

Lieber Khaled,
gestern habe ich deinen Brief bekommen. Du nimmst meine ________ (1) an und besuchst mich im August, wie schön! Ich habe dann auch zwei Wochen Urlaub, und wir können uns Neustadt und die ________ (2) gemeinsam ansehen. Wir müssen unbedingt ins Stadtmuseum gehen, dort kannst du die ________ (3) der Stadt kennen lernen. Dann zeige ich dir das Rathaus, das hat einen hohen Aussichtsturm. Von da ________ (4) kannst du ganz Neustadt sehen. Bei schönem Wetter machen wir ein Picknick ________ (5) Schlosspark. Und wir können ins Schwimmbad gehen, bring also deine Badehose ________ (6)! Abends ist hier auch was los: Man kann im Biergarten der „Wiesenmühle" sitzen (da gibt's auch Cola!) oder ins Kino gehen – und eine Kegelbahn und eine Disko gibt's hier auch. ________ (7) genau kommst du an? Ich möchte dich nämlich gern vom Bahnhof abholen!

Viele Grüße,
dein Jens

	a)	b)	c)
1	a) Absage	b) Einladung	c) Bestellung
2	a) Umgebung	b) Stadt	c) Zentrum
3	a) Geschichte	b) Ausstellung	c) Gärten
4	a) hoch	b) draußen	c) oben
5	a) im	b) auf	c) zum
6	a) zurück	b) mit	c) weg
7	a) Wo	b) Warum	c) Wann

Schreiben Sie selbst einen solchen Brief an einen Freund oder eine Freundin.

KURSBUCH A4-A5

B Übernachten in einer fremden Stadt

B 1 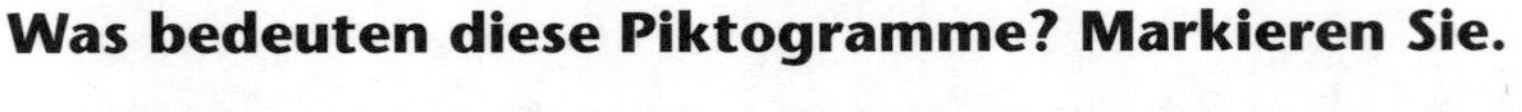

Was bedeuten diese Piktogramme? Markieren Sie.

KURSBUCH B1-B

  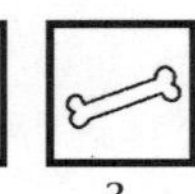  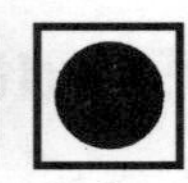      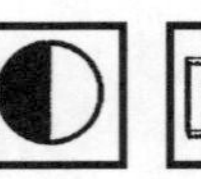   

1 2 3 4 5 6 7 8 9 10 11 12 13 14

2 Doppelzimmer	☐ Einzelzimmer	☐ Minibar	☐ Radio im Zimmer	☐ Telefon im Zimmer
☐ Restaurant	☐ Parkplatz	☐ Fitnessraum	☐ behindertengerecht	☐ Gepäckträger
☐ Hunde erlaubt	☐ Vollpension	☐ Halbpension	☐ TV im Zimmer	

B 2

Diese beiden Hotels sind in Graz (in Österreich).
Lesen Sie die Prospekte und die Aussagen und markieren Sie.

**Pension Ing. Johannes

Gutbürgerliche Frühstückspension in zentraler Lage nahe der Grazer Messe und der Neuen Technik, wenige Minuten vom Zentrum der Altstadt gelegen. Ein reichhaltiges Frühstücksbuffet, eine hauseigene Konditorei, ein kleines Restaurant und ein Gastgarten verwöhnen unsere Gäste.

PENSION ING. JOHANNES
A – 8010 GRAZ, MÜNZGRABENSTR. 48 UND 87
T ++43/316/837766, F ++43316/837766

***** Grand Hotel Wiesler

78 Einzel- und Doppelzimmer
20 Suiten verschiedener Kategorien

Zimmerausstattung:
ansprechendes Kirschholzmobiliar
Marmorbäder
Farbfernseher mit Kabel-TV,
Radio und Video
2 Direktwahl-Telefonanschlüsse
Minibar
Haarfön, Kosmetikspiegel
Wäschereiservice, Roomservice
In der Business-Etage zusätzlich:
Faxgerät, PC-Anschluss
Safe, Hosenbügler

Das Hotel bietet Weiteres:
Hoteleigene Tiefgarage
Restaurant „Zum goldenen Engel“
Wiesler Bar

Seminar- und Bankettträume
für bis zu 150 Personen
Business Corner
Bankett- und Tagungsabteilung,
Sekretariatsservice
Concierge Service
Sauna

Reservierungssysteme
SUMMIT INTERNATIONAL, UTELL, APOLLO/GALILEO/GEMINI,
SABRE/FANTASIA, SAHARA, SYSTEM ONE, AMADEUS,
WORLDSPAN/ABACUS,HRS, DISCOVER STYRIA, START

GRAND HOTEL WIESLER GES.M.B.H. AUSTRIA
A-8020 Graz, Grieskai 4–8, Tel.: ++43/316/70660,
Fax: ++43/316/706676
e mail: wiesler sime.com, http: / / www.gcongress.com/wiesler1.htm

A
SUMMIT
INTERNATIONAL HOTEL

Das Hotel/die Pension …	Grand Hotel	Pension
… ist ein „Fünf-Sterne-Hotel“.		
… ist interessant für Geschäftsleute.	*X*	
… ist interessant für Hundebesitzer.		
… hat ein Radio in allen Zimmern.		
… hat eine Minibar in allen Zimmern.		
… hat TV in allen Zimmern.		
… hat ein Restaurant.		
… bietet selbst gebackene Kuchen und Torten an.		
… ist günstiger.		
… ist im Internet.		

Vergleichen Sie Ihre Ergebnisse.

B 3

Beschreiben Sie das Grand Hotel Wiesler und die Pension Johannes.

Das Grand Hotel Wiesler ist ein Fünf-Sterne-Hotel, es ist das beste Hotel in Graz. …

KURSBUCH B4-B

B 4

An der Rezeption im Grand Hotel Wiesler gibt es viele Fragen. Ergänzen Sie die passenden Antworten.

a) Ach, das ist nicht wichtig. Lassen Sie das ruhig frei. ◆ b) Frühstück ist von 7 bis 10 Uhr. ◆ c) Ja gern, um sechs Uhr. Wie ist Ihre Zimmernummer, bitte? ◆ d) Das ist ein ganzes Stück, da nehmen Sie am besten ein Taxi. ◆ e) ~~Nein, tut mir Leid, während der Messe sind wir völlig ausgebucht.~~ ◆ f) Da hinten rechts, gleich neben dem Aufzug, wo das Schild „Frühstücksraum" steht. ◆ g) Nummer 221, das ist im zweiten Stock. ◆ h) Ein Einzelzimmer mit Dusche? Ja, für zwei Nächte. ◆ i) Unser Page ist gerade unterwegs. Wenn Sie bitte einen Moment warten. ◆ j) Ja, natürlich, wir nehmen American Express, MasterCard und Visa.

D	1	Haben Sie während der Messe noch ein Zimmer frei?	*e*
I	2	Können Sie mir bitte sagen, ob Sie während der Messe noch ein Zimmer frei haben?	
	3	Gibt es noch ein freies Einzelzimmer mit Dusche ?	
	4	Ich wollte fragen, ob es noch ein freies Einzelzimmer mit Dusche gibt.	
	5	Ich verstehe nicht, was ich hier hinschreiben soll.	
	6	Was soll ich denn hier hinschreiben?	
D	7	Wo ist denn Zimmer 221?	
I	8	Bitte sagen Sie mir, wo Zimmer 221 ist.	
	9	Ich möchte mich erkundigen, wann ich morgen frühstücken kann.	
	10	Wann kann ich morgen frühstücken?	
	11	Verraten Sie mir bitte, wo der Frühstücksraum ist.	
	12	Wo ist der Frühstücksraum, bitte?	
	13	Können Sie mich bitte morgen früh um sechs Uhr wecken?	
	14	Darf ich fragen, ob der Weckdienst mich morgen um sechs Uhr wecken kann?	
	15	Können Sie mir bitte sagen, wer hier für das Gepäck zuständig ist?	
	16	Wer ist denn hier für das Gepäck zuständig?	
	17	Kann ich auch mit Kreditkarte bezahlen?	
	18	Ich möchte noch wissen, ob ich mit Kreditkarte bezahlen kann.	
	19	Wie komme ich denn von hier zum Bahnhof?	
	20	Ich habe keine Ahnung, wie ich von hier zum Bahnhof komme.	

Welche Fragen sind direkte Fragen (D), welche sind indirekte Fragen (I)? Markieren Sie.

Direkte Frage	Indirekte Frage
Hauptsatz	**Hauptsatz + Nebensatz**
Haben Sie während der Messe noch ein Zimmer frei?	Können Sie mir bitte sagen, **ob** Sie während der Messe noch ein Zimmer frei haben?
Wo ist denn Zimmer 221?	Bitte sagen Sie mir, **wo** Zimmer 221 ist.

Nach welchen Ausdrücken stehen indirekte Fragesätze? Machen Sie eine Liste.

<u>Indirekte Fragen nach</u>
Können Sie mir bitte sagen, ... ?

Lesen Sie die Fragen noch einmal, unterstreichen Sie alle Fragewörter mit „w-" und „ob" und markieren Sie die Verben. Ergänzen Sie dann die Regeln.

Am Anfang ◆ Aussagen ◆ Fragen ◆ Hauptsatz ◆ Nebensatz ◆ ob ◆ Verb

1 Indirekte Fragesätze sind Nebensätze: Das ______________ steht immer am Ende. ______________ steht ein Fragewort oder „ob".
2 Indirekte Fragesätze beginnen mit ______________ , wenn man die Antwort „Ja" oder „Nein" erwartet.
3 Indirekte Fragesätze stehen meistens nach Ausdrücken wie *Können Sie mir sagen, ...* oder *Ich wollte fragen, ...* . Bei ______________ steht am Satzende ein Fragezeichen, bei ______________ steht am Satzende ein Punkt. Zwischen ______________ und ______________ steht immer ein Komma.

B 5 **Lesen Sie den Dialog und ergänzen Sie die indirekten Fragen.**

■ Hotelgast ● Dame an der Rezeption

■ Guten Tag.
● Guten Tag. Was kann ich für Sie tun?
■ Können Sie mir bitte sagen, *ob Sie noch ein Einzelzimmer frei haben?*
(Haben Sie noch ein Einzelzimmer frei?)
● Darf ich fragen, ______________
(Wie lange möchten Sie bleiben?)
■ Bis Mittwoch. Also zwei Nächte.
● Sagen Sie mir doch bitte noch, ______________
(Soll das Zimmer ruhig sein?)
■ Das wäre natürlich schön, aber ...
● Dann muss ich noch wissen, ______________
(Brauchen Sie auch einen Internet-Anschluss?)
■ Nein, das ist wirklich nicht nötig. Haben Sie denn ein Zimmer frei?
● Sagen Sie mir doch bitte noch, ______________
Wir haben nämlich Raucher- und Nichtraucherzimmer. *(Sind Sie Raucher?)*
■ Nein, ich rauche nicht. Aber wenn es sein muss, nehme ich auch ein Raucherzimmer.
● Nein, nein. Das sollen Sie nicht. Haben Sie schon überlegt, ______________
____
(In welchem Stockwerk soll das Zimmer sein?)
■ Darf ich fragen, ______________
(Haben Sie einen Aufzug?)
● Ja, natürlich, gleich hier um die Ecke.
■ Dann ist das Stockwerk egal. Sie haben also noch ein Zimmer frei?
● Ja, Nummer 810.
■ Gut, das nehme ich. Können Sie mir bitte sagen, ______________
(Wann ist bei Ihnen das Frühstück?)
● Zwischen 6.30 und 9.30 Uhr. Der Frühstücksraum ist im ersten Stock.
■ Gut. Vielen Dank. Kann ich jetzt ...
● Gibt es noch etwas, ______________
(Was kann ich für Sie tun?)
■ Ja. Sagen Sie mir doch bitte, ______________
(Wie kann ich endlich meinen Zimmerschlüssel bekommen?)
● Oh ja, natürlich! Entschuldigung. Hier, bitte, Nummer 810. Ich wünsche Ihnen einen angenehmen Aufenthalt.

Hören und vergleichen Sie.

B 6

Buchen Sie ein Zimmer in Ihrem Traumhotel. Schreiben Sie einen Brief.

Schreiben Sie,
- wann Sie ankommen.
- wie lange Sie bleiben.
- was für ein Zimmer Sie möchten.

…

Fragen Sie,
- wie teuer das Zimmer ist.
- welche Sehenswürdigkeiten es in der Nähe gibt.
- wie die Lage des Hotels ist.

…

Denken Sie an:
- Adresse von Absender und Empfänger
- Datum, Betreff und Anrede
- Gruß und Unterschrift

In offiziellen Briefen (an Behörden, Firmen, Hotels etc.) benutzt man oft indirekte Fragen, z.B. mit diesen Einleitungen:
Ich möchte mich erkundigen, …
Außerdem möchte ich fragen, …
Bitte teilen Sie mir (auch) mit, …
Wissen Sie (jetzt schon), …

Man kann auch mehrere Fragen mit einer Einleitung beginnen:
Bitte teilen Sie mir mit, ob Sie für diese Zeit ein freies Einzelzimmer haben, wie hoch der Zimmerpreis ist und ob die Zimmer Internet-Anschluss haben.

An Stelle von Fragen mit Modalverb benutzt man oft Ausdrücke mit „Infinitiv mit zu"
Ist es möglich, … (statt *Kann ich …*)
Ist es notwendig, … (statt *Soll man …*)

B 7 1/24

Hören und fragen Sie.

Sie sollen für Ihre Chefin eine Geschäftsreise organisieren. Ihre Chefin legt Wert auf Höflichkeit und gibt Ihnen nur wenige Informationen – Sie müssen alles fragen.

- ● *Guten Morgen. Ich muss übernächste Woche nach Leipzig. Bitte bereiten Sie doch alles vor.*
  - ■ *Wissen Sie schon, → wann Sie fahren? ↗*
- ● *Wann ich fahre? Am Dienstag, dem dreiundzwanzigsten.*
  - ■ *Sagen Sie mir bitte, → …*

Wissen Sie (schon), …	Wann fahren Sie?
Haben Sie (schon) überlegt, …	Wann genau müssen Sie in Leipzig sein?
Können Sie mir (schon) sagen, …	Wollen Sie mit der Bahn fahren oder fliegen?
Ich muss (noch) wissen, …	Welches Hotel soll ich buchen?
Sagen Sie mir bitte, …	Wie viele Personen gehen mit?
	Wo möchten Sie essen gehen?
	Wie lange dauert die Konferenz?
	Soll ich neue Termine vereinbaren?
	Welche Unterlagen möchten Sie mitnehmen?
	Wie kann ich Sie dort erreichen?
	Brauchen Sie einen Mietwagen in Leipzig?

KURSBUCH C1-C2

C

Zwischen den Zeilen

C 1

Welche Nomen verstecken sich in diesen Adjektiven?

1 humorvoll *der Humor*
2 wertvoll ______
3 arbeitslos ______
4 liebevoll ______
5 herzlos ______
6 sprachlos ______
7 sinnvoll ______
8 grenzenlos ______
9 reizvoll ______
10 treulos ______
11 pausenlos ______
12 rücksichtsvoll ______

Erinnern Sie sich?

Auch Adjektive auf „-ig", „-isch" und „-lich" kann man von Nomen ableiten:
*gedulд**ig**, ruh**ig**, traur**ig**, vernünft**ig** …*
*beruf**lich**, herz**lich**, stünd**lich**, persön**lich** …*
*energ**isch**, telefon**isch**, italien**isch** …*

Aufgaben

Finden Sie drei weitere Adjektive für jede Gruppe und machen Sie eine Liste „Adjektive – Nomen". Welche Veränderungen gibt es hier?

Welche Endungen haben diese Adjektive? Unterstreichen Sie.

C 2

Ergänzen Sie die Regeln und passende Beispiele.

Adjektive ◆ -e ◆ -los ◆ ohne ◆ Plural ◆ -s- ◆ -voll ◆ -voll

1 Die Zusätze __________ und ______________ machen aus Nomen ________________________ .
2 Der Zusatz _______ bedeutet *mit* _______ , der Zusatz *-los* _______ bedeutet ______________ .
3 Manchmal gibt es dabei kleine Veränderungen beim Nomen:
Ein __________ am Ende fällt weg: *Sprache – sprachlos* .
Man nimmt die __________ -Form: *Grenze – grenzenlos* .
Man ergänzt ein __________ : *Rücksicht – rücksichtslos* .

Vorsicht: aus „-voll" kann man meistens „-los" machen *(humorvoll → humorlos, wertvoll → wertlos)*, aber aus „-los" fast nie „-voll" (~~arbeitsvoll, herzvoll~~ gibt es nicht). Die wichtigen Kombinationen finden Sie im Wörterbuch beim Nomen oder als eigenen Eintrag.

Lerntipp:

Wenn Sie neue Adjektive lernen, suchen Sie im Wörterbuch auch gleich das dazu passende Nomen: Zu *teuf**lisch*** gehört *der Teufel*, zu *kurzfristig* gehört *die (kurze) Frist*, zu *wert**voll*** gehört ...
Wenn Sie ein Nomen kennen, aber das Adjektiv suchen, überprüfen Sie im Wörterbuch, ob und welche Adjektive es dazu gibt: Zu *Seele* heißt das Adjektiv *see**lisch***, zu *Geschäft* gibt es *geschäft**ig*** und *geschäft**lich***, zu Problem gibt es ...
Notieren und lernen Sie diese Adjektive immer mit Beispielen und als Ausdrücke:
ein teuflischer Plan, ein Hotel/eine Reise kurzfristig buchen, seelische (↔ körperliche) Probleme haben, geschäftig herumgehen, geschäftlich unterwegs sein ...

C 3

Schreiben Sie die Sätze neu und benutzen Sie passende Adjektive.

Person ◆ mehr Reiz / Sinn ◆ per Telefon ◆ Beruf ◆ Mensch

1 ... Gespräche sind meistens ... und ... als ... Kontakte: Das gilt nicht nur für ... Beziehungen, sondern für ... Beziehungen allgemein.

voll Liebe, Ruhe, Geduld, Rücksicht ◆ mit Herz ◆ ohne Grenze, Pause ◆ voll Energie

2 Sie ist normalerweise eine ... Mutter, ein ... und ... Mensch, immer sehr ... und ... . Aber ihre Geduld ist nicht ...: Wenn man sie ... ärgert, kann sie sehr ... werden.

ohne Arbeit ◆ jeden Tag ◆ ohne Lust, Humor ◆ mit Vernunft, Trauer

3 Seit er ... ist, hängt er ... nur noch ... zu Hause herum, ist völlig ... und hat überhaupt keine ... Ideen mehr. Das macht auch mich ganz ...

ohne: Treue, Sprache, Bedeutung, Rücksicht, Kopf, Herz, Schuld, Stil, Ende, Gruß, Ziel, Partner

4 **Los! Los!**
Er war ..., sie war ... .
Er fand es ..., sie fand es ... .
Er fand sie ..., sie ihn ... .
Er fühlte sich ..., das fand sie ... .
So ging das ..., bis sie dann ...,
... und ... loszog.

Am Wortende sprich man „-ig" wie „ich" [ɪç]:
Dein Vorschlag ist vernünftig.
Folgt eine Endung, spricht man [g]:
Das ist ein vernünftiger Vorschlag.
Ein „s" am Wortende spricht man [s]:
Sie ist arbeitslos.
Folgt eine Endung, spricht man [z]:
Sie ist arbeitslose Journalistin.

KURSBUCH D1-D

D

Menschen im Hotel

1 **Wer arbeitet in einem großen Hotel? Machen Sie eine Liste.**

Berufe im Hotel
Hoteldirektor, Empfangschef, Portier, ...

2 **Lesen Sie den Text und unterstreichen Sie alle Berufsbezeichnungen.**

„Ihre Zimmernummer, Sir"

frei nach Ephraim Kishon, aus: Kishons beste Reisegeschichten

Letzten Sommer war ich in einem Super-de-Luxe-Hotel in Salzburg. Ich kam im Taxi an. Ein Page öffnete mir die Tür. Er warf einen mitleidigen Blick auf meinen Koffer. Als er ihn nahm, fragte er: „Welche Zimmernummer, mein Herr?" – „Das weiß ich nicht", sagte ich. „Ich bin ja eben erst angekommen."
An der Rezeption informierte mich der Portier über meine Zimmernummer: 157. Diese Nummer war enorm wichtig, der Page schrieb sie sofort in sein Notizbuch. In meinem Zimmer (Nummer 157) wollte ich mir die Hände waschen, aber es war keine Seife da. Ich läutete. Das Zimmermädchen kam kurz darauf und brachte die gewünschte Seife. Als sie sie mir gab, fragte sie: „Welche Zimmernummer, bitte?" – „157", antwortete ich. Sie schrieb auf ein neues Blatt in ihrem Notizbuch: „157". Mit gewaschenen Händen ging ich in den Speisesaal des Hotels, wo man ohne weitere Fragen eine Tasse Tee und zwei Scheiben Toast vor mich hinstellte. Die Toasts schmeckten gut, also bestellte ich noch eine Scheibe. „Zimmernummer?", fragte der Kellner. Er wartete auf meine Antwort (157) und notierte sie sofort. Auf dem Rückweg in mein Zimmer fragte ich einen Portier nach der Uhrzeit. „Meine Zimmernummer ist 157", sagte ich. „Wie spät ist es?" – „5.32 Uhr", antwortete der Portier und trug die Nummer 157 in ein dickes Buch ein.
Da mich die ständige Nummernbuchhaltung langsam zu stören begann, ging ich zum Hotelmanager. Ich sah ihn durchdringend an und fragte dann: „Warum muss ich bei jedem Anlass meine Zimmernummer angeben?" – „Diese Regel gilt nicht nur für Sie", war seine Antwort. „Alle Dienstleistungen, die nicht im Pauschalpreis inbegriffen sind, werden in Rechnung gestellt, mein Herr. Deshalb müssen alle Angestellten über die Zimmernummer informiert sein. Sie müssen uns verstehen. Was ist Ihre Zimmernummer, mein Herr?" – „157." – „Danke, mein Herr", sagte der Manager und notierte: „Information für 157."
157 bestimmte mein Leben. Als ich einmal einen Orangensaft bestellte und ihn nicht bekam, sagte ich dem Kellner: „Schreiben Sie in Ihr Notizbuch: Kein Orangensaft für Nr. 157." Auch die Begegnung mit fremden Menschen wurde sehr seltsam. Es war wie im Gefängnishof. Wenn ich jemand traf, nannte ich nicht meinen Namen, sondern sagte: „157. Sehr angenehm." Aber mit einem Mal änderte sich die Situation. Ich war gerade auf der Terrasse des Hotels und atmete die gesunde Abendluft ein, als einer der Hotelangestellten mit dem Notizbuch in der Hand zu mir kam. „157", sagte ich höflich. „Frische Luft." „57", notierte der Aufseher. „Danke, mein Herr." Das war ein Missverständnis. Sollte ich es berichtigen? Eine seltsame Kraft hielt mich zurück. Abends im Restaurant entdeckte ich auf der Karte eine extra große Portion gegrillte Kalbsleber. Ich bestellte sie. „Zimmernummer?", fragte der Kellner. „75", antwortete ich. „75", notierte er. „Danke, mein Herr." So erfüllte ich mir in den nächsten Tagen manchen Wunsch. Zweimal fuhr ich mit einer Luxuslimousine aus (75), dreimal bestellte ich mir Bauchtänzerinnen (75). Das Beste war für mich gerade gut genug. Wenn man schon einmal auf Urlaub ist, soll man nicht kleinlich sein.
Nach zwei wunderbaren Wochen verließ ich das Hotel. Ich bezahlte die Rechnung von 12 000 Schilling. In dieser Rechnung waren auch die zusätzlichen Dienstleistungen enthalten, wie Seife (50,–), Information (431,–), Luftschöpfen am Abend (449,–) und ein paar andere Kleinigkeiten. Ich gab dem Portier ein großzügiges Trinkgeld.
Während ich ins Taxi stieg, gab es an der Rezeption einen peinlichen Auftritt. Ein dicker Herr hatte gerade einen Wutanfall, zerriss Rechnungsformulare und rief: „Ich denke nicht daran, 2600 Schilling für 29 Portionen Kalbsleber zu bezahlen! Ich habe sie weder bestellt noch gegessen!" Es war wirklich beschämend. Kann man denn solche Kleinigkeiten in einem zivilisierten Land wie Österreich nicht anders regeln als durch unbeherrschtes Brüllen?

Ephraim Kishon, Schriftsteller, geboren 23.8.1924 in Budapest, lebt seit 1949 in Israel, schreibt Satiren und Komödien über Alltagsthemen.

Was kostet in diesem Hotel extra? Machen Sie eine Liste.

Koffer tragen
Seife

D 3

Suchen Sie die Sätze im Text und ergänzen Sie.

Missverständnis *(n)* ◆ Portion Kalbsleber *(f)* ◆ Orangensaft *(m)* ◆ ~~Koffer~~ *(m)* ◆ Zimmernummer *(f)* ◆ Seife *(f)* ◆ Antwort *(f)* ◆ Hotelmanager *(m)* ◆ Erzähler *(m)* ◆ Erzähler *(m)* ◆ die Angestellten *(Pl)* ◆ 29 Portionen Kalbsleber *(Pl)*

		Bezugswort
1	Als er *ihn* nahm, fragte er: „Welche Zimmernummer, mein Herr?"	*den Koffer*
2	An der Rezeption informierte ________ der Portier über meine Zimmernummer: 157.	________
3	Diese Nummer war enorm wichtig, der Page schrieb ________ sofort in sein Notizbuch.	________
4	Als sie ________ mir gab, fragte sie: „Welche Zimmernummer, bitte?"	________
5	Er wartete auf meine Antwort (157) und notierte ________ sofort.	________
6	Ich sah ________ durchdringend an und fragte dann: „Warum muss ich bei jedem Anlass meine Zimmernummer angeben?"	________
7	„Diese Regel gilt nicht nur für ________", war seine Antwort.	________
8	„Sie müssen ________ verstehen. Was ist Ihre Zimmernummer, mein Herr?"	________
9	Als ich einmal einen Orangensaft bestellte und ________ nicht bekam, sagte ich dem Kellner:	________
10	Das war ein Missverständnis. Sollte ich ________ berichtigen?	________
11	Ich bestellte ________ .	________
12	„Ich habe ________ weder bestellt noch gegessen!"	________

D 4

Ergänzen Sie die Tabelle mit den Pronomen.

Nominativ:	ich	du	sie	er	es	wir	ihr	sie
Dativ:	mir	dir	ihr	ihm	ihm	uns	euch	ihnen
Akkusativ:	*mich*	________	________	________	________	________	________	________

Lesen Sie die Beispiele und ergänzen Sie die Regel.

Ein Page öffnet mir die Tür.

→ **Er** warf einen mitleidigen Blick auf ***meinen Koffer***.
Bezugswort *m Sg.*

→ Als **er *ihn*** ← nahm, fragte **er**:
Pronomen *m Sg.* AKK ← Verb + AKK
„Welche Zimmernummer, mein Herr?"

Diese Nummer war enorm wichtig,
Bezugswort *f Sg.*
→ der Page schrieb → ***sie*** sofort in sein Notizbuch.
Verb + AKK → Pronomen *f Sg.* AKK

Das Beste war für → ***mich*** gerade gut genug.
Präposition + AKK → Pronomen AKK

Bezugswort ◆ Nomen (2x) ◆ Pronomen (2x) ◆ Präposition ◆ Verb

1 In Texten und Dialogen ersetzen ________________ bekannte ________________ . Meistens steht also zuerst das ____________ . Wenn klar ist, welche Person oder Sache man meint, benutzt man das kürzere ________________ .

2 Für das Pronomen gilt: Das ________________________ bestimmt Genus *(f, m, n)* und Numerus (*Sg.* oder *Pl.*), das ______________ oder die ________________ bestimmen den Kasus (NOM, AKK, DAT).

D 5 **Drei Hotelangestellte sprechen über ihren Beruf. Ergänzen Sie die Texte.**

Sie ◆ mich ◆ dich ◆ sie ◆ ihn ◆ es ◆ uns ◆ euch

Ich begrüße alle Gäste in unserem Hotel, heute natürlich auch _____ ! Für ______ und meine Kolleginnen an der Rezeption kann das Leben ganz schön hektisch sein. Jeder Gast, der hereinkommt, spricht ________ an und will etwas von mir. Und ich tue, was ich kann. Wenn jemand ein Taxi braucht, rufe ich ______ ihm . Wenn jemand einen ausgefallenen Wunsch hat, versuche ich, ______ zu erfüllen. Meistens sind die Gäste nett zu mir, aber manchmal behandeln sie ________ wie den letzten Dreck. Solchen Gästen würde ich gern mal die Meinung sagen, aber ich muss _______ alle freundlich behandeln.

Wir Zimmermädchen sollen überall sein und alles erledigen, aber man soll _______ nicht sehen und nicht hören. „Reg ________ nicht auf", sagt mein Mann immer, „Ihr seid auch ein Teil des Hotels. Wenn man _________ nicht bemerkt, macht ihr eure Arbeit gut." Die Portiers und Kellner bekommen Trinkgeld, weil sie Kontakt zu den Gästen haben und ________ direkt bedienen. An ________ Zimmermädchen denkt kaum jemand. Nur die japanischen Gäste, die legen immer ein Geldstück unters Kopfkissen!

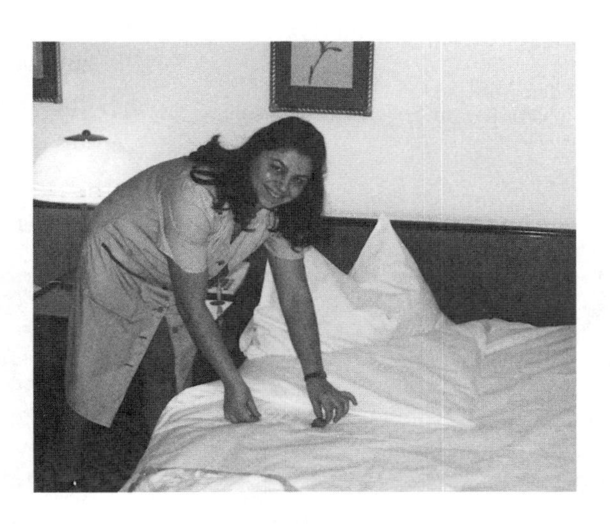

Ich muss alles unter Kontrolle haben: zuerst das Personal. Wir haben gute Leute, aber trotzdem muss ich _____ ständig kontrollieren. Wenn jemand nicht gut ist, muss ich _______ entlassen. Dann das Gebäude. Wenn etwas nicht in Ordnung ist, muss ich _______ reparieren lassen. Und natürlich die Gäste. Wenn ein besonderer Gast kommt, begrüße ich _______ auch schon mal persönlich. Ich habe einen langen Tag, keine festen Arbeitszeiten. Wenn viel zu tun ist, können Sie ________ noch abends um elf hier finden. Aber mir macht die Arbeit Spaß.

Hören und vergleichen Sie.

E Hier geht's lang!

E1 Was passt wo?

> Wie komme ich zur Präposition?
> Fahren Sie bis zum DATIV, am DATIV vorbei,
> dann steigen Sie um: den AKKUSATIV entlang,
> durch den AKKUSATIV und um den AKKUSATIV herum.

- 7 bis zur/zum ...
- ☐ über den ...platz
- ☐ die zweite (Straße) rechts
- ☐ zurück
- ☐ über die ...brücke
- ☐ um die ...kirche/den ...park herum
- ☐ rechts in die ...straße/gasse
- ☐ (weiter/immer) geradeaus
- ☐ die erste (Straße) links
- ☐ den Fluss entlang
- ☐ an der/am ... vorbei

KURS E1-

E2 Lesen Sie die Wegbeschreibung für den Stadtrundgang durch Bern. Ergänzen Sie.

1 Universität 2 Hauptpost 3 Bern Tourismus 4 Bahnhof 5 Dreifaltigkeitskirche 6 Kunstmuseum 7 Käfigturm 8 Bundeshaus 9 Botanischer Garten 10 Stadttheater 11 Kornhaus (Keller) 12 Kindlifresserbrunnen 13 Zeitglockenturm 14 Einstein-Museum 15 Mosesbrunnen 16 Münster/Stiftsgebäude 17 Rathaus 18 Vennerbrunnen 19 Gerechtigkeitsbrunnen 20 Bärengraben 21 Rosengarten 22 Konzerthaus Casino

am ◆ am … vorbei ◆ bis zum (2x) ◆ bis zur ◆ durch ◆ entlang ◆ gegenüber ◆ geradeaus (2x) ◆ hinter ◆ links ◆ neben ◆ rechts ◆ über (2x) ◆ um … herum ◆ vor ◆ zweite ◆ zwischen

Ihr Rundgang beginnt am Bern Tourismus Büro auf dem Bahnhofplatz. Von hier aus gehen Sie durch die Spitalgasse bis zum Käfigturm (Stadttor von 1256 bis 1344) und weiter geradeaus __________ *(1)* Zeitglockenturm (Stadttor bis 1256) mit seiner astronomischen Uhr und dem bekannten Figurenspiel von 1530 (Beginn vier Minuten vor jeder vollen Stunde). Sie gehen weiter __________ *(2)*, die Kramgasse entlang, an schönen Brunnen und am Einstein-Museum vorbei, __________ *(3)* nächsten Kreuzung. Schauen Sie nach __________ *(4)*: Hier können Sie __________ *(5)* den Häusern das Rathaus sehen (schönster gotischer Profanbau, 1406 bis 1416). Wenn Sie weitere Brunnen sehen möchten, gehen Sie die paar Schritte zum Rathaus: __________ *(6)* dem Rathaus steht der Vennerbrunnen. Gehen Sie zurück und die Gerechtigkeitsgasse __________ *(7)*, __________ *(8)* Gerechtigkeitsbrunnen __________ *(9)*, durch den Nydeggstalden und über die Untertorbrücke. Auf der anderen Seite gehen Sie __________ *(10)* und dann __________ *(11)* zum Bärengraben (gleich __________ *(12)* der Nydeggbrücke). Der Bär ist das Wappentier von Bern. Lehnen Sie sich nur vorsichtig an die Mauer, denn es sind wirklich Bären im Bärengraben! Jetzt ist es nicht mehr weit zum Rosengarten oder zum Muristalden. Von diesen beiden Aussichtspunkten hat man den schönsten Blick auf die Altstadt von Bern. Gehen Sie __________ *(13)* die Nydeggbrücke zurück und dann links __________ *(14)* die Junkerngasse mit ihren schönen Häusern bis zum Münster (1421, Hauptwerk der Schweizer Spätgotik). Der Weg __________ *(15)* die Kirche __________ *(16)* lohnt sich: Von der Münsterplattform __________ *(17)* der Kirche hat man einen schönen Blick auf die Aare. Gehen Sie __________ *(18)* den Münsterplatz, __________ *(19)* Mosesbrunnen links in die Münstergasse, und dann wieder die __________ *(20)* Straße links. Am Konzerthaus Casino überqueren Sie die Straße und gehen immer geradeaus __________ *(21)* Bundeshaus (1896 bis 1902, Sitz der Schweizer Regierung). Von der Bundesterrasse hinter dem Bundeshaus können Sie die Berner Alpen sehen. Das ist das Ende unseres Rundgangs. Vom Bundesplatz (__________ *(22)* dem Bundeshaus) kommen Sie wieder zum Käfigturm.

Casino

1/26 **Hören Sie jetzt den Text und vergleichen Sie mit Ihren Ergebnissen.**

E 3 **Sie sind am Bahnhof in Bern. Spielen oder schreiben Sie Dialoge mit Wegauskünften.**

~~Stadttheater~~ ◆ Kunstmuseum ◆ Einstein-Museum ◆ Bundeshaus ◆ …

Stadttheater

Entschuldigung. ↘ Können Sie mir sagen, → wie ich zum Stadttheater komme? ↗

Gehen Sie hier das Bollwerk entlang, → dann nach rechts durch die Neuengasse, dann nach links → über den Waisenhausplatz. Die dritte rechts ist die Schüttestraße, → das Stadttheater liegt an der Ecke Schüttestraße/Kornhausbrücke. ↘

Hier entlang, → dann nach rechts durch die Neuengasse über den Waisenhausplatz, → dann die dritte rechts. ↘ Vielen Dank! ↘

E 4 **Beschreiben Sie Ihren Weg von der Schule nach Hause. Schreiben Sie oder arbeiten Sie zu zweit: Partner A beschreibt, Partner B markiert den Weg auf einem Stadtplan.**

F

Teils heiter, teils wolkig

F 1

Sortieren Sie Wetter-Wörter.

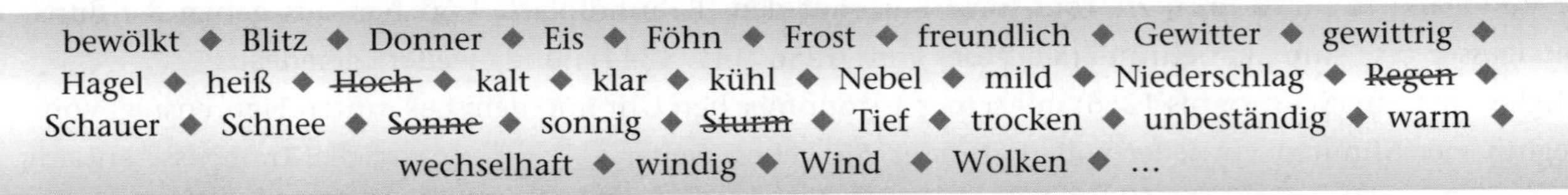
bewölkt ◆ Blitz ◆ Donner ◆ Eis ◆ Föhn ◆ Frost ◆ freundlich ◆ Gewitter ◆ gewittrig ◆ Hagel ◆ heiß ◆ ~~Hoch~~ ◆ kalt ◆ klar ◆ kühl ◆ Nebel ◆ mild ◆ Niederschlag ◆ ~~Regen~~ ◆ Schauer ◆ Schnee ◆ ~~Sonne~~ ◆ sonnig ◆ ~~Sturm~~ ◆ Tief ◆ trocken ◆ unbeständig ◆ warm ◆ wechselhaft ◆ windig ◆ Wind ◆ Wolken ◆ …

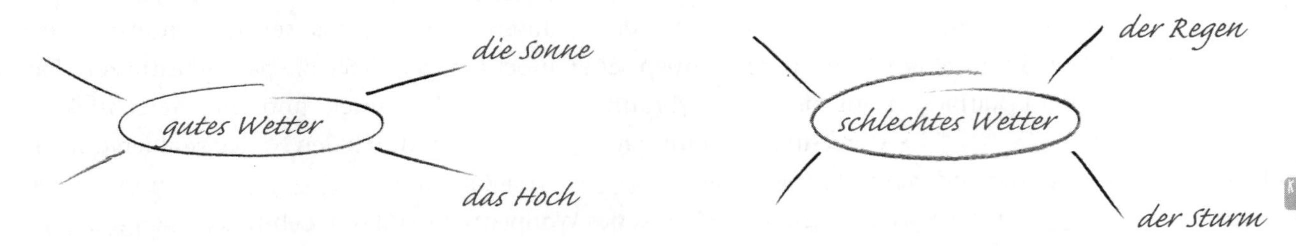

KURSBUCH F1-F

F 2

Hören Sie den Wetterbericht. Sind die Aussagen richtig oder falsch?

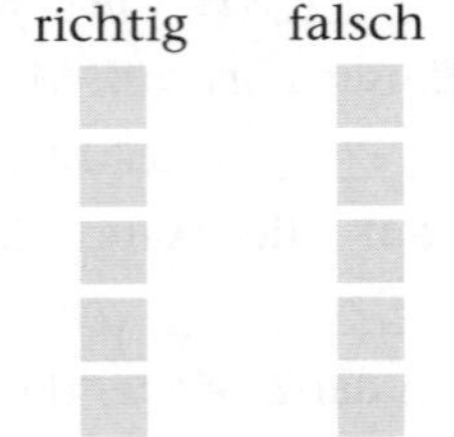

	richtig	falsch
1 Im Osten Deutschlands regnet es heute Abend nicht.	☐	☐
2 Nachts schneit es.	☐	☐
3 Morgen gibt es im Nordosten Deutschlands Gewitter.	☐	☐
4 Morgen liegen die Höchsttemperaturen bei über 25 Grad.	☐	☐
5 In den nächsten Tagen bleibt es wechselhaft.	☐	☐

KURSBUCH F3

F 3

Lesen Sie den Text ohne Wörterbuch und finden Sie eine Überschrift.

Hamburg - dpa. Den einen plagt Asthma beim Durchzug einer Schlechtwetterfront, die andere hat Kopfschmerzen bei Föhn: Jeder dritte Deutsche ist nach Schätzungen von Medizinmeteorologen wetterfühlig. Bei Menschen ab 65 Jahren reagieren sogar mehr als zwei Drittel auf Wetterreize. Frauen sind drei- bis viermal so oft betroffen wie Männer. Dass Wetterfühligkeit keine Einbildung ist, ist schon lange bekannt: So macht der Föhn vielen Menschen in der Münchner Gegend schwer zu schaffen. Jetzt wird die Wetterfühligkeit auch medizinisch bestätigt: Forscher der Gießener Universität konnten nachweisen, dass elektromagnetische Impulse, wie sie etwa bei Gewittern vorkommen, Einfluss haben auf die Gehirnaktivität wetterfühliger Menschen. Gesunde Menschen bemerken die Klimareize gar nicht. „Jede Reaktion auf das Wetter ist eine Art Gradmesser des Gesundheitszustands", erklärt der Medizinmeteorologe Klaus Burscher, „die Betroffenen leiden wirklich und verdienen unsere Sympathie."

Lesen Sie den Text noch einmal und markieren Sie die Antworten.

1 Welche Krankheiten können vom Wetter kommen?
- ☐ a) Kopfschmerzen
- ☐ b) Zahnschmerzen
- ☐ c) Asthma

2 Wer ist besonders wetterfühlig?
- ☐ a) ältere Menschen
- ☐ b) Frauen
- ☐ c) Kinder

3 Welches Wetter bringt Krankheiten?
- ☐ a) Gewitter
- ☐ b) Sonne
- ☐ c) Föhn

4 Sehr wetterfühlige Menschen sind …
- ☐ a) gesund.
- ☐ b) nicht gesund.
- ☐ c) sympathisch.

Sind Sie wetterfühlig? Was kann man gegen Wetterfühligkeit tun? Schreiben oder diskutieren Sie.

G

Der Ton macht die Musik

G 1

Hören Sie, sprechen Sie nach und markieren Sie.

1/28

[v]	was	Wein	Wolle	Verben	Wortakzent	Vase	Krawatte	nervös	Adjektive
[f]	Fass	fein	volle	verbinden	Vorsilbe	Phase	Karaffe	perfekt	Adjektiv

Ergänzen Sie die Regeln.

1 „w" spricht man fast immer* _________ .
„f" und „ph" spricht man immer _________ .

2 Deutsche Wörter mit „v" (ver-, vor-, voll, Vater ...): „v" spricht man _________ .
Internationale Wörter mit „v" (Verb, Vase, nervös ...): „v" spricht man _________ .
Aber: „v" am Wortende (Adjektiv, Dativ, kreativ ...): „v" spricht man _________ .

*„w" am Wortende spricht man nicht: Interview, Bungalow ...

G 2

Wo spricht man [f]? Markieren Sie.

wir ◆ vier ◆ wollen ◆ feiern ◆ viele ◆ wilde ◆ Feste ◆ Verwandte ◆ Freunde ◆
fragen ◆ woher ◆ frischer ◆ Fisch ◆ wieso ◆ schwanger ◆ fällt ◆ schwer ◆ offen ◆
Winter ◆ Frost ◆ Frühling ◆ Wind ◆ warm ◆ Föhn ◆ verwöhnt ◆ Villa ◆ Vampir ◆
weshalb ◆ kreativ ◆ vorlesen ◆ weil ◆ Vergnügen ◆ Vorsicht ◆ Kreative ◆ wissen ◆ davon ◆
Phonetik ◆ Fan ◆ Vokale ◆ Diphthonge ◆ verwechseln ◆ verstehen ◆ von ◆ Alphabet ◆
Vater ◆ Philosoph ◆ hoffen ◆ Schwester ◆ hochwertig ◆ Wilfried ◆ Video ◆ halbfertig

1/29 **Hören Sie, sprechen Sie nach und vergleichen Sie.**

G 3

Üben Sie.

1/30

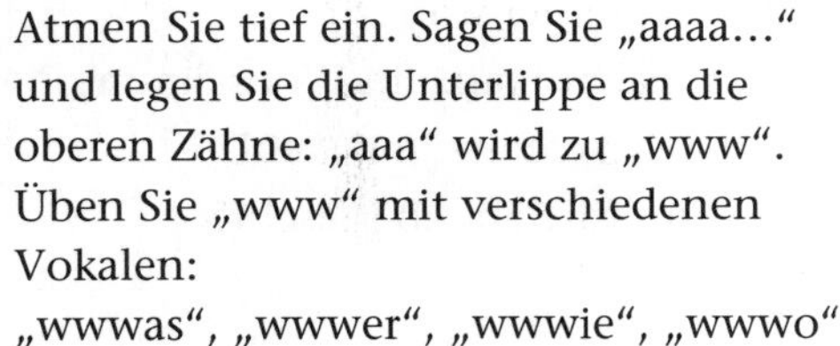
Atmen Sie tief ein. Sagen Sie „aaaa..." und legen Sie die Unterlippe an die oberen Zähne: „aaa" wird zu „www". Üben Sie „www" mit verschiedenen Vokalen:
„wwwas", „wwwer", „wwwie", „wwwo", „Wwwein".

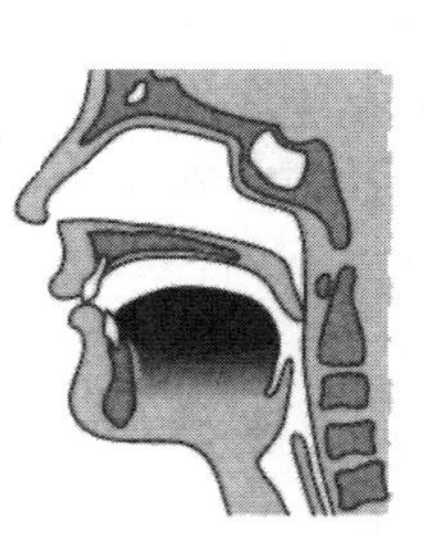

Sagen Sie noch einmal „wwwas". Jetzt ohne Stimmton: Holen Sie tief Luft und flüstern Sie „wwwas": „wwwas" wird zu „fffass".
Sagen Sie:
Was für ein Fass? Ein Weinfass.
Was für ein Fall? Ein Wasserfall.

G 4

Wählen Sie ein Gedicht oder einen Zungenbrecher und üben Sie.

Wilde Phasen
Wir vier wollen feiern,
wollen feiern wilde Feste,
wilde Feste mit viel Wein.
Mit viel Wein und vielen Freunden,
vielen Freunden und Verwandten,
in der Villa der Vampire ...
Viel Vergnügen, das wird fein!

Viele Fragen offen
Wie? Was? Wer?
Wo? Wohin? Woher?
Wieso? Weshalb? Warum?
Wer nicht fragt, bleibt dumm.

Für Phonetik-Fans
Wer viel von Phonetik versteht,
versteht viel vom Alphabet.
veɐ vɪrklɪç fi:l fɔn fo:ne:tɪk fɛɐʃte:t
fɛɐʃte:t das fo:ne:tɪʃə alfabe:t

Zungenbrecher
Fischers Fritz fischt frische Fische.
Frische Fische fischt Fischers Fritz.
Wir wollen viel warmen Föhnwind,
weil wir vom warmen Föhnwind verwöhnt sind.

1/31-34 **Hören und vergleichen Sie.**

H Geschichten vom Franz:

Ein Geistesblitz

von Christine Nöstlinger (Zeichnungen von Erhard Dietl)

H 1 Lesen Sie die Wörterbucherklärungen und ergänzen Sie.

Geist *der; -(e)s; nur Sg.;* **1** die Fähigkeit des Menschen zu denken, sein Verstand <einen wachen, scharfen G. haben> || K-: **Geistes-, -zustand; geistlos** *Adj;* **geistreich** *Adj;* 2 die innere Einstellung oder Haltung <der demokratische, olympische G.> || K-: ***Geistes-,-haltung;*** || -K: ***Ge-mein-schafts-, Kampf-;*** 3 das Charakteri-stische einer Zeit oder Kultur || -K: ***Zeit-;*** || ID ***den/seinen G. aufgeben*** Á sterben; ***etwas gibt den/seinen G. auf*** Á ein Gerät hört auf zu funktionieren; *j-m auf den G.* [illegible]

Blitz *der; -es; -e;* **1** ein sehr helles Licht am Himmel bei Gewitter <B. und Donner; j-d/ etw. wird vom B. getroffen> **2** *Foto;* künstliches Licht für Aufnahmen || K-: ***Blitz-, -licht, -lichtgerät*** || ID ***(schnell) wie der B.;*** sehr schnell; ***wie ein B. aus heiterem Himmel;*** etw. Unangenehmes passiert ganz überraschend
blitz- *im Adj;* Á sehr [illegible]

Geistesblitz

___

Arbeiten Sie zu dritt oder zu viert und vergleichen Sie. Wählen Sie die beste Erklärung aus. Dann vergleichen Sie mit Ihren Wörterbüchern.

H 2 Lesen Sie die Notizen und die Fragen und erfinden Sie eine Geschichte.

23. Dezember: Franz klingelt bei Gabi; Franz und Gabi wollen Bescherung machen; Briefpapier für Gabi (Mutter hat bezahlt)

Gabi traurig: Puppenchristbaum kaputt; Ersatz: echte Kerzen und Christbaumschmuck; Gabi bereitet alles vor – Franz muss im Wohnzimmer warten; zwei Päckchen mit Kärtchen (FRANZ, PETER); neugierig – sauer – dann ein Geistesblitz

die Feier: Kerzen, Lametta, ein Lied singen, Geschenke; Gabi freut sich; Franz packt sein Geschenk aus; Franz freut sich auch – Gabi ist überrascht; schöne Weihnachten!

1. Warum machen Franz und Gabi schon am 23. Dezember Bescherung?
2. Was schenken sich Franz und Gabi?
3. Warum muss Franz alleine im Wohnzimmer warten?
4. Was macht Franz im Wohnzimmer?
5. Wie feiern Franz und Gabi?
6. Warum ist Gabi überrascht?

Arbeiten Sie zu dritt oder zu viert und vergleichen Sie Ihre Geschichten.

Franz und Gabi singen ein Weihnachtslied.

Ihr Kinderlein kommet, o kommet doch all,
zur Krippe herkommet in Bethlehems Stall
und seht, was in dieser hochheiligen Nacht
der Vater im Himmel für Freude uns macht.
Da liegt es, das Kindlein, auf Heu und auf Stroh,
Maria und Josef betrachten es froh,
die redlichen Hirten knien betend davor,
hoch oben schwebt jubelnd der Engelein Chor.

H 3

Franz 3

Hören Sie die Geschichte und markieren Sie die Reihenfolge der Bilder.

Vergleichen Sie mit Ihren Geschichten.

1	2	3	4	5	6	7	8
A							

H 4

Was passt zusammen? Ergänzen Sie.

auf und ab ◆ ~~besorgen~~ ◆ Gipfel ◆ gleich ◆ gleich ◆ hüpfen ◆ kassieren ◆ kugelrunden ◆ offenem ◆ prächtige ◆ schaffen ◆ schlechtes ◆ tief ◆ Unrecht ◆ verzweifelt ◆ Wort

1 für jemand etwas *besorgen*
2 von jemand Geld ______
3 total ______ sein
4 im Wohnzimmer ______ wandern
5 zwei ______ schmale und ______ lange Päckchen
6 Das ist ja der ______ !
7 mit jemand kein ______ mehr reden
8 ______ beeindruckt sein
9 vor Freude durchs Zimmer ______
10 ______ haben
11 eine ganz ______ Uhr
12 mit ______ Augen und ______ Mund
13 ein ______ Gewissen
14 etwas aus der Welt ______

Hören Sie noch einmal und vergleichen Sie.

H 5

Franz hat eine „Gemeinheit aus der Welt geschafft". Finden Sie das richtig? Diskutieren oder schreiben Sie.

Kurz & bündig

Stadtbesichtigung

Welche Stadt würden Sie gern einmal besuchen? Was würden Sie dort ansehen?

Im Hotel

Was für ein Zimmer würden Sie nehmen? Und in was für einem Hotel würden Sie gern wohnen?

Ich würde ein *mit*

Das Hotel sollte

Indirekte Fragesätze

Fragen Sie besonders höflich: *Können Sie mir sagen, …*

… frei?

Preis? Lage?

Meine Regel für indirekte Fragesätze:

Personalpronomen im Akkusativ

Ergänzen Sie.

nicht mit mir und nicht ohne
nicht mit dir und nicht ohne *dich*
nicht mit ihr und nicht ohne
nicht mit ihm und nicht ohne
nicht mit uns und nicht ohne
nicht mit euch und nicht ohne
nicht mit ihnen und nicht ohne

„Nicht mit dir und nicht ohne dich"
= ein Ausdruck für eine unglückliche Liebesbeziehung: Zwei Menschen können nicht miteinander leben, aber sie können sich auch nicht trennen.

Wegauskünfte

Wie fragen Sie nach dem Weg?

Beschreiben Sie den Weg von Ihrer Schule zum Bahnhof / zur Stadtmitte / zum nächsten Supermarkt / …

Wetter

Welches Wetter passt zu …

… schwimmen?

… wandern?

… Ski fahren?

Wie ist das Wetter in Ihrem Heimatland in den verschiedenen Jahreszeiten?

Interessante Ausdrücke

Beziehungen

LEKTION 4

A

Auf Partnersuche ...

A 1 **Was passt wo? Sortieren Sie die Adjektive und machen Sie eine Liste.**

anspruchsvoll ◆ blond ◆ charmant ◆ dunkelhaarig ◆ ~~ehrlich~~ ◆ energisch ◆ erfolgreich ◆ fantasievoll ◆ gefühlvoll ◆ gut aussehend ◆ hübsch ◆ humorvoll ◆ intelligent ◆ langweilig ◆ lebenslustig ◆ lieb ◆ niveauvoll ◆ optimistisch ◆ romantisch ◆ schlank ◆ selbstbewusst ◆ tolerant ◆ treu

persönliche Eigenschaften		beides	Aussehen
ehrlich (+)			

Was ist positiv (+)? Was ist negativ (–)? Was ist neutral (o)?
Markieren Sie und diskutieren Sie zu zweit.

A 2 **Welche Adjektive verstecken sich in diesen Nomen? Ergänzen Sie die Listen von A1.**

Aktivität ◆ Attraktivität ◆ Ehrlichkeit ◆ Häuslichkeit ◆ Leidenschaftlichkeit ◆ Naturverbundenheit ◆ Natürlichkeit ◆ Offenheit ◆ Schönheit ◆ Sensibilität ◆ Seriosität ◆ Sportlichkeit ◆ Unkompliziertheit ◆ Zärtlichkeit ◆ Zuverlässigkeit

Erinnern Sie sich?

Nomen mit den Endungen „-heit", „-keit" und „-tät" kommen von Adjektiven und sind immer feminin:
*die Offen**heit**, die Ehrlich**keit**, die Aktivi**tät** ...*

Aufgaben

Welche anderen Endungen für feminine Nomen kennen Sie? Wie heißen die Merkwörter?
Finden Sie für jede Endung drei Nomen.

A 3 **Lesen Sie die Anzeigen und den Text und ergänzen Sie die passenden Überschriften.**

Liebe – nicht mehr als ein Geschäft? ◆ Familienfeste – kein Grund zur Freude ◆ Aus Spaß wird Ernst ◆ Ehrlichkeit ist wichtig

SUCHE selbstbewussten, zuverlässigen Partner für eine offene und zärtliche Beziehung. Aussehen spielt keine Rolle. Ich (W, 27, 168) bin eine lebenslustige Frau mit Freude am Beruf (Grafikerin). Also beeile dich und schreib mir schnell. Ich freue mich über jede ernst gemeinte Zuschrift. Chiffre 9962

JUNGS!!! Das ist eure (letzte?) Chance! Vier hübsche Mädels aus dem Raum Hamburg wollen ihre Traumprinzen kennen lernen. Habt ihr Lust, euch mal mit uns zu treffen? Na, dann nix wie los! Eine solche Gelegenheit kommt so schnell nicht wieder. Chiffre 4400

Beruflich erfolgreicher Akademiker möchte die Früchte seiner Arbeit nicht allein genießen. Sind Sie um die 45, bis 1,70m groß, zeitlich und finanziell unabhängig? Interessieren Sie sich für moderne Kunst? Dann schreiben Sie mir unter Chiffre 1928.

Suche Gebraucht-Ehemann

Baujahr ca. 45–55 in gutem Zustand

1 ______________________

Am Anfang ist das Wort. Deshalb lesen wir so gern Heiratsanzeigen – lauter erste Worte, Anfänge von möglichen Geschichten. Zuerst tun wir es, weil wir uns amüsieren wollen. Dann fangen wir an, in Gedanken auf die eine oder andere Anzeige zu antworten oder selbst eine zu formulieren. Und auf einmal ist man 30 oder 35 Jahre alt und hat das Gefühl, einen Zug verpasst zu haben.

2 ______________________

Plötzlich besteht das Jahr aus einer Reihe von kritischen Tagen. Man freut sich nicht mehr auf den Geburtstag, weil es keinen Spaß macht, ihn allein zu feiern. Die ersten Frühlingstage machen melancholisch: Der Frühling ist doch die schönste Jahreszeit. Da möchte sich jeder gern verlieben! Der Urlaub wird auf einmal zum Problem, die langen, einsamen Novemberabende werden immer ungemütlicher, und schließlich die „Jahresendkatastrophe“: Weihnachten und – ganz schlimm – Silvester.

3 ______________________

An irgendeinem dieser Tage entscheiden sich die „Übriggebliebenen“ dann für das letzte Mittel: Sie tragen ihre Haut auf den Anzeigenmarkt. Ja, Markt. Wer auf Kontaktanzeigen antwortet oder selber welche schreibt, muss doch zugeben: Liebe ist ein Geschäft. Zumindest am Anfang. Mit seiner Anzeige in der Zeitung findet sich der einsame Mensch irgendwo zwischen Gebrauchtwagen, Immobilien und Stellenangeboten wieder. Eigentlich will er ja Liebe, Romantik, Gefühl. Aber seine Wünsche formuliert er oft so sachlich und nüchtern, als ob er eigentlich nur ein neues Auto, ein Reihenhaus oder einen Job haben möchte.

4 ______________________

Aber nicht alles, was wie ein Geschäft beginnt, muss auch wie ein Geschäft enden. Denn wenn schließlich doch noch zwei Menschen zusammenfinden, ist es völlig egal, ob die Geschichte auf diesem oder einem anderen Weg zu ihrem Happy End gekommen ist. Aber was heißt schon enden? Hier fängt die Geschichte ja eigentlich erst an. Und geht es nur eine kurze Zeit gut, dann waren die ersten Worte vielleicht schlecht gewählt, falsch formuliert oder einfach übertrieben. Wenn es ein Rezept für die ersten Worte gibt, dann dies: Sei ehrlich! Präsentiere dich so, wie du bist!

A 4 Welche Zusammenfassung passt am besten? Markieren Sie.

Abschnitt

1 Menschen lesen Heiratsanzeigen, … ☐
a) weil sie keine Bücher lesen wollen.
b) weil sie schnell einen Lebenspartner finden wollen.
c) weil sie das interessant und witzig finden.

2 Es ist schöner, … ☐
a) Festtage zusammen mit einem Partner oder einer Partnerin zu feiern.
b) sich im Sommer zu verlieben, weil der Frühling melancholisch macht.
c) Weihnachten und Silvester im Urlaub zu feiern als zu Hause.

3 Mit Kontaktanzeigen … ☐
a) machen Zeitungen gute Geschäfte.
b) kann man seine wirklichen Wünsche nur schwer ausdrücken.
c) kann man auch Autos, Häuser oder eine neue Stelle finden.

4 Liebesgeschichten, die mit einer Kontaktanzeige beginnen, … ☐
a) haben nie ein Happy End.
b) haben bessere Chancen, wenn der Anzeigentext ehrlich war.
c) dauern meistens nicht lange.

A 5 Lesen Sie noch einmal die Anzeigen und den Text und ergänzen Sie die Sätze.

1 Also *beeile* *dich* und schreib mir schnell.

2 Ich ______ ______ über jede ernst gemeinte Zuschrift.

3 ______ Sie ______ für moderne Kunst?

4 Habt ihr Lust, ______ mal mit uns zu ______?

5 Zuerst tun wir es, weil wir ______ ______ ______.

6 Man ______ ______ nicht mehr auf den Geburtstag, weil es keinen Spaß macht, ihn allein zu feiern.

7 Da ______ ______ jeder gern ______.

8 An irgendeinem dieser Tage ______ ______ die „Übriggebliebenen“ dann für das letzte Mittel.

9 Mit seiner Anzeige in der Zeitung ______ ______ der einsame Mensch irgendwo zwischen Gebrauchtwagen, Immobilien und Stellenangeboten ______.

10 ______ ______ so, wie du bist!

Ergänzen Sie jetzt die Tabelle und die Regel.

Subjekt	Verb	Akkusativ-Ergänzung
Personalpronomen (NOM)		Personalpronomen (AKK)
Ich	liebe	dich.
Personalpronomen (NOM)		Reflexivpronomen (AKK)
Ich	freue	mich.

	Singular			Plural			
Personalpronomen (NOM)	ich	du	sie/er/es	wir	ihr	sie	Sie
Personalpronomen (AKK)	mich	dich	sie/ihn/es	uns	euch	sie	Sie
Reflexivpronomen (AKK)			*sich*				

Akkusativ ◆ Singular und Plural ◆ Personalpronomen ◆ Reflexivpronomen ◆ Subjekt

1 Verben mit ______________________ nennt man „reflexive Verben".
Das Reflexivpronomen zeigt zurück auf das ______________ : „**Ich** freue **mich**."
2 Reflexivpronomen und ______________________ sind im ______________________ gleich.
Ausnahme: das Reflexivpronomen „sich" im ______________________ .

KURSBUCH A5

A 6

Ergänzen Sie.

sich amüsieren ◆ sich ärgern ◆ sich beklagen ◆ sich entscheiden ◆ sich entschuldigen (bei) ◆ sich erholen ◆ sich erinnern (an) ◆ sich freuen (auf) ◆ sich wohl fühlen ◆ sich interessieren (für) ◆ sich kümmern (um) ◆ sich setzen ◆ ~~sich verabschieden (von)~~ ◆ sich verändern

Zum Abschied

Lieber Martin,

ich möchte _mich_ von dir _verabschieden_ .
Du hast ______ in den letzten Jahren sehr ____________ .
Früher hast du ______ immer gleich ____________ ,
wenn mich ein anderer Mann nur angeguckt hat. Heute
____________ du ______ selbst oft mit anderen
Frauen und ____________ ______ kaum noch um mich.
Ich weiß nicht warum, aber ich habe ______ nie
____________ .
____________ du ______ noch an unseren letzten Urlaub?
Wir hatten ______ so auf Griechenland ____________ . Aber
leider habe ich ______ nicht besonders gut ____________ .
Am schlimmsten war der Abend in der Disko. Da war diese
dunkelhaarige Frau. Sie hat ______ neben dich ____________ und
stundenlang mit dir geredet. Und du hast ______ den ganzen
Abend nur noch für sie ____________ . Ich weiß nicht, ob
ihr ______ ____________ habt in dieser Situation. Für mich
war es schrecklich! Später hast du ______ nicht einmal bei mir
____________ .
Es reicht. Ich habe ______ ____________ : Ich gehe!

Irene

Hören und vergleichen Sie.

KURSBUCH A6

A 7

Suchen Sie im Kursbuch oder Arbeitsbuch eine Kontaktanzeige, die Ihnen gefällt, und schreiben Sie einen Antwortbrief.

KURSBUCH B1-B

B

Allein oder zusammen?

B 1

Was passt zusammen? Markieren Sie.

1	die Forschung		so ist es üblich, das stimmt meistens oder immer
2	der Lehrstuhl		zwei zur selben Zeit von derselben Mutter geborene Kinder
3	die persönliche Biografie		unüblich, das passiert selten
4	das Umfeld		der eigene Lebenslauf
5	der Zufall		der Ort, wo man lebt und arbeitet, wichtige Menschen (Familie, Freunde, Bekannte, Kollegen), gute und schlechte Vorbilder
6	der Faktor		die Stelle eines Universitätsprofessors
7	die Regel		Menschen oder Tiere mit genau gleichen Gen-Informationen
8	die Ausnahme		ein Element, ein Grund (von mehreren)
9	die Zwillinge (Pl.)	1	die Wissenschaft
10	genetisch identisch		man kann es nicht planen – es passiert einfach so

B 2 2/2

Lesen Sie zuerst die Aussagen, hören Sie dann das Interview mit Herrn Professor Rehberg und markieren Sie.

		richtig	falsch
1	Kurt Rehberg ist Verhaltensforscher.	X	
2	Kurt Rehberg lebt und arbeitet in Wien.		
3	„Liebe auf den ersten Blick" ist die Regel.		
4	Literatur und Film stellen die Partnerwahl realistisch dar.		
5	Die meisten Menschen finden ihren Partner in ihrem Umfeld.		
6	Die Forschung bestätigt das Sprichwort „Gegensätze ziehen sich an".		
7	Der Zufall spielt bei der Partnerwahl keine Rolle.		
8	Eineiige Zwillinge sind genetisch identisch und haben deshalb ähnliche Partner.		

B 3

Wie haben Sie Ihren Partner oder Ihre Partnerin kennen gelernt? Wie haben sich Ihre Freunde, Eltern, Großeltern kennen gelernt? Schreiben oder erzählen Sie.

B 4

Lesen Sie das Gedicht zu zweit als Dialog.

Hans Manz:

Liebeserklärung

Ich liebe dich OHNE ...
Was stört dich an mir?
Ich liebe dich WENN ...
Was soll ich noch tun?
Ich liebe dich UND ...
Wen noch?
Ich liebe dich ABER ...
Welche Einschränkung kommt jetzt?
Geduld, doch: Ich liebe dich
OHNE WENN UND ABER

OHNE WENN UND ABER

Wie könnten die Sätze mit OHNE, WENN, UND, ABER weitergehen? Ergänzen Sie.

C Zwischen den Zeilen

C 1 **Verben mit verschiedenen Präpositionen. Ergänzen Sie.**

Melde dich doch mal! Ich freue mich **auf** deinen Anruf. Freust du dich **auf** deinen Geburtstag?	freuen + sich + auf (AKK) (etwas in der Zukunft)
Schön, dass du dich meldest. Ich freue mich **über** deinen Anruf. Hast du dich **über** deine Geburtstagsgeschenke gefreut?	______ (etwas in der Gegenwart oder Vergangenheit)
Du musst dich unbedingt **bei** Silke entschuldigen.	______ (= Person)
Wieso soll ich mich **für** jede Kleinigkeit entschuldigen?	______ (= Grund, Anlass)
Hast du dich schon **bei** Tante Klara bedankt?	______ (= Person)
Tante Klara, ich möchte mich **für** die schönen Blumen bedanken.	______ (= Grund, Anlass)

C 2 **Ergänzen Sie die passenden Verben und Präpositionen.**

Paar-Diskussionen ...

- ● Ich habe das Gefühl, dass du dich gar nicht richtig ______ meine Geschenke ______. Das merke ich, wenn du dich ______ mir ______. Das kommt nicht richtig „von Herzen".
- ■ Oh Schatz, das tut mir Leid, das ...
- ● Und ______ unseren Urlaub ______ du dich auch nicht. Jedenfalls merke ich nichts davon.
- ■ Oh Schatz, das tut mir wirklich Leid, aber ...
- ● Nein, nein, du brauchst dich gar nicht ______ mir zu ______ ______. Wenn du dich nicht ______, dann ______ du dich halt nicht.
- ■ Aber das stimmt nicht. Natürlich ______ ich mich ______ den Urlaub mit dir, und ich ______ mich auch immer ______ deine Geschenke! Ich habe es nur einfach nie gelernt, meine Freude richtig zu zeigen. Du weißt doch, meine Familie war nie besonders herzlich. Wenn mein Vater sich ______ jemandem ______ irgendetwas ______ hat, gab es immer nur ein trockenes „danke". Und er hat nie gesagt oder gezeigt, dass er sich ______ irgendein Ereignis oder ______ irgendein Geschenk ______.
- ● Ja, ja, du und deine Familie. Ich bin mit dir zusammen, mein Lieber, nicht mit deinem Vater!
- ■ Ach, komm! Ich weiß, ich kann meine Gefühle nicht so gut zeigen – das ist ein Fehler von mir, o.k. Aber warum kannst du es eigentlich nie akzeptieren, wenn ich mich ______ meine Fehler ______?

Hören und vergleichen Sie.
Wie geht der Dialog weiter? Sprechen Sie zu zweit oder schreiben Sie.

D

Freunde fürs Leben

1

Ergänzen Sie die Antworten.

fragen ◆ glauben ◆ ~~helfen~~ ◆ (die Meinung) sagen ◆ (einen Brief) schreiben ◆ sich verabreden (mit) ◆ vertrauen

Was machst du, wenn ... | **Antworten:**

1 deine Freunde Probleme haben? *Ich helfe ihnen.*
2 dir eine Freundin erzählt, dass sie dir die Wahrheit sagt? ______
3 Freunde dir sagen, dass sie immer für dich da sind? ______
4 du dich über eine Freundin geärgert hast? ______
5 ein Freund sauer ist und nicht mit dir sprechen will? ______
6 du von einem Freund wissen willst, was er über dich denkt? ______
7 du eine Kollegin besser kennen lernen möchtest? ______

Sortieren Sie die Verben und Präpositionen.

Verb + AKK: *haben,* ______
Verb + DAT: ______
Verb + DAT + AKK oder „dass"-Satz: *erzählen,* ______
Präposition + DAT: *mit* ______ Präposition + AKK: *für* ______

KURSBUCH D3-D4

2

Wir haben Leute auf der Straße gefragt, was für sie „Freundschaft" bedeutet. Lesen Sie die Antworten und sortieren Sie.

Gemeinsame Erlebnisse: *Holger,* ______
Vertrauen: *Oliver,* ______
Kritik und Offenheit: ______

Ein guter Freund ist **ein Mensch**, der immer für mich da **ist** und **mit** dem ich über alles sprechen kann.
Oliver, 37 Jahre

Meine besten Freunde kenne ich schon lange. Es ist die gemeinsame Geschichte, die wichtig ist.
Holger, 26 Jahre

Wir sind mit einem Ehepaar befreundet, das wir schon viele Jahre kennen. Sie sind meistens sehr direkt. Das ist nicht immer ganz leicht. Aber es stimmt schon: Man braucht auch Menschen, die einem mal so richtig die Meinung sagen. *Gerda, 54 Jahre, und Walter, 57 Jahre*

Ich habe zwei wirklich gute Freundinnen, die ich schon seit meiner Schulzeit kenne und denen ich alles erzählen kann. Und manchmal denke ich, dass echte Freundschaften fast wichtiger sind als Liebesbeziehungen. Sie halten nämlich meistens länger. *Eva, 31 Jahre*

Ein Freund ist eine Person, die ich sehr gut kenne und der ich vertrauen kann, auch wenn sie mir vielleicht mal sehr weh getan hat. *Heinrich, 62 Jahre*

Ich habe viele Freundinnen, mit denen ich mich verabrede und ausgehe. Aber eine wirklich gute Freundin, mit der ich über alles reden kann und die mir ehrlich sagt, was sie über mich denkt, habe ich eigentlich nicht. ... Oder doch, meine Katze Molly! Ich finde sowieso, dass Tiere viel besser zuhören können als Menschen.
Tanja, 16 Jahre

Ich habe einen Freund, den ich mal vor Jahren im Urlaub auf einer Bergtour kennen gelernt habe. Vier Tage zusammen da oben in den Bergen – das verbindet zwei Menschen. Es war ein sehr intensives Erlebnis, das sehr wichtig für mich war und von dem wir auch heute noch oft sprechen. *Martin, 41 Jahre*

D 3 **Lesen Sie die Beispiele und ergänzen Sie.**

Die markierten Wörter nennt man Relativpronomen. Sie stehen am Anfang von Relativsätzen. Mit Relativsätzen kann man Personen oder Sachen genauer beschreiben und zusätzliche Informationen geben.

▶ Das Relativpronomen verbindet das Bezugswort im Hauptsatz mit der zusätzlichen Information im Relativsatz.

Ein guter Freund ist **ein Mensch**, ________ *immer für mich da ist und mit* ________ *ich über alles sprechen kann.*

Hauptsatz — Relativsatz 1 — Relativsatz 2

▶ Das Relativpronomen bekommt Genus (*f, m, n*) und Numerus (Singular, Plural) vom Bezugswort im Hauptsatz.

Ein guter Freund ist ____________________, ***der*** *immer für mich da ist und mit* ***dem*** *ich über alles sprechen kann.*

Bezugswort *m Sg* → — Relativpronomen *m Sg* — Relativpronomen *m Sg*

▶ Das Relativpronomen bekommt den Kasus (Nominativ, Akkusativ oder Dativ) vom Verb oder von einer Präposition im Relativsatz.

Ein guter Freund ist ein Mensch, ***der*** *immer für mich da* ________ *und* ________ ***dem*** *ich über alles sprechen kann.*

Relativpronomen NOM ← sein + NOM — mit + DAT → Relativpronomen DAT

Lesen Sie noch einmal die Aussagen in D2 und markieren Sie Bezugswörter, Verben und Präpositionen.

Ergänzen Sie die Tabelle und die Regeln.

Relativpronomen

		NOM	AKK	DAT
Sg.	fem.			
	mask.	*der*		*dem*
	neutr.			
Pl.				!

beginnen ◆ Dativ Plural ◆ die Verben ◆ Hauptsatz ◆ rechts ◆ Relativpronomen (2x) ◆ Relativsatz

1 Relativsätze sind Nebensätze, ____________________ stehen am Ende.
2 Relativsätze stehen ________________ vom Bezugswort, das sie genauer beschreiben.
3 Relativsätze ______________ mit einem Relativpronomen oder mit einer Präposition + Relativpronomen.
4 Das ________________________ bekommt Genus (*f, m, n*) und Numerus (Singular und Plural) vom Bezugswort im ________________ und den Kasus vom Verb oder von der Präposition im ________________ .
5 ________________________ haben dieselben Formen wie die bestimmten Artikel.
Ausnahme: Relativpronomen ____________ = denen

D 4 **Ergänzen Sie die Relativpronomen.**

Woran denken Sie beim Thema „Freundschaft"?

1 Ich denke an meine Freundin Sarah, _____ im selben Haus wohnt, _____ ich bedingungslos vertraue, mit _____ ich über alles sprechen kann, _____ ich oft um Rat frage, für _____ ich alles tun würde.

2 An Karsten. Das ist ein Mensch, _______ immer für mich da ist, wenn ich Probleme habe, _______ ich jederzeit anrufen kann, auch nachts, _______ ich in jeder Situation helfen würde, über _______ ich nie schlecht sprechen würde, von _______ ich Ehrlichkeit und Offenheit erwarte.

3 An Meike und Daniel. Das sind gute Freunde, ________ wir vor Jahren mal auf einer Party kennen gelernt haben, mit ________ wir uns früher regelmäßig getroffen haben, ________ jetzt am anderen Ende der Welt leben, ________ wir leider nur noch selten sehen, ________ uns immer noch wichtig sind, ________ wir regelmäßig Briefe schreiben.

5

Lesen Sie den folgenden Text.

Freundschaft fällt nicht vom Himmel

... Am meisten wünsche ich mir einen Freund. Aber Vater hat gesagt, dass man Freunde nicht kaufen kann. Freundschaft fällt nicht vom Himmel wie Regen oder Schnee, hat er gesagt. Man muss sie suchen und finden und festhalten. Und man muss etwas dazu tun, hat er gesagt. Ähnlich wie mit einer Sparbüchse. Nimmt man immer nur Geld heraus und tut keines hinein, dann ist sie bald leer. Das alles hat Vater gesagt ... *H. Grit Seuberlich*

Denken Sie an ähnliche Bilder für „Freundschaft" und schreiben Sie einen kleinen Text.

Freundschaft ist wie eine Pflanze, die man regelmäßig gießen und pflegen muss, die zum Wachsen Sonne und frische Luft braucht und für die der richtige Platz sehr wichtig ist. ...
Freundschaft ist keine Krawatte, die ...

KURSBUCH D5

6

2/4

Hören und antworten Sie.

Auf Ihrer Geburtstagsparty sind viele Freunde und Verwandte. Eine Freundin fragt Sie, wer wer ist. Antworten Sie.

- *Wer ist denn der Typ da hinten in der Ecke, der mit dem blauen Pullover?*
  - *Das ist mein Freund Sven, → mit dem ich letztes Jahr im Urlaub war.* ↘
- *Aha. Und die Frau neben ihm?*
  - *Das ist meine Tante Anna, → der ich alles erzählen kann und die immer für mich da ist, ...*

1	Der Typ mit dem blauen Pullover.	Mein Freund Sven. Ich war mit ihm letztes Jahr in Urlaub.
2	Die Frau neben Sven.	Meine Tante Anna. Ich kann ihr alles erzählen und sie ist immer für mich da, wenn ich Probleme habe.
3	Die Frau mit den blonden Haaren.	Meine Nachbarin Jasmin. Ich helfe ihr immer im Garten.
4	Der große Dunkle im Jackett.	Armin. Er war früher mal mein Chef und arbeitet jetzt bei einer anderen Firma.
5	Der Mann mit den lockigen Haaren.	Mein bester Freund, Joachim. Ich kenne ihn schon seit meiner Schulzeit und ich kann ihm völlig vertrauen.
6	Die Frau in den bunten Klamotten.	Silke. Ich habe sie im Spanischkurs kennen gelernt.
7	Die beiden da am Fenster.	Thomas und Michael. Ich habe mal mit ihnen in einer WG gewohnt.
8	Und die drei Frauen an der Tür.	Bekannte. Sie spielen mit mir im Verein Volleyball.
9	Der Mann am Eingang.	Mein Onkel Jürgen. Ich bekomme von ihm jedes Jahr zum Geburtstag einen wunderschönen Blumenstrauß.
10	Und das Pärchen auf dem Sofa.	Eine neue Kollegin mit ihrem Freund. Ich habe sie zum ersten Mal eingeladen und weiß noch nicht so viel über sie.
11	Der Typ mit dem dunklen Hemd.	Mein neuer Nachbar Lars. Ich finde ihn sehr interessant und würde ihn gern näher kennen lernen.
12	Und die lustigen Leute in der Küche.	Das sind Bekannte. Ich spiele mit ihnen in einer Theatergruppe.

E

Frohe Feste

E 1

Was passt nicht? Streichen Sie.

1	eine Einladung	bekommen ◆	annehmen ◆	~~abnehmen~~ ◆	ablehnen
2	dem Gastgeber	annehmen ◆	danken ◆	absagen ◆	zusagen
3	die Gäste	begrüßen ◆	besichtigen ◆	erwarten ◆	einladen
4	zum Geburtstag	gratulieren ◆	feiern ◆	einladen ◆	schenken
5	den Geburtstag	feiern ◆	vergessen ◆	notieren ◆	gratulieren
6	ein Jubiläum	haben ◆	begehen ◆	bekommen ◆	feiern
7	ein Examen	machen ◆	bestehen ◆	feiern ◆	zusagen
8	ein Geschenk	bedanken ◆	besorgen ◆	kaufen ◆	mitbringen
9	die Party	findet statt ◆	beginnt ◆	holt ab ◆	endet

KURSBUCH E1-E

E 2

Was passt? Ergänzen Sie.

~~Astrologie~~ *(f)* ◆ Horoskop *(n)* ◆ Krebs *(m)* ◆ Sternenkonstellation *(f)* ◆ Sternzeichen *(n)*

1 die Lehre vom Einfluss der Sterne auf das Leben der Menschen *die Astrologie*
2 Symbol, das seinen Namen von einer Gruppe von Sternen hat ______
3 jemand, der in der Zeit vom 22. Juni bis 22. Juli geboren ist ______
4 die Position der Sterne bei der Geburt ______
5 Aussage über das Leben und die Zukunft eines Menschen ______

Lesen Sie jetzt Text 1.

(1) Sternzeichen

„Typisch Krebs", sagt H., ein Bekannter aus Heidelberg. Er meint, er erinnert sich noch an meinen Geburtstag: Ende Juni. Wir haben zusammen studiert. Heute ist er erfolgreicher Astrologe. Nach fünfzehn Jahren sehen wir uns zum ersten Mal wieder. Er will sofort ein genaues Horoskop für mich machen. Ich lehne ab.
„Typisch für den Krebs ist seine Liebe zur Kunst", sagt er. Entscheidend für meinen Lebensweg ist also seiner Meinung nach mein Geburtstag gewesen. Und er spricht ständig von Sternenkonstellationen. „Ich habe schon damals in Heidelberg sicher gewusst, dass du trotz des Chemiestudiums in deinem tiefsten Inneren ein Künstler bist. Und was ist dann aus dir geworden, hm? Vielleicht ein Chemiker? Nein, ein Schriftsteller."
Araber feiern vieles, aber Geburtstage nie. Denn wenn man seinen Geburtstag genau kennt, wird man nur älter. Bei Europäern habe ich manchmal das Gefühl, sie sind alle am Bahnhof geboren. Sie wissen nicht nur das Datum, sondern sogar die genaue Uhrzeit ihrer Geburt. H., mein Bekannter, weiß auch die Temperatur und das Himmelsbild dieses Tages.
Als er geht, rufe ich meine Mutter in Damaskus an und frage sie, wann ich geboren wurde, denn ich glaube nicht, was in meinem Pass steht. „Anfang bis Mitte April", antwortet sie. „Die Aprikosen haben geblüht. Wir mussten uns aber wegen der Kämpfe in der Hauptstadt in den Bergen verstecken. Deshalb konnten wir dich erst danach in der Hauptstadt registrieren lassen. Das war dann Ende Juni."
Und ich freue mich schon jetzt auf die nächste Begegnung mit H., dem Astrologen.

(nach: Rafik Schami)

„wegen" und „trotz"
„wegen" und „trotz" sind Präpositionen, sie stehen mit Genitiv.
„wegen" nennt einen Grund (ähnlich wie „weil"-Sätze)
***wegen der** Kämpfe in der Hauptstadt* → *... weil in der Hauptstadt gekämpft wurde.*
***wegen des** Geburtstags* → *... weil jemand Geburtstag hat.*
„trotz" nennt einen Gegengrund (ähnlich wie „obwohl"-Sätze)
***trotz des** Chemiestudiums* → *... obwohl du Chemie studiert hast.*

E 3

Lesen Sie Text 2 und suchen Sie die passenden Ausdrücke zu diesen Erklärungen.

1 *viele Leute stellen mir immer die gleichen Fragen* — der bekannte Fragesturm schüttelt mich
2 Geburtstagfeiern ist *gut für Geschäfte und Kaufhäuser* ____________
3 meine Bekannten *wollen, dass ich genauso wie sie bin* ____________
4 der Integrationsversuch *funktioniert nicht* ____________
5 *dieses Datum ist für meine Zukunft sehr wichtig* ____________

(2) Kein Geburtstag, keine Integration

Bei jeder Geburtstagsfeier in Deutschland, zu der ich eingeladen werde, ist es dasselbe Theater. Seit einiger Zeit nehme ich Geburtstagseinladungen überhaupt nicht mehr an, weil ich ganz genau weiß, dass der bekannte Fragesturm mich wieder schüttelt, wenn ich hingehe.
- Warum feierst du denn deinen Geburtstag nicht?
- Kannst du dir deinen Geburtstag nicht merken?
- Feiert man in der Türkei keinen Geburtstag? Warum denn nicht?
- Wünscht man sich denn bei euch nichts zum Geburtstag?
- Freust du dich denn nicht über Geschenke?

Ich habe mir jedes Mal eine andere Antwort ausgedacht. „Ich mag nicht", habe ich gesagt, „dass wir uns nur wegen des Geburtstags treffen. „Geburtstagfeiern ist eine Erfindung der Konsumgesellschaft; wenn wir uns treffen wollen, brauchen wir doch keinen Grund." Es hat alles nichts genützt: Meine deutschen Bekannten können sich ein Leben ohne Geburtstag nicht vorstellen. Ich weiß schon, dass sie mich in ihre Gesellschaft voll integriert sehen wollen. Solange ich aber keinen Geburtstag feiere, scheitert dieser Integrationsversuch. Es fehlt mir nur dieser Scheiß-Geburtstag. Ich kann meinen deutschen Bekannten die Wahrheit nicht sagen, weil sie eben nur Bekannte sind und keine Freunde.
Bevor ich nach Deutschland gekommen bin, habe ich nicht gewusst, dass irgendein Tag im Leben eines Menschen so wichtig sein könnte. Meine Zukunft in Deutschland hängt von diesem Datum ab. Aber soviel ich weiß, habe ich keinen Geburtstag. In meinem Reisepass steht zwar ein Datum, aber das ist nur geschrieben, damit die Deutschen nicht meinen, dass ich noch nicht geboren bin.

(nach: Sinasi Dikmen)

Reflexive Verben für gegenseitige Beziehungen
Einige reflexive Verben drücken im Plural eine gegenseitige Beziehung aus:
*Nach fünfzehn Jahren **sehen wir uns** zum ersten Mal wieder.*
(= **ich** sehe **dich** wieder und **du** siehst **mich** wieder)
*Wenn **wir uns treffen** wollen, brauchen wir doch keinen Grund.*
(= **ich** treffe **euch** und **ihr** trefft **mich**)
*Wie haben **sich Ihre Eltern kennen gelernt**?*
(= **Ihr Vater** ↔ **Ihre Mutter**)

Vergleichen Sie die Texte.
Welche Gemeinsamkeiten haben die beiden Autoren? Markieren Sie.

Sie leben in Deutschland.	☐	Sie finden Geburtstage nicht wichtig.	☐
Sie haben nicht die deutsche Nationalität.	☐	In ihren Pässen steht das richtige Geburtsdatum.	☐
Sie haben Probleme mit der Ausländerbehörde.	☐	In ihrer Kultur feiert man Geburtstage nicht.	☐

Wie ist das in Ihrem Land? Sind Geburtstage und Sternzeichen wichtig? Berichten oder schreiben Sie.

E 4

Lesen Sie die Texte noch einmal und ergänzen Sie.

			Reflexiv-pronomen	
1	Er erinnert		sich	noch an meinen Geburtstag.
2	Nach 15 Jahren ______	wir	______	zum ersten Mal wieder.
3	Wir ______		______	wegen der Kämpfe ... in den Bergen ______.
4	Und ich ______		______	schon jetzt auf die nächste Begegnung mit H.

		Reflexivpronomen		Akkusativ-Ergänzung		
5 ________	du	*dir*		*deinen Geburtstag*	nicht ________	?
6 ________	man	________	denn bei euch	________	zum Geburtstag?	
7 Ich ________		________	jedes Mal	________	________	.

Ergänzen Sie die Tabelle und die Regeln.

Reflexivpronomen im Akkusativ und Dativ

Akkusativ ◆ Dativ ◆ eine ◆ keine ◆ Personalpronomen ◆ sich

1 *sich erinnern (an):* Wenn das reflexive Verb ________ weitere Akkusativ-Ergänzung hat, steht das Reflexivpronomen im ________.

2 *sich (etwas) merken:* Wenn das reflexive Verb ________ weitere Akkusativ-Ergänzung hat, steht das Reflexivpronomen im ________.

3 Im Akkusativ und im Dativ haben die Reflexivpronomen dieselben Formen wie die ________.

Ausnahme: ________ (Singular und Plural)

Personalpronomen (AKK)	Reflexivpronomen (AKK)	Personalpronomen (DAT)	Reflexivpronomen (DAT)
mich		mir	
dich		dir	
sie/ihn/es		ihr/ihm/ihm	
uns	*uns*	uns	*uns*
euch	*euch*	euch	*euch*
sie/Sie	*sich*	ihnen/Ihnen	

E 5 **Ergänzen Sie die passenden Reflexivpronomen.**

1 ● Tut mir Leid, dass ich ________ so spät melde. Ich habe ________ wirklich beeilt, aber es ging nicht früher.
■ Schon gut. Aber du solltest ________ bei Sonja entschuldigen. Die hat ________ sehr über dich geärgert.

2 ● Erinnert ihr ________ noch an die Silvesterparty bei Sven?
■ Ja, da haben wir ________ wirklich gut amüsiert.

3 ● Wünscht Omar ________ eigentlich etwas Bestimmtes zur Hochzeit?
■ Ich weiß nicht. Aber über einen Fernseher würde er ________ sicher freuen.

4 ● Kaufst du ________ ein neues Kleid für Evas Hochzeit?
■ Ja, aber ich weiß nicht, welches ich nehmen soll. Ich kann ________ so schwer entscheiden.

5 ● Freut Mira ________ auch schon so auf Isabels Geburtstag?
■ Ich glaube nicht. Auf Geburtstagspartys fühlt sie ________ nie so richtig wohl.

6 ● Interessierst du ________ eigentlich für Astrologie?
■ Ja, sehr, ich habe ________ gerade ein Buch über Horoskope gekauft.

7 ● Petra und Karin haben ________ was Verrücktes ausgedacht. Sie wollen Kontaktanzeigen aufgeben, um neue Leute kennen zu lernen.
■ Was? So aktiv kenne ich die beiden ja gar nicht. Da haben sie ________ aber sehr verändert.

8 ● Habt ihr Lust, ________ den neuen Tarantino anzuschauen? Der läuft ab morgen im „Cinema".
■ Ja, warum nicht? Aber wir sollten ________ rechtzeitig Karten besorgen, das wird bestimmt voll.

Hören und vergleichen Sie. Spielen Sie die Dialoge.

Der Ton macht die Musik

1

Hören Sie, sprechen Sie nach und markieren Sie.

2/6

Im Deutschen gibt es viele Konsonanten-Verbindungen: Man spricht zwei Konsonanten als Einheit (= direkt hintereinander) – dabei darf man zwischen den Konsonanten keinen Vokal hören.

[pf]	Pfeffer	Schnupfen	Kopf	Pflanze	tropfen	pflegen	Pfund	Äpfel
[kv]	Quatsch	Qualität	Aquarium	quengeln	Quote	quer	Antiquität	Qual
[ts]	ziemlich	Partizip	ganz	Sitz	nutzlos	Sätze	nichts	Rätsel
[ks]	Fax	reflexiv	links	denkst	magst	wächst	sechs	Wechsel

Ergänzen Sie die Regeln.

1 Die Buchstaben-Kombination „pf" spricht man immer ______
2 Die Buchstaben-Kombination „qu" spricht man immer ______
3 Die Lautverbindung **[ts]** schreibt man _z_ , ______ oder ______ *
4 Die Lautverbindung **[ks]** schreibt man _x_ , ______ , ______ oder ______

*[ts] spricht man auch „t" vor „-ion": Lektion, Station, Tradition, traditionell, funktionieren ...

2

Wo spricht man [ts]? Markieren Sie.

Hochzeitstag ◆ jetzt ◆ Herz ◆ Konjunktion ◆ Wanze ◆ Zäpfchen ◆ Spezialist ◆ Ergänzung ◆ zart ◆ schmutzig ◆ Platz ◆ verzweifelt ◆ Präposition ◆ Zeug ◆ Schmerzen ◆ Zahnarzt ◆ plötzlich

2/7

Hören Sie, sprechen Sie nach und vergleichen Sie.

3

Üben Sie.

2/8

[pf] Sagen Sie „aapp...", halten Sie den p-Verschluss und ziehen Sie die Unterlippe an die oberen Zähne zurück: „appp..." wird zu „apfff...".
Sagen Sie: A**pf**el, Ä**pf**el, **Pf**und, ein **Pf**und Äpfel ...

[kv] Sagen Sie „akk...", halten Sie den k-Verschluss, legen Sie die Unterlippe an die oberen Zähne und öffnen Sie den Verschluss: „akkk..." wird zu „akvvv...".
Sagen Sie: A**qu**arium, **qu**er, **Qu**atsch, So ein **Qu**atsch! ...

[ks] Sagen Sie „takk...", halten Sie den k-Verschluss für einen Moment und sprechen Sie dann ein stimmloses „s": „takkk..." wird zu „takkksss...".
Sagen Sie: unterwe**gs**, se**chs**, Taxis, unterwe**gs** mit se**chs** Taxis ...

[ts] Sagen Sie „gehtt...", halten Sie den t-Verschluss und lösen Sie ihn dann vorsichtig: „gehtt..." wird zu „gehttss...".
Sagen Sie: Wie geh**t's**?, Fran**z**, ste**ts**, zusä**tz**lich, Por**t**ion, Pi**zz**a, Fran**z** isst ste**ts** eine zusä**tz**liche Por**t**ion Pi**zz**a ...

4

Wählen Sie einen Dialog oder ein Gedicht und üben Sie.

2/ 9-11

Komplizierte Sätze
Magst du Sätze mit Konjunktionen,
Partizipien und Wechselpräpositionen,
Präpositonalergänzungen und reflexiven Verben?
So ein Quatsch! Dieses nutzlose Zeug ist eine Qual –
auch Sätze mit Plusquamperfekt sind ganz unbequem!

Wechselhafte Gesundheitszustände
Ich hab' ziemliche Zahnschmerzen ...
Quengeln nutzt nichts – geh zum Zahnarzt!
Jetzt hab' ich plötzlich zusätzlich Kopfschmerzen ...
Nimm ein Zäpfchen oder Kopfschmerztabletten!
Das ist mir ein Rätsel: diese Schmerzen am Herzen ...
Geh zum Herzspezialisten – oder rufe i h n an!

Zungenbrecher
Wenn wegen Schnupfen Tropfen tropfen,
dann pfleg den Kopf mit Schnupfentropfen.

Max ist kein fixer Faxer –
fixe Faxer faxen sechs Faxe viel fixer
als Max sechs Faxe faxt.

Pflanzen mit Wanzen fehlt Pflanzenpflege,
die gepflegte Pflanze wächst ohne Wanze!

KURSBUCH G

G Geschichten vom Franz:

Wie der Franz ein echtes Liebesproblem löste

von Christine Nöstlinger (Zeichnungen von Erhard Dietl)

G 1 **Schauen Sie sich noch einmal die „Geschichten vom Franz" aus den Lektionen 1–3 an und schreiben Sie eine Kontaktanzeige für Franz.**

Arbeiten Sie zu dritt oder zu viert und vergleichen Sie.

G 2 **Wen liebt der Franz? Wer war bei der Party? Lesen und unterstreichen Sie.**

Der Franz liebt viele Menschen. Seine Mama und seinen Papa liebt er. Seine Oma und seinen großen Bruder, den Josef, liebt er. Die Gabi, die in der Wohnung nebenan wohnt, liebt er. Den Eberhard Most, der mit ihm in die Klasse geht, liebt er. Und dann liebt er noch drei Tanten. Und weil die Mama, der Papa, die Oma, der Josef, die Gabi, der Eberhard, die drei Tanten den Franz auch lieben, hat der Franz mit der Liebe keine großen Probleme.
Nur einmal, da steckte der Franz bis über beide Ohren in einem Liebesproblem. Bei der Geburtstagsfeier von der Gabi fing das Problem an. Eine Menge Kinder waren eingeladen. Der Franz war natürlich auch da. Extra eingeladen war er nicht. Er gehörte ja fast zur Gabi-Familie. Seit ein paar Monaten aß er sogar an den Schultagen bei der Gabi zu Mittag. Weil die Mama ja bei der Arbeit war. Am Nachmittag und am Sonntag war er auch oft bei der Gabi. Wenn der Franz nicht daheim war und ihn jemand suchte, konnte er ihn meistens bei der Gabi finden. Hin und wieder stritten der Franz und die Gabi auch. Doch lange waren sie aufeinander nie böse.
Bei dieser Party nun war auch die Sandra. Ein paar Tage vor der Party hatte die Gabi mit ihr in der Schule Freundschaft geschlossen. Das hatte den Franz nicht gestört. Die Gabi ging in eine andere Klasse. Und mit wem sie in den Pausen kicherte und ihr Pausenbrot teilte, war dem Franz egal.
Doch auf der Party dann störte ihn diese Freundschaft sehr. …

G 3 **Was war das Liebesproblem vom Franz? Wie hat er es gelöst? Wie geht die Geschichte weiter? Raten Sie und machen Sie Notizen.**

sich nur noch / nicht mehr um (jemand) kümmern ◆
nur noch / nicht mehr mit (jemand) spielen ◆
keine Zeit mehr für (jemand) haben ◆

(jemand) ignorieren ◆
auf (jemand) sauer / eifersüchtig / wütend sein ◆
(jemand) eifersüchtig machen ◆
sich bei (jemand) entschuldigen

Hören und vergleichen Sie.

4 Franz 4

Was sagt wer zu wem? Hören Sie noch einmal und markieren Sie.

	Was? Wer = X zu wem? = O	Franz	Gabi	Sandra	Franz-Mama	Franz-Papa	Gabi-Mama
1	„Ab jetzt komme ich oft zu dir, Liebling!"		O	X			
2	„Jedes Mädchen braucht eine Freundin."						
3	„Die Gabi ist sowieso eine Beißzange."						
4	„Das darfst du nicht hören!"						
5	„Für einen Prinzen bist du viel zu klein!"						
6	„Ein Bub braucht auf ein Mädchen nicht eifersüchtig zu sein."						
7	„Ich liebe die Gabi nicht mehr!"						
8	„So ein Spinner, der Franz! Ich hab keine Ahnung, warum er sich so blöd benimmt."						
9	„Die Gabi hat dich sehr lieb. Glaub mir. Sie merkt bloß nicht, dass sie dir wehtut. Sie hat das noch nie selbst durchgemacht."						
10	„Ich werde ihr beibringen, es zu merken!"						
11	„Warten wir auf die Sandra. Ohne die mag ich nicht spielen. Mit der Sandra ist es viel, viel lustiger!"						
12	„He, Franz, ich bin auch noch da!"						
13	Du bist heute der Prinz. Und der Prinz ist heute krank! Leg dich ins Bett und röchle!"						
14	„Geht heim! Alle beide! Aber sofort!"						
15	„Was hat sie denn auf einmal?"						
16	„Sie hat es gemerkt, und jetzt macht sie es selber durch!"						
17	„Es tut mir ja so Leid. Ich war in der letzten Zeit wirklich nicht sehr nett zu dir!"						
18	„Gerechter aufteilen musst du die Liebe zwischen der Sandra und mir!"						
19	„Da kämst du aber schlecht weg. Weil ich dich doch in Wirklichkeit zehnmal so lieb habe wie sie!"						

5

Schreiben oder erzählen Sie die Geschichte mit eigenen Worten. Oder arbeiten Sie in Gruppen und spielen Sie die Geschichte.

Der Franz liebt viele Menschen, auch die Gabi, die in der Wohnung nebenan wohnt. Jeden Tag war er bei Gabi, er gehörte schon fast zur Familie. Bei Gabis Geburtstagsfeier fing das Problem an. Da waren viele Kinder und auch Gabis neue Schulfreundin Sandra. In der Schule hatte diese Freundschaft den Franz nicht gestört, aber auf der Party störte sie ihn sehr. …

H

Kurz & bündig

Ergänzen Sie die Sätze.

Partnerschaft ist, *wenn* ______

Liebe ist, *wenn* ______

Freundschaft ist, *wenn* ______

Reflexivpronomen im Akkusativ

Freust du ______ – dann freu ich ______

Freut er ______ – dann freut sie ______

Freut ihr ______ – dann freuen wir ______

Was für eine Freude!

Schreiben Sie weitere Gedichte zu: *sich ärgern, sich entschuldigen, sich wohl fühlen …*

Reflexivpronomen im Dativ

Wunschzettel

Ich wünsche ______ ein___ ______.

Du wünschst ______ ein___ ______.

Er wünscht ______ ein___ ______.

Sie wünscht ______ ein___ ______.

Wir wünschen ______ ein___ ______.

Ihr wünscht ______ ein___ ______.

Sie wünschen ______ ein___ ______.

So viele Wünsche! Wer soll das bezahlen?

Schreiben Sie weitere Gedichte zu: *sich (etwas) kaufen, sich (etwas) besorgen, sich (etwas Neues / Interessantes / …) ausdenken …*

Relativpronomen

Beschreiben Sie einen guten Freund oder eine gute Freundin.

Das ist ein Mensch, …

der ______

den ______

dem ______

über den ______

für den ______

von dem ______

mit dem ______

Das ist eine Person, …

die ______

die ______

der ______

über die ______

für die ______

von der ______

mit der ______

Meine Regel für die Relativpronomen

______

______

Sie machen eine Einweihungsparty in Ihrer neuen Wohnung.
Schreiben Sie eine Einladung.

______

______

Interessante Ausdrücke

______

______

______

Fantastisches Unheimliches

LEKTION 5

A

Das ist ja unheimlich!

A 1

Was passt zusammen? Sortieren Sie.

Außerirdische der, -n ◆ Engel der, - ◆ Fee die, -n ◆ Geist der, -er ◆ Hellseher der, - ◆ Hexe die, -n ◆ ~~Ufo das, -s~~ ◆ Vampir der, -e

1	*das Ufo, -s*	*g*	a) himmlische Wesen
2			b) Sie lieben Blut.
3			c) Sie sehen die Zukunft voraus.
4			d) Sie können zaubern und tun Gutes.
5			e) Sie kommen um Mitternacht.
6			f) Sie tun Böses.
7			g) eine Art Flugzeug
8			h) Sie kommen von einem anderen Stern.

A 2

Was gibt es wirklich? Was ist erfunden?

... gibt es	*... gibt es nicht*	*... gibt es vielleicht*

Diskutieren Sie in Gruppen.

KURSBUCH A2-A5

A 3

Hören Sie und machen Sie Notizen.

2/12

1 *Herr Helmer*
3. September, lange am Computer, mit Hund raus, großes weißes Licht, Flugzeug? Angst, nicht wegrennen können, Ufo landete, Hund zum Raumschiff, 2 Leute aus Raumschiff mit silbernen Raumanzügen, nahmen ihn mit, bewusstlos, einen Monat später: Spaziergänger fanden ihn; Brief und Kugel, Krankenhaus, untersucht, nichts mehr wissen, alles im Brief

2 *Frau Sander*

3 *Karlheinz Müllermann*

4 *Frau Burger*

5 *Sabine*

Berichten oder schreiben Sie mit den Stichwörtern über die Erlebnisse einer Person.

A 4

Ergänzen Sie die Sätze.

um den Lottoschein abzugeben ◆ vielleicht um einen Landeplatz zu suchen ◆ um ihn zurückzuhalten ◆ um sich das Ufo aus der Nähe anzuschauen ◆ um die Polizei anzurufen ◆ um auf sich aufmerksam zu machen ◆ um ihr zu helfen ◆ um abzuwarten ◆ ~~um mit ihnen gemeinsam dieses Thema zu diskutieren~~ ◆ um sich die Beine zu vertreten ◆ um ihr von den mysteriösen Vorfällen zu berichten ◆ um zu sehen ◆ um sie auf eine Reise mitzunehmen ◆ um einen Teil des Geldes zu holen

1. Wir haben einige Experten, die sich mit dem Thema Ufos lange beschäftigt haben, ins Studio eingeladen, *um mit ihnen gemeinsam dieses Thema zu diskutieren* .
2. Herr Helmer ging abends noch einmal raus, ______ .
3. Er blieb stehen, ______ , was passiert.
4. Das Ufo blieb in der Luft stehen, ______ .
5. Er rief seinem Hund: „Halt, Waldi, bleib hier!“, ______
6. Frau Sander ist rausgegangen, ______ .
7. Sie ist ins Haus zurückgegangen, ______ .
8. Dann ist sie zum Fenster gerannt, ______ , ob das Ufo noch im Garten steht.
9. Sie hat die Polizei angerufen, ______ .
10. Herr Müllermann meint, dass ein paar Leute irgendwas erfinden, ______ .
11. Außerirdische kamen zu Frau Burger, ______ .
12. Sie kamen, ______ .
13. Sabine ging zur Lotto-Annahmestelle, ______ .
14. Die Außerirdischen haben sich nicht gemeldet, ______ .

Hören Sie noch einmal und vergleichen Sie.

A 5

Markieren Sie die Verben in A4 in den „um ... zu + Infinitiv"-Sätzen und ergänzen Sie die Regeln.

Hauptsatz, Aussage 1	**Nebensatz (Finalsatz)** Aussage 2 **um** → *Ziel/Absicht*	**zu + Infinitiv**
Herr Helmer ging noch mal raus,	**um** sich die Beine	**zu vertreten.**

Hauptsatz ◆ zu ◆ Absicht

1 Sätze mit „um ... zu + Infinitiv" heißen Finalsätze. Mit einem Finalsatz drückt man ein Ziel, eine ________________ aus.
2 Im „um zu + Infinitiv"-Satz steht kein Subjekt. Das Subjekt im ____________________ gilt auch für den „um ... zu + Infinitiv"-Satz.
3 Bei trennbaren Verben steht ________ nach der Vorsilbe (ab**zu**geben).

A 6

Ergänzen Sie die Sätze.

1 Ich lerne Deutsch, ...
2 Ich lese jeden Tag die Zeitung, ...
3 Ich brauche mein Auto, ...
4 Ich fahre in die Stadt, ...
5 Ich rufe meinen Bruder an, ...
6 Ich bleibe zu Hause, ...
7 Ich wandere aus, ...
8 Ich lege mich in die Sonne, ...
9 Ich schließe alle Fenster, ...

A 7

Lesen Sie die Schlagzeilen und den Text.

Gestern Abend im Fernsehen:
Millionen Zuschauer sahen Ufo landen

Sie waren gekommen, um mich zu holen

Mann von Außerirdischen entführt
nach 4 Wochen zurückgebracht – völlig verstört

Das unheimliche Haus
Jede Nacht um 24 Uhr kamen die Geister – Familie musste ausziehen

Mann von Außerirdischen entführt
nach 4 Wochen zurückgebracht – völlig verstört

Wann? Wer? Wo? Was?

Am 3. September fanden Spaziergänger den völlig verstörten Walter H. Er lag bewusstlos am Main. Er hatte nur einen Brief und eine seltsame Kugel aus Glas in der Tasche.
Man brachte ihn ins Krankenhaus. Dort untersuchte man Herrn H. Er konnte sich zunächst an nichts erinnern, nicht einmal an seinen Namen. In dem Brief fand man aber Name, Adresse und Beruf des Mannes. Nach und nach kam dann seine Erinnerung zurück: Außerirdische waren direkt vor ihm gelandet, als er mit seinem Hund am Main spazieren ging. Sie nahmen ihn mit zu ihrem Stern und brachten ihn einen Monat später wieder zur Erde zurück. Sein Hund ist bis zum heutigen Tag verschwunden. An Einzelheiten kann Herr H. sich bis heute nicht erinnern.

Schreiben Sie dann einen kurzen Zeitungsbericht zu einer Schlagzeile.

B

Ein Blick in die Zukunft

B 1

Wie heißen die Erfindungen und Entdeckungen? Sortieren Sie.

Antibiotikum *(n)* ◆ Kernspaltung *(f)* ◆ Automobil *(n)* ◆ Buchdruck *(m)* ◆ Computer *(m)* ◆ Dampfmaschine *(f)* ◆ DNA *(f)* ◆ Dynamit *(n)* ◆ elektrisches Licht *(n)* ◆ Relativitätstheorie *(f)* ◆ ~~Telefon *(n)*~~

1 Telefon, ______________________________

____

____

____

Wie hat sich das Leben durch diese Erfindungen bzw. Entdeckungen verändert? Diskutieren oder schreiben Sie über einige.

Durch die Erfindung des Telefons hat sich das Leben der Menschen sehr verändert. Früher haben sich die Leute viel öfter besucht. Heute telefoniert man nur kurz und fragt: Wie geht's? Das finde ich schade.

Heute kann man ganz einfach mit Freunden und Verwandten auf der ganzen Welt sprechen. Das ist wunderbar.

…

2 Was wird es in Zukunft geben? Lesen Sie die Aussagen und sprechen Sie darüber.

1 *Wenn Sie im Jahr 2020 das Internet nutzen wollen, werden Sie mit Ihrer Armbanduhr reden.*

2 *Der Laptop-Computer wird mit dem Mobiltelefon verschmelzen und Platz in einer Krawattennadel finden.*

3 *Sie werden Urlaub auf dem Mond machen können.*

4 *Brillen werden Kameras und Bildschirme enthalten, über die man Videokonferenzen abhalten kann. Damit werden Sie am Strand sitzen und an einer Besprechung im Büro teilnehmen können.*

5 *Die Brille wird auch die Fähigkeit haben, Gesichter wieder zu erkennen. Sie kann Ihnen auf einer Party Namen Ihrer Gesprächspartner und deren komplette Biografie zuflüstern.*

6 *Heute können Sie unbemerkt an einem Herzinfarkt sterben. In Zukunft wird Ihre Kleidung den Puls kontrollieren und einen Krankenwagen rufen, wenn Ihnen etwas zustößt.*

7 *Die Menschen werden gegen jede Krankheit ein wirksames Medikament haben.*

8 *Computer werden so selbstverständlich wie Lichtschalter sein.*

9 *Die Menschen werden nicht mehr arbeiten müssen.*

10 *Es ist nicht vorstellbar, dass es in 20 Jahren denkende Roboter geben wird.*

11 *Wir werden mit allen möglichen elektronischen Geräten in einer sehr primitiven Sprache sprechen können. Wir können davon ausgehen, dass die Geräte einen Wortschatz von vielleicht 50 000 Wörtern haben werden, aber sie werden nur einfache Kommandos verstehen.*

12 *Unser Kühlschrank wird intelligenter als wir sein.*

2/13

Welche Aussagen über die Zukunft sind von Herrn Gako? Hören Sie das Interview und ergänzen Sie.

Aussagen von Herrn Gako:

Sätze: 1, ______________________________

Was finden Sie gut? Was würden Sie kaufen? Diskutieren Sie zu viert oder schreiben Sie.

3 Markieren Sie alle Verben in B2 und ergänzen Sie die Regeln.

Position 2 ◆ Präsens ◆ Satzende ◆ werden

Das Futur I

1 In der Regel benutzt man im Deutschen, wenn man über die Zukunft spricht, das ______________ – mit entsprechenden Zeitangaben (morgen, in einer Woche, nächstes Jahr …). Nur manchmal (z. B. in schriftlichen Texten oder bei offiziellen Anlässen, für Pläne, Prognosen und Versprechen) benutzt man dafür das Futur I.
2 Das Futur I bildet man mit ____________ und dem Infinitiv.
3 Im Hauptsatz steht „werden“ auf ______________, der Infinitiv oder der Infinitiv + Modalverb im Infinitiv am Satzende.
4 Im Nebensatz steht „werden“ nach dem Infinitiv am ______________ .

B 4

Sprechen oder schreiben Sie über die Zukunft.

Im nächsten Jahrtausend werden die Menschen Urlaub auf dem Mond machen. Auf dem Mond wird es Hotels und Restaurants geben.

Im Jahr 2050 wird es Roboter geben, die alle Haushaltsarbeiten machen. Sie werden die Wäsche waschen und aufhängen. Sie werden …

Der Ton macht die Musik

C 1

Hören und vergleichen Sie.

Es gibt im Deutschen einige Laute, die man leicht verwechseln kann.

Vergleichen Sie:	Juli	[l]	Juni	[n]
	leise	[l]	Reise	[r]
	Mehl	[l]	mehr	[ɐ]

C 2

„l", „n" oder „r"? Hören und markieren Sie.

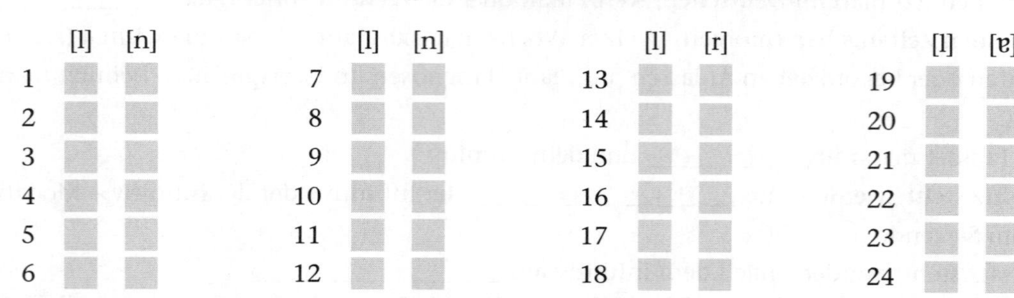

	[l]	[n]		[l]	[n]		[l]	[r]		[l]	[ɐ]
1			7			13			19		
2			8			14			20		
3			9			15			21		
4			10			16			22		
5			11			17			23		
6			12			18			24		

C 3

2/16

Atmen Sie tief ein und sagen Sie „nnnnnnnnnnn".

Üben Sie.

Sagen Sie weiter „nnnnnnnnn" und halten Sie sich die Nase fest zu. Aus „nnnnnn" wird „lllllllllll".

Sagen Sie: la-la-lachen, le-le-leben, lie-lie-lieben, lo-lo-loben, lu-lu-lustig
erst nach links, dann leicht rechts

C 4 2/17

Hören Sie und sprechen Sie nach.

Wand – Wald		Zahn – Zahl	Hans – Hals		Anne – alle	Nacht – lacht
von – voll		Neid – Leid	nass – lass		Kohl – Chor	
Rücken – Lücken		rockig – lockig	Regen – legen		Regal – legal	reiten – leiten
riet – Lied		Gras – Glas	Schrank – schlank		Kreis – Gleis	
wahr – Wahl		Herr – hell	vier – viel		hart – halt	Worte – wollte
Makler	Fehler	Lehrling	Riesling	Kartoffel	Schnitzel	Schachtel
klingeln	wechseln	Vokabeln	ähnlich	ehrlich	endlich	unheimlich

C 5

Ergänzen Sie „l", „n" oder „r" und sprechen Sie.

Früh*l*ing	p_ima	Gefüh_	Inse_	Inse_at	Tech_ik
K_ima	t_effen	künst_ich	Compute_	Enge_	si_gen
büge_n	sch_afen	He_z	Küh_e	_echts	_inks
a_ _ein	_eer	de_ _	übe_a_ _	_aut_os	Sti_ _e
p_ötz_ich	ve_wechse_n	schne_ _	sp_echen	_äche_n	he_ _

2/18 **Hören und vergleichen Sie.**

C 6 2/ 19-23

Wählen Sie ein Gedicht und üben Sie. Dann lesen Sie vor.

Zukunftsprognosen
Computer lernen, sprechen, denken,
sie leiten und lenken
ohne Gefühle:
Nie weinen, lächeln, lachen, schlafen,
immer wachen
in liebloser Kühle.
Überall Glas statt Gras,
überall künstliches Licht,
doch Leben findet man nicht.
Unheimliche Stille,
die Welt wirkt leer –
gibt es denn gar keine Menschen mehr?

Prima Klima
Alle mögen Anne.
Anne mag uns alle.
Alle mögen alle.
Prima Klima!

Zungenbrecher
Blaukraut bleibt Blaukraut
und Brautkleid bleibt Brautkleid.

In Ulm, um Ulm
und um Ulm herum

Geisterstunde
Letzte Nacht um Mitternacht
bin ich plötzlich aufgewacht.
Ich sah ein Licht,
es war ganz hell,
mein Herz schlug schnell –
mehr weiß ich nicht.
Ich fühlte, ich war nicht allein:
Ich war umgeben
von lautlosem Leben –
dann schlief ich wieder ein.

lichtung
(von Ernst Jandl)
manche meinen
lechts und rinks
kann man nicht
velwechsern.
werch ein illtum* !

*Irrtum ≈ Fehler

D Krankheiten und Heilmittel

D 1 Was machen Sie, wenn Sie krank sind? Welche Hausmittel nehmen Sie?

Üben Sie zu viert oder schreiben Sie.

heißen Tee mit Zitrone trinken ◆ Joghurt auf die Haut machen ◆ ein Bier trinken ◆ eine Zwiebelscheibe auf die Stelle legen ◆ Cola trinken und Salzstangen essen ◆ ein Stück Würfelzucker mit etwas Wasser auf die Stelle geben ◆ lange schlafen ◆ den Kopf nach hinten legen ◆ die Luft anhalten ◆ heiße Milch mit Honig trinken ◆ die Hand / den Fuß … unter kaltes Wasser halten ◆ einen Eisbeutel auf die Stelle legen ◆ Halswickel / Wadenwickel machen ◆ ein heißes Bad nehmen ◆ inhalieren ◆ …

Was machen Sie, → wenn Sie Sonnenbrand haben? ↗

Wenn ich einen Sonnenbrand habe, → dann mache ich Joghurt auf die Haut ↘. Das ist schön kühl und hilft immer ganz schnell. Und was machst du? ↗

Ich habe eine sehr gute Creme gegen Sonnenbrand. ↘

Wenn ich Sonnenbrand habe, mache ich gar nichts. ↘ Das geht auch so wieder weg. ↘

…

1 einen Sonnenbrand haben

2 eine Biene hat gestochen

3 Durchfall haben

4 eine Beule haben

5 Nasenbluten haben

6 Schluckauf haben

7 einen Kater haben

9 sich in den Finger schneiden

10 Schnupfen haben

8 sich mit heißem Wasser verbrennen

11 hohes Fieber haben

12 Muskelkater haben

13 Halsschmerzen haben

D 2

Was passt zusammen?

1 Migräne
2 Asthma
3 Neurodermitis
4 Hexenschuss
5 Heuschnupfen
6 Schlafstörungen
7 Depressionen
8 Nervosität

a) starke Kopfschmerzen
b) man ist sehr traurig und mutlos – ganz ohne Grund
c) unruhig, hektisch
d) Schnupfen durch allergische Reaktionen
e) man kann nachts nicht gut schlafen
f) stark juckende Hautkrankheit
g) starker Schmerz im Rücken, man kann sich nicht mehr bewegen
h) starker Husten

Erinnern Sie sich?

wenn = Nebensatz
Wenn man auf den Auslöser drückt, macht man ein Foto.
„Wenn"-Sätze sind Nebensätze. Mit „wenn" nennt man den (zeitlichen) Auslöser für die Aussage im Hauptsatz.

Aufgaben

Wo stehen das Verb und das Subjekt im „wenn"-Satz?
Welche Nebensätze kennen Sie noch?
„Wenn" oder „wann"? Erklären Sie den Unterschied und geben Sie ein paar Beispiele.

Sortieren Sie und ergänzen Sie weitere Krankheiten.

Infektionen	Allergien	andere Krankheiten
Schnupfen	*Heuschnupfen*	*Migräne*

KURSBUCH D1-D5

D 3 **Was passt zusammen? Lesen Sie die Fragen und die Antworten und ergänzen Sie.**

Sprechstunde

1 ____ Seit drei Jahren leide ich an Schwindel. Ich war bei vielen Ärzten, aber keiner konnte eine Ursache dafür feststellen. Es ist immer dasselbe: Sie hören sich kurz meine Probleme an, dann werde ich zu irgendeiner Untersuchung in ein Krankenhaus oder zu einem Spezialisten geschickt. Ich werde überhaupt nicht ernst genommen. Ich weiß wirklich nicht mehr, was ich tun soll. Können Sie mir helfen?
Sabine S., Düsseldorf

2 ____ Ich habe seit meiner Jugend sehr starken Heuschnupfen. Meine Augen schwellen an, ich bekomme kaum mehr Luft, und im Gesicht habe ich dicke rote Flecken. Ich reagiere auf sehr viele Stoffe allergisch. Jahrelang habe ich Cortison bekommen, drei Hautärzte haben alles in allem 14 Jahre lang an mir herumgedoktert – ohne Erfolg. Ich habe nun von einer Freundin gehört, dass Heuschnupfen mit einer Eigenbluttherapie behandelt werden kann. Was halten Sie von dieser Methode? Soll ich Sie ausprobieren?
Peter Schober, Frankfurt

3 ____ Seit sechs Monaten leide ich an starken Bauchkrämpfen und habe immer wieder Durchfall. Ich war bei verschiedenen Internisten, die alle möglichen Untersuchungen gemacht haben. Aber sie konnten nichts finden. Ein Internist gab mir folgenden Rat: „Achten Sie etwas auf Ihre Ernährung und essen Sie nichts aus der Pfanne." Damit kann ich nichts anfangen. Ich ernähre mich gesund. Ich esse kein Weißbrot, keinen Industriezucker, trinke keinen Alkohol und wenig Kaffee. Ich habe keine Lust mehr, immer nur untersucht oder geröntgt zu werden. Was soll ich jetzt tun?
Jan H., Gelsenkirchen

4 ____ Jedes Jahr im Winter habe ich eine Erkältung nach der anderen. Ich komme überhaupt nicht zur Ruhe. Wenn ich zum Arzt gehe, werden mir meistens Antibiotika verschrieben. Ich fühle mich dann immer sehr schwach und ausgelaugt. Bisher konnte mir kein Arzt weiterhelfen. Ich bin total ratlos.
Franziska Hase, Duisburg

Frau Dr. Sommer rät:

Hatten Sie in letzter Zeit viel Stress und viele Sorgen? Dann sollten Sie darüber nachdenken, ob Sie vielleicht einen Psychotherapeuten aufsuchen sollten. Schwindel ist oft ein Ausdruck von tief sitzenden Ängsten. Durch Gespräche mit einem Therapeuten können diese Ängste bewusst gemacht und behandelt werden. Auch ein Heilpraktiker wird Ihnen weiterhelfen können. ____ A

Sie sollten trotz schlechter Erfahrungen zum Arzt gehen. Aber zu einem, der sich auch mit alternativen Heilmethoden auskennt. Eine Möglichkeit, wie Ihre Darmerkrankung behandelt werden kann, ist die Symbioselenkung. Sie nehmen dabei ein spezielles Medikament (bestimmte Darmbakterien) ein. Mit Hilfe dieser Bakterien wird Ihr Darm saniert. Sie brauchen aber viel Geduld, Sie müssen das Mittel längere Zeit nehmen. ____ B

Ihr Immunsystem ist geschwächt. Sie sollten auf jeden Fall auf eine vitaminreiche Ernährung achten. Viel frische Luft und viel Bewegung sind auch hilfreich, um das Immunsystem zu stärken. Sie können auch bei einer Heilpraktikerin eine Eigenbluttherapie beginnen. Bei dieser Therapieform wird Ihnen etwas Blut aus der Armvene entnommen und sofort in den Gesäßmuskel eingespritzt. Die Behandlung muss mehrmals durchgeführt werden. Sie bringt aber bei den meisten Patienten gute Erfolge. ____ C

Ich halte sehr viel von der Eigenbluttherapie. Gerade bei chronischen oder immer wieder auftretenden Krankheiten wie zum Beispiel Heuschnupfen, Asthma, Magen- und Darmgeschwüren und Neurodermitis wird sie mit gutem Erfolg angewendet.
Probieren Sie es aus. Am Anfang kann es aber sein, dass Sie nach den Spritzen leichtes Fieber bekommen und Ihre Beschwerden sich zunächst verschlimmern. Diese Reaktion ist erwünscht: Danach setzt die Heilung ein. ____ D

Frage	1	2	3	4
Antwort				

4 **Markieren Sie alle Sätze mit „werden“ und ergänzen Sie einige Sätze und die Regeln.**

Hauptsatz	Verb 1		Verb 2
1 *dann*	*werde*	*ich zu irgendeiner ...*	*geschickt.*
2			
3			
4			

Nebensatz	Verben
1	
2	
3	

Partizip Perfekt ◆ Passiv-Hauptsatz ◆ Personen ◆ werden ◆ Passiv-Nebensatz

Das Passiv

1 Das Passiv kann überall dort vorkommen, wo es um Beschreibungen von Handlungen und Prozessen geht. Die handelnden ________________ sind nicht wichtig, nicht bekannt oder nicht vorhanden.
2 Das Passiv bildet man mit „werden“ + dem Partizip Perfekt; ________________ steht auf Position 2 und das ________________ am Satzende.
3 Im ________________________ mit Modalverb steht das Modalverb auf Position 2 und das Partizip Perfekt + „werden“ im Infinitiv am Satzende.
4 Im ________________________ stehen die Verben am Ende. Die Reihenfolge ist:
Partizip Perfekt + „werden“ *oder* Partizip Perfekt + „werden“ (Infinitiv) + Modalverb

5 **Was wird hier gemacht? Schreiben Sie.**

Eigenbluttherapie
a) Blut entnehmen/abnehmen aus der linken Armvene
b) Blut in rechten Gesäßmuskel einspritzen

inhalieren
c) heißes Wasser und Kamillenblüten in einen Topf geben
d) ein Handtuch über den Kopf legen und den heißen Dampf inhalieren

Wadenwickel
e) Tücher und kaltes Wasser bereitstellen
f) die nassen Tücher um die Waden wickeln und den Patienten gut zudecken

Eigenbluttherapie

a) Zuerst wird Blut aus der Armvene entnommen.

b) Dann

Inhalieren

D 6

Hören und antworten Sie.

2/24

Sie arbeiten in einer Arztpraxis. Die Praxis muss umziehen. In der Woche, in der der Umzug ist, muss Ihre Chefin an einem Kongress teilnehmen. Sie ruft Sie aber an und möchte wissen, wie weit der Umzug ist. Antworten Sie.

■ *Hier Praxis Dr. Grandel, guten Tag.*
● *Guten Tag, Frau Behring. Ich wollte mal hören, wie der Umzug läuft. Klappt alles?*
■ *Ach ja, es sieht ganz gut aus.*
● *Na, prima. Sind die Computer schon ausgepackt?*
■ *Nein, → die **müssen** noch **ausgepackt werden.** ↘*
● *Ach so. Die müssen noch ausgepackt werden. Und was ist mit dem Faxgerät? Ist das Faxgerät schon angeschlossen?*
■ *Nein, → tut mir Leid. Das **muss** noch **angeschlossen werden.** ↘*
● *Das muss noch angeschlossen werden. Ist das Praxisschild wenigstens schon angebracht?*

1 Computer schon ausgepackt?
2 Faxgerät schon angeschlossen?
3 Praxisschild schon angebracht?
4 Patienten benachrichtigt?
5 Visitenkarten bestellt?
6 Bilder schon aufgehängt?
7 Teppichboden im Wartezimmer schon verlegt?
8 Fenster schon geputzt?
9 die neuen Gardinen schon abgeholt?
10 Lampen schon aufgehängt?
11 Labor schon eingerichtet?
12 Telefon in der alten Praxis abgemeldet?
13 Zimmer in der alten Praxis schon gestrichen?
14 Stromrechnung von der alten Praxis schon bezahlt?

KURSB D6

E

Zwischen den Zeilen

E 1

Lesen Sie den Text und ergänzen Sie die Präpositionen.

an (3x) ◆ auf (3x) ◆ bei ◆ mit (3x) ◆ nach ◆ über (3x) ◆ um ◆ von (2x) ◆ zu (2x)

Die Esoterik- und Gesundheitswelle

Sie wissen doch sicher, was Reiki ist? Sie achten natürlich *auf* eine gesunde Ernährung ohne Fleisch, rein vegetarisch, und Sie verlassen sich bei gesundheitlichen Problemen nur noch ________ Bachblüten oder homöopathische Mittel, nicht wahr? Sicherlich haben Sie sich ausgiebig ________ Ihrem Geburtshoroskop beschäftigt, und bestimmt haben Sie schon mal ________ einem Kurs teilgenommen wie „Handlesen für Anfänger" oder „Alles über Feng-Shui" …
Nein? Das gibt es nicht! Die Esoterik- und Gesundheitswelle hat doch inzwischen alle erfasst! Sogar mich, obwohl ich nie viel ________ solchen Dingen gehalten habe. Meine WG hat mich ________ einem hervorragenden Kenner von alternativen Heil- und Gesundheitsmethoden gemacht. Früher waren wir eine ganz normale WG: Wir bereiteten uns ________ Demos vor, diskutierten nächtelang ________ Gott und die Welt und stritten uns regelmäßig ________ unseren Putz- und Küchendienstplan.
Heute ist alles ganz anders. Zum Beispiel Monika: Sie war eigentlich nie krank; sie litt höchstens ________ ganz normalen, alltäglichen Krankheiten wie Schnupfen oder Kopfschmerzen. Aber dann – ich erinnere mich noch ganz genau ________ den Tag – kam sie einmal nach Hause und erzählte uns mit glänzenden Augen ________ ihrem Besuch bei Gabis Heilpraktikerin. Seitdem stehen elf dunkelbraune Fläschchen in unserem Badezimmer, mit Tropfen gegen Pilze, gegen Bakterien, zur Stärkung des Immunsystems – für und gegen alles!
Oder Stefan: Vor ein paar Wochen roch die ganze Wohnung ________ Räucherstäbchen. Stefan saß in seinem Zimmer auf dem Boden und meditierte; neben ihm stieg weißer Rauch auf. Was war nur ________

ihm passiert? Früher qualmten bei ihm doch nur die Zigaretten!
Und dann Verena: Ich ging damals sofort in die Küche, um ________ ihr ________ Stefans seltsame Entwicklung zu reden. Da saß sie mit einer Freundin am Küchentisch, und auf dem Tisch lag ein halbes Dutzend Bücher über Astrologie. Verena sagte: „Du störst uns. Sandra hilft mir gerade ________ meinem Geburtshoroskop." Ich war entsetzt: Verena also auch!
Inzwischen sind unsere Regale voll von Steinen und Düften, die ________ unseren Sternzeichen passen, und wir haben uns sogar ein paar Tage lang in Reiki ausbilden lassen, in der japanischen Kunst des Handauflegens. Ehrlich gesagt: Gesünder fühle ich mich heute nicht; aber ich kann jetzt wenigstens mitreden, wenn es ________ Astrologie, makrobiotische Ernährung, spirituelle Kraft und ähnliche Themen geht …

2

Ergänzen Sie die Beispielsätze.

Verb	Präposition	Beispiel
teilnehmen	*an DAT*	*Bestimmt haben Sie schon mal an einem Kurs teilgenommen …*
leiden		
sich erinnern		
achten	*auf AKK*	
sich verlassen		
sich vorbereiten		
helfen	*bei DAT*	
sich beschäftigen	*mit DAT*	
passieren		
reden		
riechen	*nach DAT*	
streiten	*über AKK*	
diskutieren		
reden		
es geht	*um AKK*	
halten	*von DAT*	
erzählen		
machen	*zu DAT*	
passen		

3

Ergänzen Sie die Sätze. Schreiben oder sprechen Sie.

Manchmal erinnere ich mich …
Ich halte nicht viel …
Meine Nachbarin leidet …
Sie beschäftigt sich oft …
Im Haus riecht es oft …
Ich verlasse mich …
Ich achte …
Hilfst du mir …? / Soll ich dir … helfen?
Diskutiert ihr manchmal …?
Erzähl doch mal …

Erinnern Sie sich?

Es gibt viele Verben, die eine feste Präposition bei sich haben.
Lernen Sie immer die Präposition und den Fall mit. Also:
teilnehmen an + DAT

Aufgaben

Schreiben Sie mit den Verben oben Wortkarten mit Beispielsätzen.
Wie heißen die Präpositionen zu diesen Verben?
schreiben denken sprechen berichten
einladen gratulieren bitten

F Geschichten vom Franz:

Wie der Franz Angstbauchweh hatte

von Christine Nöstlinger (Zeichnungen von Erhard Dietl)

F 1 **Denken Sie an Ihre Schulzeit: Was fällt Ihnen zu „Schule" ein? Ergänzen Sie.**

F 2 **Was stört den Franz an der Schule? Lesen Sie den Text und machen Sie Notizen.**

Eine Woche vor seinem siebenten Geburtstag kommt der Franz in die Schule. Er ist das kleinste Kind in seiner Klasse. Auch in der 1a und der 1c gibt es kein kleineres Kind als den Franz.
Den Franz stört das ziemlich. Noch mehr stört ihn aber, dass die Gabi nicht in seiner Klasse ist. Der Franz hat immer fest damit gerechnet, später einmal, in der Schule, neben der Gabi zu sitzen.
Den Franz stört an der Schule auch sonst noch allerhand. Das Lernen geht ihm zu langsam. Vier Wochen sitzt er jetzt schon in der Schule herum, aber schreiben kann er noch immer nicht richtig.
Und der Herr Lehrer gefällt dem Franz überhaupt nicht! „Der kann ja nicht einmal richtig reden", beschwert sich der Franz bei seinem Papa.
Der Lehrer vom Franz redet wirklich ein bisschen merkwürdig. Sehr kurz redet er.
„Hinsetzen", sagt er.
„Aufstehen", sagt er.
„Mund zu", sagt er.
„Hefte aufschlagen", sagt er. „Bücher heraus", sagt er.
Der Franz ist nicht gewohnt, daß ihn jemand so anredet.
„Setzt euch hin, liebe Kinder", fände der Franz besser*. „Seid so lieb und steht auf", fände der Franz richtiger. „Es wäre nett, wenn ihr still sein könntet", fände der Franz freundlicher. „Jetzt wollen wir ein bisschen in die Hefte hineinschreiben", fände der Franz anregender. Und „Habt ihr Lust, ein wenig zu lesen?" fände der Franz höflicher.
„Der Mann ist eben ein Zickzack-Typ", sagt der Papa vom Franz. Dem Franz gefällt das Wort. Er sagt immer „Der Zickzack", wenn er von seinem Lehrer erzählt.

* = **würde** der Franz besser **finden**

Waren Ihre Lehrer auch „Zickzack-Typen"? Erzählen Sie.

3 Lesen Sie die Aussagen. Stimmt das? Hören Sie die Geschichte und markieren Sie richtig oder falsch.

		richtig	falsch
1	Einmal war die Oma zu Besuch beim Franz zu Hause.		X
2	Als der Franz ihr vom Zickzack erzählt, steht der plötzlich hinterm Franz.		
3	Der Franz freut sich, weil die Oma zu seinem Lehrer „Herr Zickzack" sagt.		
4	Der Franz läuft weg, versteckt sich und beobachtet die Oma und den Zickzack.		
5	Die Mutter vom Zickzack schimpft mit ihrem Sohn.		
6	Die Oma erzählt dem Franz, dass sie sich beim Zickzack entschuldigt hat.		
7	Der Franz hat Angstbauchweh, weil die Oma dem Zickzack die Wahrheit gesagt hat.		
8	Am nächsten Tag in der Schule ist der Zickzack so wie immer.		
9	Der Zickzack bittet den Franz, der Oma Grüße auszurichten.		
10	Der Franz erzählt den anderen Kindern von dem Treffen im Altersheim.		

Arbeiten Sie zu dritt oder zu viert und vergleichen Sie.

4 Welche Erklärung passt? Hören Sie noch einmal und markieren Sie.

Franz 5

1. Der Franz erzählte der Oma alle **Neuigkeiten**, die er wusste. c
2. Der Franz **erschrak** ziemlich. ___
3. Er **grabschte** sich den Rest Schoko-Torte vom Teller und **flitzte davon.** ___
4. Er beobachtete den Kaffeehaustisch und sah, dass die Oma **unentwegt** redete. ___
5. Wenn die Oma so richtig loslegte, **duldete** sie **keine Widerrede.** ___
6. „Du hast wirklich **einen unerhörten Kommandoton** drauf." ___
7. Die Oma **schaute** sehr **vergnügt drein.** ___
8. Das **ist** doch **ganz in deinem Sinne.** ___
9. Die Gabi wartete bei der Treppe auf den Franz. **„Schiss?"**, fragte sie. ___
10. Vor der Klassentür der 1b sagte die Gabi leise: **„Toi-toi-toi."** ___
11. **Verstohlen linste** er zum Lehrertisch hin, zum Zickzack. ___
12. Dann **kicherte** der Franz erleichtert **los**, und der Zickzack **kicherte** auch ein bisschen. ___

a) keinen Widerspruch erlauben
b) ein fröhliches Gesicht machen
c) neue Informationen
d) Umgangssprache: Angst
e) leise (anfangen zu) lachen
f) Viel Glück!, Viel Erfolg!
g) einen Schreck bekommen
h) heimlich schauen
i) laut und unhöflich sprechen (wie beim Militär)
j) ständig, ohne Pause
k) etwas ist genau so, wie du es willst
l) schnell nehmen und weglaufen

Arbeiten Sie zu dritt oder zu viert und vergleichen Sie.

5 Erzählen oder schreiben Sie die Geschichte mit eigenen Worten.

Jetzt sind Sie der Zickzack. Erzählen Sie Ihre Geschichte.

G

Kurz & bündig

Wortschatzarbeit

Was passt zu „unheimlich“, zu „Zukunft“, zu „Akupunktur“?
Finden Sie ein Wort zu jedem Buchstaben.

unheimlich	Zukunft	Akupunktur
u *fo*	Z	A
n	u	k
h	k	u
e	u	p
i	n	u
m	f	n
l	t	k
i		t
c		u
h		*Rückenschme* r *zen*

Vor Ihnen landet ein Ufo und zwei Außerirdische kommen zu Ihnen. Was machen Sie?

Jemand fragt Sie: Wozu lernen Sie Deutsch? Was antworten Sie?

Meine Regel für die „um ... zu + Infinitiv“-Sätze

Was macht eine Wahrsagerin?

Wie werden die Menschen in 100 Jahren leben? Was meinen Sie?

Meine Regel für das Futur I

Ein Freund hat seit Wochen starke Rückenschmerzen. Die Ärzte können ihm nicht helfen. Er fragt Sie um Rat. Was sagen Sie?

Wie wird ein Waden-/Halswickel gemacht?

Meine Regel für das Passiv

Interessante Ausdrücke

Test

A

A 1 Was ist richtig: a, b oder c? Markieren Sie.

Beispiel: ● Wie heißen Sie?
■ Mein Name ________ Schneider.
- [ ] a) hat
- [x] b) ist
- [ ] c) heißt

1 ● Wo ________ du denn gern wohnen?
■ Am liebsten in einer Villa am See.
- [ ] a) würdest
- [ ] b) wurdest
- [ ] c) werden

2 ● Steinmetz. Guten Tag.
■ Guten Tag. Ich rufe wegen Ihrer ________ an.
- [ ] a) Anzeige
- [ ] b) Brief
- [ ] c) Werbung

3 ● Ist die Wohnung denn noch ________ ?
■ Ja, aber es haben schon einige andere Interessenten angerufen.
- [ ] a) neu
- [ ] b) offen
- [ ] c) frei

4 ● Wie hoch sind denn die ________ ?
■ 250 Mark pauschal.
- [ ] a) Miete
- [ ] b) Nebenkosten
- [ ] c) Kaution

5 ● Sag mal, was war denn gestern Abend?
■ Wieso? Ach, je. Ich habe ganz vergessen, dich ________ .
- [ ] a) anrufen
- [ ] b) zu anrufen
- [ ] c) anzurufen

6 ● Und Paul hat endlich eine Arbeit gefunden?
■ Ja, das stimmt.
● Na, dann kann er doch endlich ausziehen.
■ Ja, aber er will ________ noch bei seinen Eltern wohnen bleiben.
- [ ] a) deshalb
- [ ] b) trotzdem
- [ ] c) obwohl

7 ● ________ ich klein war, hatte ich Angst vor Gewittern.
■ Das geht mir heute noch so.
- [ ] a) Wenn
- [ ] b) Als
- [ ] c) Nachdem

8 ● ________ ich manchmal an meine Schulzeit denke, dann erinnere ich mich zuerst an meinen Mathematiklehrer.
■ Warum denn?
● Der war ein ganz besonderer Mensch.
- [ ] a) Nachdem
- [ ] b) Bis
- [ ] c) Wenn

9 ● Was bedeutet denn ________ ?
■ Das sind Augen, Ohren, Nase, Zunge.
- [ ] a) Sinnesorgane
- [ ] b) Gerüche
- [ ] c) Geräusche

10 ● Woher wusstest du, dass die Grenze offen war?
■ Ich ________ es am Abend vorher im Fernsehen ________ .
- [ ] a) bin – gesehen
- [ ] b) hatte – gesehen
- [ ] c) war – sah

11 ● Als ich das erste Mal nach dem Fall der Mauer nach West-Berlin ________ , weinte ich vor Freude.
■ Ja, das war ein unglaubliches Erlebnis.
- [ ] a) kam
- [ ] b) komme
- [ ] c) gekommen

12 ● Es gab jeden Montag in vielen Städten ________ .
■ Und warst du auch dabei?
- [ ] a) Oppositionen
- [ ] b) Wahlen
- [ ] c) Demonstrationen

13 ● Was kann man sich bei euch in Buxtehude denn anschauen?
■ Unsere Stadt ist nicht sehr groß, aber es gibt trotzdem viele ________ .
- [ ] a) Umgebung
- [ ] b) Hotels
- [ ] c) Sehenswürdigkeiten

14 ● Entschuldigung. Können Sie mir sagen, ____________ das Hotel Astoria ist?
■ Gehen Sie immer geradeaus und dann die zweite Straße rechts.
a) wo
b) ob
c) wohin

15 ● Entschuldigung. Können Sie mir sagen, ____________ die Bar noch geöffnet hat?
■ Ja natürlich, bis halb eins.
a) ob
b) wann
c) wo

16 ● Und du hast Peter wirklich nicht erkannt?
■ Nein, wirklich nicht. Ich habe ____________ vor zehn Jahren zum letzten Mal gesehen. Er hat sich sehr verändert.
a) er
b) ihn
c) ihm

17 ● Entschuldigung. Wo ist denn das Theater?
■ Gehen Sie hier die Josephsstraße ____________, dann kommen Sie automatisch zum Theater.
a) gegenüber
b) herum
c) entlang

18 ● Wie wird denn das Wetter morgen?
■ Schlecht! In der Zeitung steht, es gibt den ganzen Tag ____________.
a) regnerisch
b) Regen
c) regnet

19 ● Interessierst du dich ____________ Geschichte?
■ Ja, in der Schule war das mein Lieblingsfach.
a) bei
b) für
c) an

20 ● Erinnerst du ____________ noch an die Silvesterparty letztes Jahr?
■ Natürlich, das war total lustig.
a) dir
b) uns
c) dich

21 ● Weißt du schon das Neuste? Johannes will sich von Silvia ____________.
■ Was? Aber die beiden haben doch erst vor zwei Jahren geheiratet.
a) getrennt
b) scheiden lassen
c) verloben

22 ● Hast du denn keinen Freund, ____________ du über alles sprechen kannst?
■ Nein, ich bin doch noch ganz neu hier.
a) dem
b) mit dem
c) mit der

23 ● Was wünscht ihr ____________ zur Hochzeit?
■ Hm. Wir könnten noch Geschirr gebrauchen.
a) euch
b) sich
c) dich

24 ● Kommt ihr denn zu meiner Party?
■ Nein, tut mir Leid. Ich muss leider ____________ Mein Mann ist krank.
a) annehmen
b) bedanken
c) absagen.

25 ● Wozu rufst du die Polizei an?
■ ____________ den Vorfall zu melden.
a) Um
b) Ob
c) Weil

26 ● Wird es in einigen Jahren denkende Roboter geben?
Nein, aber wir ____________ mit vielen Geräte in einer sehr primitiven Sprache ____________ ____________.
a) werden ... sprechen können.
b) werden ... gesprochen können
c) können ... sprechen werden

27 ● Ist das Telefon schon abgemeldet?
■ Nein, das ____________ noch ____________ ____________.
a) muss ... abmelden werden
b) kann ... abmelden werden
c) muss ... abgemeldet werden

28 ● Bei der Aromatherapie ____________ fast 300 Öle ____________.
a) werden ... verwenden
b) werden ... verwendet
c) wird ... verwendet

29 ● Beschäftigen Sie sich auch ____________ Ufos?
■ Nein, ich glaube, dass es keine Ufos gibt.
a) über
b) mit
c) von

30 ● Was sollen wir denn jetzt machen?
■ Beruhige dich! Wir ____________ bestimmt ein Lösung.
● Meinst du?
a) nehmen
b) finden
c) kommen

A 2

Wie viele richtige Antworten haben Sie?

Schauen Sie in den Lösungsschlüssel im Anhang. Für jede richtige Antwort gibt es einen Punkt. Wie viele Punkte haben Sie?

_____________ Punkte

Jetzt lesen Sie die Auswertung für Ihre Punktzahl.

24–30 Punkte: Sehr gut. Weiter so!

13–23 Punkte: Schauen Sie noch einmal in den Lösungsschlüssel. Wo sind Ihre Fehler? In welcher Lektion finden Sie Übungen dazu? Machen Sie eine Liste.

Meine Fehler

Nummer	Lektion	(G) = Grammatikfehler	(W) = Wortschatzfehler
4	1, B-Teil		X
5	1, C-Teil	X	
	2,		

- **Ihre Fehler sind fast alle in einer Lektion?** Zum Beispiel: Fragen 20, 21, 22 und 24 sind falsch. Dann wiederholen Sie noch einmal die ganze Lektion 4.
- **Ihre Fehler sind Grammatikfehler (G)?** Dann schauen Sie sich in allen Lektionen noch einmal den Abschnitt „Kurz & bündig" an. Fragen Sie auch Ihre Lehrerin oder Ihren Lehrer, welche Übungen für Sie wichtig sind.
- **Ihre Fehler sind Wortschatzfehler (W)?** Dann schauen Sie sich in allen Lektionen „Kurz & bündig" noch einmal an. Lernen Sie mit dem Vokabelheft und üben Sie auch mit anderen Kursteilnehmern. Dann geht es bestimmt leichter.

5–12 Punkte: Wiederholen Sie noch einmal gründlich alle Lektionen. Machen Sie ein Programm für jeden Tag. Üben Sie mit anderen Kursteilnehmern. Und sprechen Sie mit Ihrer Lehrerin oder Ihrem Lehrer.

0–4 Punkte: Wie oft haben Sie den Kurs besucht? ... Ach, so.

B	Hören wie ein Profi

B 1 **Wie hören Sie? Warum? Markieren Sie.**

Textsorte	Ich konzentriere mich auf jedes Wort.	Ich höre gezielt einzelne Teile.	Ich höre nicht so genau hin.	Ich suche konkrete Informatio-nen.	Ich höre aus Spaß.
Nachrichten					
Lied					
Wetterbericht					
Ansage auf dem Anruf-beantworter					
Werbung					
Hörspiel					
Live-Bericht von einem Fußballspiel					
Lautsprecherdurchsage (Bahnhof/Flughafen)					
Lottozahlen					
Gespräch mit einem Arzt					

Arbeiten Sie zu dritt und vergleichen Sie.

Die Nachrichten höre ich konzentriert und achte dabei auf jedes Wort, weil ich über die Ereignisse in der Welt gut informiert sein möchte. Aber beim Wetterbericht ...

B 2 **Hören Sie die Radiosendung und markieren Sie.**

		richtig	falsch
1	Hören und Zuhören ist dasselbe.		X
2	Zuhören muss man lernen.		
3	Beim Zuhören ist alles, was man hört, gleich wichtig.		
4	Babys können zunächst nichts verstehen.		
5	Es gibt Strategien für das Zuhören.		
6	Lehrer klagen darüber, dass Schüler nicht mehr zuhören können.		
7	Wortbeiträge in Radiosendungen werden immer länger.		

Sind Sie mit den Aussagen der Radiosendung einverstanden? Diskutieren Sie zu dritt oder zu viert.

3 **Hören oder lesen? Was ist für Sie leichter? Sammeln Sie Argumente.**

Hören	*Lesen*
– Ich kann die Geschwindigkeit nicht selbst bestimmen.	*+ Ich kann schnell oder langsam lesen.*

Vergleichen Sie Ihre Ergebnisse.

4 **Welche Probleme haben Sie beim Hören von Deutsch?**

A Oft interessieren mich die Themen nicht, um die es geht. Warum soll ich mir dann dazu etwas anhören?

B Die Deutschen reden immer zu schnell. Ich möchte gern alles verstehen, aber: Wenn ich gerade die ersten Wörter verstanden habe, sind die Sprecher schon drei Sätze weiter.

C Die Leute sprechen immer so undeutlich. Außerdem sind die Sätze oft nicht zu verstehen, weil Lautsprecher oder Telefone die Sprache verzerren.

D Ich kann mich nicht so lange konzentrieren. Oft gibt es so viele Informationen, dass ich mir wirklich nicht alles merken kann.

E Ich höre einfach nicht, was wichtig ist. Wörter und Sätze, alles fließt für mich zu einem langen, unverständlichen Blabla zusammen.

2/26 **Hören Sie nun Tipps zu den Problemen. Machen Sie zu jedem Tipp eine kurze Notiz.**

1 ____________________
2 ____________________
3 ____________________
4 ____________________
5 ____________________

Ordnen Sie die Tipps den Problemen zu.

Welche Probleme haben Sie beim Hören? Wie finden Sie die Tipps? Diskutieren Sie zu dritt. Kennen Sie weitere Tipps?

5 **Spielen Sie „Stille Post".**

Kennen Sie das Spiel „Stille Post"? Sie sitzen in einer Reihe, und der Erste flüstert seinem Nachbarn einen Satz ins Ohr. Der gibt den Satz so, wie er ihn verstanden hat, an den Nächsten weiter. Am Ende der Reihe hat sich der Satz meistens ziemlich verändert!

B 6 **Was passt zusammen? Ordnen Sie die Redewendungen den Bildern zu. Dann suchen Sie die passende Erklärung zu jeder Redewendung.**

3	Wer nicht hören will, muss fühlen.	c
	Auf dem Ohr bin ich taub!	
	Der Lauscher an der Wand, der hört die eigene Schand´.	
	Du sitzt wohl auf den Ohren!	
	Man höre und staune!	
	Ich bin ganz Ohr.	
	Das ist ein Ohrwurm.	

a) Du hörst ja nicht zu!
b) Ein Lied oder eine Melodie, die man sich leicht merken kann.
c) Du bist selbst schuld. Warum hast Du nicht auf mich gehört?
d) Das interessiert mich nicht. Damit bin ich nicht einverstanden.
e) Wer heimlich zuhört, hört oft Schlechtes über sich.
f) Ich habe Interesse, ich höre gern zu!
g) Das ist aber eine Überraschung!

Kennen Sie diese Redewendungen? Was könnten Sie bedeuten?
Gibt es in Ihrer Sprache ähnliche Redewendungen zum Thema Hören?

KURSBUCH C1-C

C

Der Ton macht die Musik

1

2/27

Hören Sie, sprechen Sie nach und markieren Sie den Wortakzent.

Viele deutsche Wörter haben einen gemeinsamen Stamm und bilden Wortfamilien:
z. B. ***-sprech-*** *(-sprach-/-sproch-/-spruch-)*.

sprechen ◆ der Sprecher ◆ die Sprecherin ◆ die Sprecherinnen ◆ die Sprache ◆ der Spruch ◆ die Sprüche ◆ sprachlos ◆ sprachlich

besprechen ◆ die Besprechung ◆ wir versprechen ◆ das Versprechen ◆ entsprechend ◆ sie bespricht ◆ du versprichst ◆ sie versprach ◆ das Gespräch ◆ gesprochen ◆ besprochen ◆ versprochen

aussprechen ◆ nachsprechen ◆ er spricht nach ◆ du sprichst aus ◆ die Aussprache ◆ ausgesprochen ◆ nachgesprochen ◆ der Widerspruch ◆ die Widersprüche ◆ anspruchsvoll

die Sprechstunde ◆ das Wahlversprechen ◆ das Sprichwort ◆ die Sprachschule ◆ die Muttersprache ◆ deutschsprachig ◆ umgangssprachlich ◆ der Gesprächspartner ◆ das Telefongespräch ◆ das Gesprächsthema

Ergänzen Sie die Regeln.

erste ◆ Stammsilbe ◆ Stammvokal ◆ Umlaut ◆ Vorsilbe ◆ Wort-Endung

1 Der Wortakzent ist meistens auf der ________________. Bei vielen Wörtern ändert sich der ________________ *(sprechen – spricht – sprach – gesprochen)*, einige Wörter bildet man mit ________________ *(Gespräch, Sprüche, zählen)*.

2 Bei Wörtern mit Vorsilben (***Aus****sprache*, ***nach****sprechen*) ist der Wortakzent fast immer auf der (ersten) ________________. *) Aber: **kein** Wortakzent auf den Vorsilben

ge- *das Gespräch,* ________________ ver- ________________
be- ________________ ________________
________________ ent- ________________

3 Die ________________ *(sprechen, Sprecher, Sprecherin)* hat fast nie den Wortakzent.**)

4 Bei zusammengesetzten Wörtern (Komposita) hat meistens das ________________ Wort (= Spezialwort) den Wortakzent.

*) Bei trennbaren Verben bleibt der Wortakzent auch im Satz auf der trennbaren Vorsilbe: *Er soll die Wörter nachsprechen. – Er spricht die Wörter nach.*

**) *Ausnahmen:* Die Endung „-ei" ist betont, z. B. Bäckerei, Wäscherei, Türkei. Einige Endungen bei Fremdwörtern sind betont, z.B. aktiv, Aktivität, Position, Astrologie, Journalist, neutral, Kultur, Friseur, privat, interessant, Konferenz, Student …

Wortakzent bei Vorsilben
„ge-", „be-", „ver-" und „er-", „zer-", „ent-" haben nie den Wortakzent.

2

Markieren Sie den Wortakzent.

-sicht- besichtigen ◆ die Besichtigung ◆ der Besichtigungstermin ◆ die Stadtbesichtigung ◆ das Gesicht ◆ die Rücksicht ◆ rücksichtslos ◆ rücksichtsvoll ◆ die Vorsicht ◆ vorsichtig ◆ unvorsichtig ◆ die Absicht ◆ absichtlich ◆ unabsichtlich

-zahl- die Zahl ◆ die Lottozahl ◆ zahlen ◆ zahlreich ◆ bezahlen ◆ bezahlbar ◆ unbezahlbar ◆ abbezahlen ◆ die Anzahl ◆ zählen ◆ erzählen ◆ der Erzähler

-halt- halten ◆ die Haltung ◆ die Buchhaltung ◆ abhalten ◆ anhalten ◆ aushalten ◆ behalten ◆ enthalten ◆ erhalten ◆ erhält ◆ erhältlich ◆ festhalten ◆ der Haushalt ◆ der Inhalt ◆ zurückhalten ◆ zurückhaltend ◆ das Verhalten ◆ der Verhaltensforscher ◆ das Verhältnis

2/28

Hören und vergleichen Sie.

C 3 **Sortieren Sie die Wörter nach Wortfamilien und markieren Sie den Wortakzent.**

~~am liebsten~~ ◆ ~~aufsuchen~~ ◆ aussuchen ◆ ~~befreundet~~ ◆ beliebt ◆ besuchen ◆ besucht ◆ das Lieblingsbuch ◆ der Besuch ◆ der Besucher ◆ der Freund ◆ der Freundeskreis ◆ der Schulfreund ◆ der Versuch ◆ die Besuchszeit ◆ die Freundin ◆ die Freundschaft ◆ die Liebe ◆ die Liebesgeschichte ◆ die Partnersuche ◆ die Suche ◆ die Vorliebe ◆ er suchte aus ◆ freundlich ◆ geliebt ◆ gesucht ◆ lieb ◆ lieben ◆ lieber ◆ liebeskrank ◆ liebevoll ◆ lieblos ◆ sich verlieben ◆ sie haben aufgesucht ◆ suchen ◆ unfreundlich ◆ verliebt ◆ versuchen ◆ wir versuchten

-such-	-freund-	-lieb-
aufsuchen	befreundet	am liebsten
...	...	...

Diese Wörter kennen Sie noch nicht. Ergänzen Sie sie bei der passenden Wortfamilie und markieren Sie den Wortakzent. Raten Sie die Bedeutung und vergleichen Sie mit dem Wörterbuch.

beliebig ◆ der Sucher ◆ die Versuchung ◆ ersuchen ◆ freundschaftlich ◆ Freundschaftsdienst ◆ Lieblosigkeit ◆ sich anfreunden ◆ Verliebtheit

Hören und vergleichen Sie.

C 4 **Notieren Sie weitere Wortfamilien und markieren Sie die Wortakzente.**

such fahr/fuhr nehm/nahm/nomm steh/stand wiss/wuss zieh/zog/zug
kenn/kannt kauf schrift stell zahl

C 5 **Hören und sprechen Sie.**

Wahlversprechen
Nur Sprüche, Widersprüche
und leere Versprechungen.

Sprachschule
Aussprache-Training durch
Sprechen und Nachsprechen,
anspruchsvolle Gesprächsthemen,
viel versprechende Gesprächspartner,
umgangssprachliche Sprüche.

Gute Absichten
Nimm absichtlich Rücksicht!
Fahr absichtlich vorsichtig!
Unabsichtlich rücksichtslos
und unvorsichtig
fahren die anderen.

Zahlen, die zählen
Mit den richtigen Lottozahlen
wird Unbezahlbares bezahlbar:
Man kann die Rechnungen bezahlen,
alle Kredite abbezahlen
und viel von den zahlreichen Reisen erzählen.

Halt!
- ● Ich halt' das nicht aus!
  - ■ Halt dich zurück!
- ● Ich will mich aber nicht zurückhalten!
  - ■ Ich halt' dich fest.
- ● Du sollst mich nicht festhalten!
  - ■ Dann kann ich dich nicht abhalten.

Lerntipp:
Lernen Sie Wörter in Wortfamilien. Bei neuen Wörtern notieren Sie bekannte Wörter mit demselben Wortstamm. Markieren Sie die Wortakzente und die Bedeutungen (Übersetzung, ähnliche Wörter ...). Spielen Sie „Familientreffen“: Schreiben Sie Sätze oder Dialoge mit möglichst vielen „Familienmitgliedern“.

Wünsche und Träume

LEKTION **7**

A Auf zu neuen Ufern!

A1 Warum gehen Leute in ein anderes Land? Sprechen Sie über die Bilder und Anzeigen.

Familie in Genf sucht per Sept. 2000–Juni 2001 sportliches, aufgeschlossenes und vielseitig interessiertes

Au-pair-Mädchen

mit Führerschein zur Mithilfe im Haushalt und bei der Kinderbetreuung. Schriftliche Bewerbung mit Lebenslauf und Bild an
ZE 9092 DIE ZEIT, 20079 Hamburg

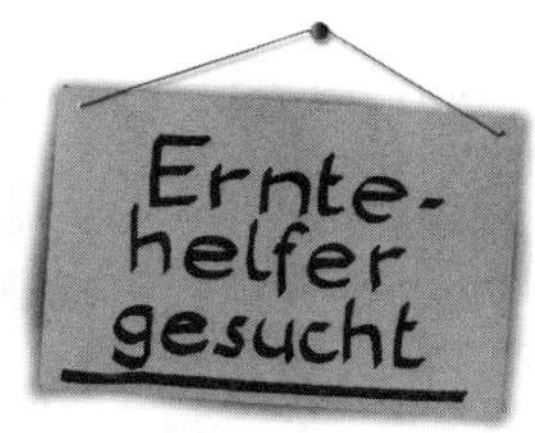

Sammeln Sie weitere Gründe und schreiben Sie.

Viele Leute gehen in ein anderes Land, weil ihr Partner dort lebt / ...
Andere wollen Land und Leute kennen lernen / ..., deshalb ...
Viele hoffen / versuchen ..., ihre Chancen im Beruf zu verbessern / ...

A2 Lesen Sie zuerst die Aufgaben und dann den Text. Markieren Sie.

1 Wenn man ins Ausland geht,
- a) ist es wichtig, weit weg zu gehen.
- b) spielt die Entfernung keine Rolle.
- c) sollte man nicht nach Goa gehen.

2 Wer ins Ausland geht,
- a) hat weniger Chancen im Beruf.
- b) hat berufliche Vorteile.
- c) hat viele Probleme.

3 Die HypoVereinsbank
- a) will nur Leute, die einen Sprachkurs in Italien gemacht haben.
- b) stellt nur Personen ein, die gut Englisch sprechen.
- c) nimmt lieber Personen, die schon mal im Ausland waren.

4 Im Ausland
- a) sammelt man Erfahrungen über sich selbst.
- b) sollte man sich erst einmal an den Strand legen.
- c) sollte man Bücher über andere Kulturen lesen.

Ein Jahr ins Ausland – Was bringt's?

Ins Ausland gehen, um für einige Zeit ganz anders zu leben und zu arbeiten, gibt einem die Chance, sich auszuprobieren, sich in einer neuen Umgebung zu erleben, Spaß zu haben und auch mit ungewohntem Stress klarzukommen. Neugier, Abenteuerlust, persönliche Weiterentwicklung – alles gute Gründe loszuziehen. Dabei ist es ziemlich unwichtig, wie viele Kilometer man zurücklegt. Hauptsache, Ausland. Und: Hauptsache, man ist offen für das Neue, das Ungewohnte, das Fremde.

Denn Erfahrungen im Ausland sind ja heute nicht nur in den Lebensläufen von Karrierefrauen und -männern ein Muss. In immer mehr Firmen wird Arbeit inzwischen global verteilt; wer dann die Welt schon kennt, zieht leichter einen Joker. Bekennende Nesthocker hingegen haben oft nur schlechte Karten.

„Heute verändert sich die Arbeitswelt sehr schnell. Tätigkeiten in einem Unternehmen verschwinden, dafür werden andere neu geschaffen.", sagt Dr. Isa M., Abteilungsleiterin beim Personalvorstand der HypoVereinsbank. „Also müssen wir schon bei der Einstellung schauen, wo die Bewerberinnen später vielleicht sonst noch eingesetzt werden können." Und da ist es natürlich von Vorteil, wenn sich eine Sekretärin mal bei einer Firma in England durchgebissen und womöglich einen Sprachkurs in Italien gemacht hat.

Karin S., Referatsleiterin bei der Bundesanstalt für Arbeit, nennt noch einen Vorteil nach Auslandsaufenthalten: „Viel wichtiger als das von dort mitgebrachte Wissen ist die Signalwirkung, die davon ausgeht: Die ist beweglich. Die hat sich umgeschaut." Soll heißen: Wer länger im Ausland war, lässt allein dadurch schon eine Persönlichkeitsstruktur erkennen, die in weltweit tätigen Firmen immer stärker gefragt ist. „Gerade bei Führungskräften achten wir darauf," konkretisiert Isa M., „wie sie andere Kulturen wahrnehmen und mit ihnen umgehen können. Außerdem sind Erfahrungen im persönlichen ‚Chaos-Management' immer gut."

Aber wenn es jemand in die Ferne zieht, sollte er zumindest ein Ziel vor Augen haben. Isa M.: „Wenn man ein Jahr nach Goa geht und sich dort an den Strand legt, ist das natürlich zu wenig, um später damit beruflich zu glänzen."

- **Im letzten Jahr wurden von der Frankfurter Zentralstelle für Arbeitsvermittlung (ZfA) über 5300 Frauen und Männern neue Jobs in aller Welt vermittelt – bei über 100000 Anfragen.**
- **Jährlich gehen mehr als 11000 Schülerinnern und Schüler für 12 Monate ins Ausland.**
- **Über 12000 Studentinnen , Studenten und Graduierte pro Jahr lassen sich Studien- und Forschungssaufenthalte über den Deutschen Akademischen Austauschsdienst (DAAD) vermitteln.**
- **Und für rund 300000 Mädchen und Jungen aus Deutschland förderte das Familienministerium im Jahr 1996 einen kürzeren oder längeren Aufenthalt jenseits der Grenzen.**

A 3

Was passt zusammen?

1 ein Muss sein	f	a)	im Beruf erfolgreich sein
2 einen Joker ziehen		b)	ins Ausland gehen
3 Nesthocker sein		c)	weniger Chancen haben
4 schlechte Karten haben		d)	Glück haben
5 sich durchbeißen		e)	am liebsten zu Hause bleiben
6 in die Ferne ziehen		f)	eine notwendige Voraussetzung sein
7 beruflich glänzen		g)	(in einer schwierigen Situation) nicht aufgeben

Erinnern Sie sich?

In Sätzen mit „um … zu + Infinitiv" können Sie ein Ziel oder eine Absicht ausdrücken: *Ich fahre nach England,* ***um*** *mein Englisch* ***zu verbessern****.*

Aufgaben

Wo steht das Subjekt – im Hauptsatz oder im Nebensatz?
Wo steht „zu" bei trennbaren Verben?
Wozu lernen Sie Deutsch? Bilden Sie Sätze mit „um … zu + Infinitiv".

4

Waren Sie oder Freunde/Bekannte/Verwandte von Ihnen bereits im Ausland? Machen Sie Notizen zu folgenden Punkten und berichten Sie.

Land/Wohnort ◆ Dauer ◆ Gründe ◆ Erfahrungen mit der Arbeit/dem Beruf/Freundschaften/Bekanntschaften ◆ wichtige Erlebnisse ◆ Unterschiede zur eigenen Kultur

KURSBUCH A3-A4

3

Heimat

1

Lesen Sie die Texte. Welche Assoziationen gibt es zum Begriff „Heimat"? Machen Sie Notizen.

Heimat ist eine Person.
Heimat kann sein, wo ich wohn.
Heimat ist Erinnerung.
Heimat ist immer jung.
Heimat, die meine Sprache spricht.
Heimat gewohntes Licht.
Heimat liegt im Bauch.
Heimat ist ein Brauch.
Heimat macht Geschichte.
Heimat trägt Gewichte.

Anna Thalbach, 26,
Schauspielerin in Berlin

Hei·mat *die; -; nur Sg;* **1** das Land, die Gegend od. der Ort, wo j-d (geboren u.) aufgewachsen ist od. wo j-d e-e sehr lange Zeit gelebt hat u. wo er sich (wie) zu Hause fühlt ⟨seine H. verlieren; (irgendwo) e-e neue H. finden⟩: *Nach zwanzig Jahren kehrten sie in ihre alte H. zurück* ‖ K-: **Heimat-, -dorf, -land, -liebe, -museum, -ort, -stadt** **2** ***die zweite H.*** ein fremdes Land, e-e fremde Gegend, ein fremder Ort, wo man sich nach einiger Zeit sehr wohl fühlt: *Sie stammt aus Hamburg, aber inzwischen ist Würzburg zu ihrer zweiten H. geworden* ‖ -K: **Wahl-** **3** das Land, die Gegend od. der Ort, wo etw. seinen Ursprung hat: *Australien ist die H. des Kängurus; Die H. der „Commedia dell' arte" ist Italien* ‖ zu **1** **hei·mat·los** *Adj*

Heimat = Person, …

2

Ergänzen Sie. Vergleichen Sie dann im Kurs.

Wenn Heimat eine/ein … wäre, …

Farbe ◆ Haus ◆ Kleidungsstück ◆ Lebensmittel ◆ Fahrzeug ◆ Person ◆ Tier ◆ Geräusch

Wenn Heimat eine Farbe wäre, welche Farbe wäre sie?
Für mich wäre Heimat die Farbe grün. Ich komme vom Land. Wenn ich an Heimat denke, dann sehe ich grüne Wiesen und Bäume und denke an den Frühling, wenn alles grün wird.
…

KURSBUCH B2-B4

B 3 **Lesen Sie die Statistik und den Text. Ergänzen Sie die Statistik.**

Distanz zum Land

Heimatgefühle erzeugt bei 89 Prozent der Deutschen nicht ihr Land, sondern ihre nähere Umwelt: der Ort, an dem sie leben (31%), der Ort, an dem sie geboren sind (27%), ihre Familie (25%), ihre Freunde (6%). Nur elf Prozent der Bürger verbinden Heimat zuerst mit Deutschland.

Wirkt hier noch die Belastung des deutschen Namens durch die Hitler-Zeit? Erschwert die über 40-jährige Teilung in zwei Staaten das Bekenntnis zu einem vereinten Deutschland? Indizien dafür liefern zwei Zahlen: Nur die ultra-rechte Minderheit denkt bei Heimat zuerst an das Vaterland (64 Prozent der Bürger mit Parteipräferenz für die „Republikaner"). Und die wenigsten Stimmen für Deutschland sind offenbar bei DDR-Nostalgikern zu holen (3 Prozent der PDS-Anhänger).

Auffällig ist auch der niedrige Stellenwert des Landes als Heimat bei den Altersgruppen der 18-24-Jährigen und 25-29-Jährigen: 1 Prozent. Bei den über 60-Jährigen sind es 14 Prozent. Und was immer die Bürger als ihre Heimat betrachten: Für 56 Prozent der Deutschen hat der Begriff im Zeitalter der Globalisierung an Bedeutung gewonnen: Nur 25 Prozent geben an, dass ihnen Heimat heute weniger bedeutet als früher.

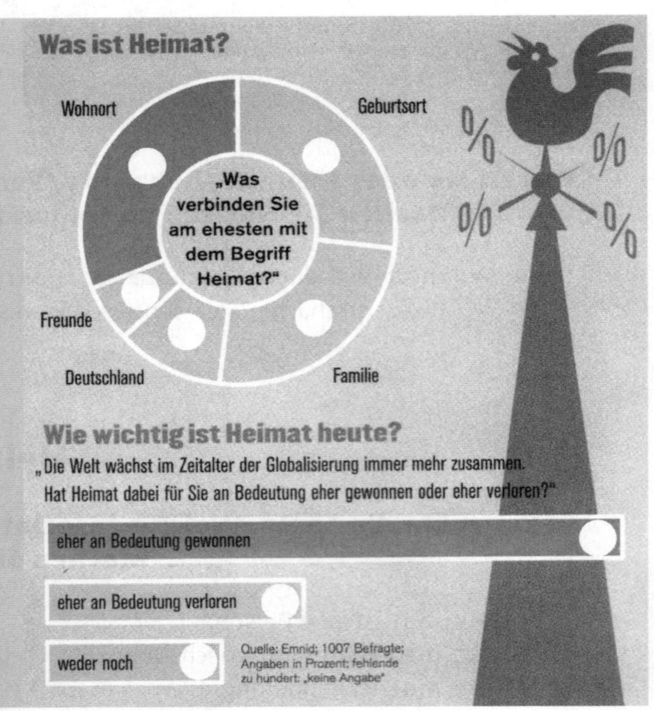

Was überrascht Sie? Wie ist das in Ihrem Land? Schreiben Sie.

B 4 **Lesen Sie die Überschrift und die kurzen Informationen bei den Fotos. Raten Sie: Was haben die Frauen gemacht?**

Keine Zeit für Heimweh

Drei junge Frauen berichten über ihre Erfahrungen im Ausland

1 Los Angeles
„Bingo, das ist deine Chance"
Helen Sager, 21

2 Wellingborough
„An einer Schule in Deutschland kann mir nichts mehr passieren"
Susanne Gerler, 24

3 New York
„Hier musst du zugreifen, wenn du nicht untergehen willst"
Petra Wesslein, 30

5 3/ 1-3

Hören und markieren Sie: richtig oder falsch?

		richtig	falsch
1	Helen Sager ist nach Kalifornien gegangen, um an einer Zeichentrick-Schule zu studieren.		
2	Helen fuhr in die USA, ohne zu wissen, ob sie einen Studienplatz erhält.		
3	Sie kann als Ausländerin in den USA studieren, ohne Studiengebühren bezahlen zu müssen.		
4	Ihre Familie unterstützt Helen, damit sie diese einmalige Chance nutzen kann.		
5	Helen will in den USA bleiben, um ihre beruflichen Chancen zu verbessern.		
6	Susanne Gerler ist nach Wellingborough gegangen, um einen Englischkurs zu besuchen.		
7	Sie war sehr allein in Wellingborough, weil es schwer war Leute kennen zu lernen.		
8	Ihr Kollege Rick nahm Susanne mit in seinen Social Club, damit sie neue Leute kennen lernen konnte.		
9	Sie ist nach England gefahren, ohne ihren Plan vorher mit ihrem Freund zu besprechen.		
10	Das Unterrichten fiel ihr nicht schwer, weil die Schüler sehr motiviert waren.		
11	Petra Wesslein ist mit 20 nach New York gegangen, um dort als Au-pair-Mädchen zu arbeiten.		
12	Sie kam dort an, ohne ein Wort Englisch zu können.		
13	In der amerikanischen Familie wurde nur Englisch gesprochen, damit Petra die neue Sprache schnell lernt.		
14	Petra hat später in einer Bäckerei gearbeitet, um länger in den USA bleiben zu können.		
15	Petra will nicht mehr nach Deutschland zurück.		

6

Vergleichen Sie und ergänzen Sie die Regeln.

Hauptsatz, Aussage 1		**Nebensatz (Finalsatz)** Aussage 2 → *Ziel/Absicht*	**Verb(en)**
Helen Sager	ist nach Los Angeles gegangen,	**um** an einer Zeichentrick-Schule **zu**	**studieren.**
Ihre Familie	unterstützt Helen,	**damit** sie diese einmalige Chance	**nutzen kann.**

unterschiedliche Subjekte ◆ damit ◆ um … zu + Infinitiv ◆ kein Subjekt

1 Sätze mit _________ und Sätze mit ________________ heißen Finalsätze. So kann man ein Ziel oder eine Absicht ausdrücken.

2 Gibt es im Hauptsatz und im Nebensatz ________________________________, beginnt der Nebensatz mit „damit".

3 In Sätzen mit „um … zu + Infinitiv" steht ________________. Das Subjekt im Hauptsatz gilt auch für den Nebensatz.

4 In Sätzen mit „ohne … zu + Infinitiv" steht auch kein Subjekt. Das Subjekt im Hauptsatz gilt auch für den Nebensatz. Sie drücken eine Handlung aus, die parallel zur Handlung im Hauptsatz verläuft und verneint wird: *Sie kam dort an,* ***ohne*** *ein Wort Englisch* ***zu*** *können.*

B 7 **Was zieht die Menschen in die Ferne, was hält sie zu Hause? Sortieren Sie.**

~~Abenteuer~~ / Risiko / Herausforderung / ... suchen ◆ ~~Sicherheit im Beruf nicht aufgeben wollen~~ ◆ Freunde / Partner verlieren ◆ neue Erfahrungen sammeln ◆ Familie / Freunde / Verwandte / ... in nächster Umgebung haben ◆ fremde Sprachen und Kulturen kennen lernen ◆ eigene Grenzen erfahren ◆ Geborgenheit / Sicherheit / ... suchen ◆ Distanz zur eigenen Kultur haben ◆ einen anderen Blick auf die eigene Kultur suchen ◆ bessere Chancen im Beruf haben ◆ mit Menschen in anderen Kulturen zusammenarbeiten ◆ Menschen in anderen Ländern helfen ◆ über andere Länder berichten können ◆ Langeweile haben ◆ Heirat / Freundschaft / Partnerschaft ◆ Selbstbewusstsein stärken ◆ seinen eigenen Horizont erweitern ◆ Angst vor der Einsamkeit / dem Alleinsein / dem Neuen / dem Fremden / dem Ungewohnten / ... haben

– zieht die Menschen in die Ferne
Abenteuer suchen

– hält die Menschen zu Hause
Sicherheit im Beruf nicht aufgeben wollen

Sammeln Sie weitere Gründe und schreiben Sie.

Mich zieht es in die Ferne, ...
Viele Menschen gehen ins Ausland, ...
Ich bleibe lieber zu Hause, ...
Manche /Viele bleiben lieber zu Hause, ...

um ... zu
damit
weil

B 8 **Lesen und markieren Sie.**

KURSB B5

Lesen Sie zuerst die acht Situationen und dann die zehn Anzeigen. In welcher Anzeige finden Sie das, was Sie suchen? Ergänzen Sie den Buchstaben der passenden Anzeige (a–j).
Sie können jede Anzeige nur einmal verwenden. Es ist auch möglich, dass Sie das, was Sie suchen, nicht finden. In diesem Fall schreiben Sie „0".

Situationen

1 Sie suchen ein Buch für eine Freundin, die gerne kocht.

2 Sie möchten für ein Jahr im deutschsprachigen Ausland arbeiten, am liebsten mit Kindern.

3 Ihre Tochter möchte ein Jahr in Italien zur Schule gehen. Sie suchen Tipps und Informationen.

4 Sie interessieren sich für die Geschichte und Probleme binationaler Ehepaare.

5 Die elfjährige Tochter Ihrer Freunde ist schlecht in Englisch und braucht deshalb noch Unterricht außerhalb der Schule.

6 Sie möchten, dass Ihr Sohn reiten lernt.

7 Sie möchten Ihr Englisch auffrischen und suchen einen passenden Kurs.

8 Sie möchten dieses Jahr in Ägypten Urlaub machen. Sie suchen Informationen.

Kunterbunt

KUNTERBUNTER MARKT

a) **Fremdsprachen-Korrespondentin** erteilt Schülern DM 25,–/45 Min. Engl.Unterr. sowie Erw. Business-Engl. DM 35,–/45 Min.
Tel: 069/77 21 31

b) **Ägypten** ab 690,–
Super-Sonderangebote in den Sommerferien.
Fordern Sie noch heute die ausführlichen Programme beim

Reisesevice

Ihrer lokalen Heimatzeitung an.
Tel: 069/36 66 66 oder Fax:
069/36 55 11

c) Buchtipps:
Wenn Sie Lust auf arabische Küche haben oder sich mit ihr vertraut machen wollen – es gibt zwei tolle neue Kochbücher: „Rezepte aus der Kasbah" von Kitty Morse mit wunderschönen Fotos (49,90 Mark). Und „Arabische Rezepte rund ums Mittelmeer" von Claudia Roden (59,80 Mark).

d) Familie in Stuttgart sucht per Sept. 2000 bis Juni 2001 sportliches, aufgeschlossenes und vielseitig interessiertes

Au-pair-Mädchen

mit Führerschein zur Mithilfe im Haushalt und bei der Kinderbetreuung. Schriftliche Bewerbung mit Lebenslauf und Bild an
ZE 0194 Die Zeit, 20079 Hamburg

e) **Ausbildung** zur med. Fußpflege und Reflexzonenmassage.
Info: (05175) 9 74 51

f) *Sylvia Englert:*
Ein Schuljahr im Ausland

Für alle Jugendlichen und Eltern, die über ein Schuljahr im Ausland nachdenken, ist das Buch zu empfehlen. Es enthält viele Tipps, wichtige Hinweise und ein sehr umfangreiches Adressenverzeichnis. (Reihe campus concret im Campus Verlag; 29,80 Mark)

g) **Lehrerin v. d. Intern. School** erteilt Englischunterr., für Kindergruppe 8–12 J., Info + Anmeld. Tel.: 069/38 99 23

h) **Student gibt Unterricht** in Klavier und Keyboard.
Tel. 06192/2 46 72 und
mobil 0171/1 94 63 23

i) **Tagesmutter** nimmt noch ein Kind in liebevolle Pflege auf.
Tel. 089/39 58 12

j) *Renan Demirkan:*
Schwarzer Tee
mit drei Stück Zucker

Eine junge Türkin wartet in einer deutschen Klinik auf die Geburt ihres Kindes. Und sie erinnert sich mit Humor und Bitterkeit: an die strengen Großeltern, an die erste Liebe zu einem Deutschen, an die Qual, sich ständig entscheiden zu müssen – türkisch oder deutsch? Sie will beides sein und darf es nicht. Goldmann TB 9,90 DM

Barbara Yurtdas:
Wo mein Mann zu Hause ist und
Wo auch ich zu Hause bin

Irmgard heiratet einen Türken, zieht mit ihm in seine Heimat. Alle Verwandten und Freunde sind entsetzt. In ihren beiden Romanen beschreibt Barbara Yurtdas den exotischen Alltag der Deutschen Irmgard und die Erfahrung, wie aus Unkenntnis Hass und aus Neugier Verständnis entsteht.
rororo 19,90 DM und
Piper 14,90 DM

Alice Walker:
Im Tempel meines Herzens

Zwei farbige Paare, vier Schicksale, aber ein kollektives Trauma, das sie liebes- und lebensfähig macht: das Amerika der frühen Jahre, das ihre Urahnen zu Sklaven degradierte. Doch eine alte Frau mit der Begabung, Geschichten zu erzählen, in denen sich Vergangenheit und Gegenwart verknüpfen, kann Seelenwunden heilen.
rororo 14,90 DM

KURSBUCH C1-C3

C

Zwischen den Zeilen

C 1

Lesen Sie die Sätze und unterstreichen Sie alle Nomen mit Präpositionen.

1 Ich hatte vier Jahre lang Heimweh nach Deutschland und Sehnsucht nach meinen Freunden.
2 Eine junge Türkin erinnert sich an die erste Liebe zu einem Deutschen.
3 Ich habe Angst vor der Abhängigkeit, in die man bei Krankheit gerät.
4 Keine Zeit für Heimweh: Drei junge Frauen berichten über ihre Erfahrungen im Ausland.
5 Wenn Sie Lust auf arabische Küche haben (...) – es gibt zwei tolle neue Kochbücher.
6 Komischerweise bin ich erst in Berlin für meine kurdische Herkunft sensibilisiert worden (...) und ich habe heute ein anderes Verständnis für meine Kultur.
7 Ich würde gerne in einem anderen Land leben, weil ich großes Interesse an fremden Kulturen habe.
8 Früher habe ich mich als Münchner gefühlt, heute eher als Gast, trotzdem habe ich die Hoffnung auf einen guten Job noch nicht aufgegeben.

C 2

Ergänzen Sie die passenden Nomen und Ergänzungen.

Lerntipp:
Viele Nomen können weitere Ergänzungen mit Präpositionen haben. Nicht alle Nomen und Präpositionen passen zusammen – es gibt feste Kombinationen. Lernen Sie die Nomen immer zusammen mit den passenden Präpositionen und schreiben Sie Beispielsätze auf die Wortkarten.
Beispiel: *Heimweh nach + DAT: Ich hatte vier Jahre lang Heimweh nach Deutschland.*

Präposition	Nomen + Ergänzung
nach + DAT	*Heimweh nach Deutschland*
	______________________
vor + DAT	______________________
an + DAT	______________________
zu + DAT	______________________
für + AKK	______________________
	______________________
auf + AKK	______________________
	______________________

C 3

Ergänzen Sie.

Liebe Isabella,
es tut mir Leid, dass du so lange keine Nachricht von mir erhalten hast. Ich finde momentan kaum die ______________________ (1) einen Brief, deshalb schicke ich dir schnell eine E-Mail.
Nun bin ich bereits seit zwei Monaten hier in dieser verrückten Millionenstadt Jakarta, vollkommen eingenommen von den neuen Gerüchen, Bildern und Menschen. Abends plagt mich manchmal das ______________________ (2) unserer kleinen Kneipe, wo wir uns immer kurz auf ein Bier getroffen haben. Diese Abende fehlen mir schrecklich.
Ich habe hier als Frau alleine auch etwas ______________________ (3) der Dunkelheit, es ist einfach ungewöhnlich, abends „weiße" Frauen alleine auf der Straße zu sehen. Frauen können hier auch nicht alleine in die Kneipe gehen. Aber ich will mich nicht beklagen. Es geht mir gut hier. Ich wohne privat bei einem sehr netten Pärchen, das auch lange Zeit in Deutschland gelebt hat und das viel ______________________ (4) meinen „Kulturschock" hat. In der ersten Woche lag ich zunächst einmal mit Durchfall im Bett – wegen des scharfen Essens. Und du kennst ja meine ______________________ (5) scharfem Essen ...
Abends im Bett lerne ich wie eine Verrückte Indonesisch. Ich habe die ______________________ (6) einen guten Indonesischkurs aufgegeben, ich lerne jetzt alleine. Grammatik und Aussprache sind auch gar nicht so schwierig. Aber du musst immer aufpassen, wen du wie ansprichst. Für „schlafen" z. B. gibt es viele verschiedene Wörter, und es hängt vom sozialen Status deines Gesprächspartners ab, welches Wort du nun sagen darfst.
Die Eindrücke sind hier so stark und so faszinierend, dass meine ______________________ (7) das Reisen und mein ______________________ (8) fremden Kulturen und Religionen noch gestiegen sind.
Ich schwitze hier bei fast 40 Grad und einer irren Luftfeuchtigkeit – und bei euch ist jetzt Winter. Du kannst dir gar nicht vorstellen, wie groß meine ______________________ (9) Kälte und Schnee ist. So, nun muss ich aber Schluss machen. Von meiner konkreten Arbeit berichte ich dir ein anderes Mal.
Liebe Grüße
Antonia

D

Einmal im Leben ...

1 Was wünschen sich die Leute? Wovon träumen sie? Hören und markieren Sie.

3/4

- ☐ Ich wäre gern Millionär. Dann könnte ich jeden Tag angeln gehen und müsste nicht in die Schule. Und wenn ich Lust auf Spaghetti hätte, müsste meine Mutter das kochen. – Wie bitte? Du tust ja gerade so, als ob ich dir nie Spaghetti machen würde.
- ☐ Ich würde gern einmal mit Boris Becker Tennis spielen. Das wäre einfach ein Traum. Das fände ich toll.
- ☐ Ich hätte gern eine eigene Firma, dann dürfte mir niemand mehr sagen, was ich tun soll.
- ☐ Ach, wenn doch nur endlich Frieden und Freiheit überall auf der Welt wäre, dann müsste niemand mehr seine Heimat verlassen und es gäbe weniger Leid auf der Erde.
- ☐ Ich hätte gern im 19. Jahrhundert gelebt und irgendetwas erfunden, das Telefon zum Beispiel oder so.
- ☐ Ich hätte gern eine Villa im Grünen mit Pool. Das wäre super.
- ☐ Wir würden gern im Lotto gewinnen. Beinahe hätte es ja schon mal geklappt, aber da hat mein Mann vergessen, den Schein abzugeben. – Das klingt gerade so, als ob das nur mein Fehler gewesen wäre. Du hättest ja auch daran denken können.
- 1 Ich würde unheimlich gern mal mit einer Rakete zum Mond fliegen.
- ☐ Wenn ich Zeit hätte, würde ich mich einfach in meinen Garten legen. Ich müsste in kein Flugzeug mehr steigen und garantiert keinen Computer mehr anschalten.

2 Lesen Sie die Beispiele, unterstreichen Sie die Verben und ergänzen Sie die Regeln.

Konjunktiv II: **Fantasien, Träume, Wünsche (irreal)**	**Wirklichkeit (real)**	
Wenn ich Zeit <u>hätte</u>, <u>würde</u> ich mich einfach in meinen Garten <u>legen</u>. Ich müsste in kein Flugzeug mehr steigen und garantiert keinen Computer mehr anschalten.	*Gegenwart*	Er <u>hat</u> keine Zeit ...
Ach, wenn doch nur endlich Frieden und Freiheit überall auf der Welt wäre, dann müsste niemand mehr seine Heimat verlassen und es gäbe weniger Leid auf der Erde.	*Gegenwart*	Es gibt keinen Frieden ...
Wir würden gern im Lotto gewinnen. Beinahe hätte es ja schon mal geklappt, aber da hat mein Mann vergessen, den Schein abzugeben. Das klingt gerade so, als ob das nur mein Fehler gewesen wäre. Du hättest ja auch daran denken können.	*Gegenwart* *Vergangenheit* *Vergangenheit*	Sie haben einen Wunsch. Es hat aber nicht geklappt. Es war nicht nur sein Fehler.

Konjunktiv II der Vergangenheit ◆ Fantasien, Träume, Wünsche ◆ würde + Infinitiv

1 Den Konjunktiv II benutzt man, wenn man über ______________________ spricht.*
2 Den Konjunktiv II der Gegenwart bildet man ähnlich wie das Präteritum, oder man benutzt die Ersatzform ______________________ .
3 Den ______________________ bildet man mit dem Konjunktiv II von „haben" oder „sein" und dem Partizip Perfekt.

*Den Konjunktiv II bei höflichen Vorschlägen und Bitten kennen Sie schon: Ich hätte gern ..., Würden Sie bitte ..., Könnten Sie bitte ..., Wir könnten ..., Wir sollten ..., Ich würde lieber ...

Lesen Sie jetzt die Aussagen in D1 noch einmal und ergänzen Sie die Tabelle und die Regeln.

Konjunktiv II	Präteritum
ich, sie/er/es/man	
dürfte	durfte
______	konnte
______	musste
sollte	sollte
wollte	wollte

Konjunktiv II	Präteritum
ich, sie/er/es/man	
______	hatte
______	war
______	wurde
______	fand
______	gab
käme	kam
wüsste	wusste

Konjunktiv II - Formen

e ◆ würde + Infinitiv ◆ Umlaute

1 **Unregelmäßige Verben:** Die Originalformen von Konjunktiv II und Präteritum sind ähnlich, aber: Es gibt oft ______________ und immer die Endung _____ bei der 1. und 3. Person Singular. Die Originalformen des Konjunktivs II benutzt man immer bei „haben" und „sein" und den Modalverben und oft bei: *fände, wüsste, ginge, käme, ließe.*
2 **Regelmäßige Verben:** Die Originalformen von Konjunktiv II und Präteritum sind gleich. Deshalb benutzt man fast immer die Ersatzform ______________________ .

D 3 **Bilden Sie Sätze. Vergleichen Sie mit „als ob".**

1 oft trainieren / an der Olympiade teilnehmen wollen (du)
2 schön singen / Opernsängerin sein (Sie)
3 so tun/ alles verstanden haben (wir)
4 den Eindruck machen / Bescheid wissen (er)
5 strahlen / im Lotto gewonnen haben (ihr)
6 sich so benehmen / hier zu Hause sein (du)
7 aussehen / uns helfen können (es/sie)
8 dauernd auf die Uhr schauen / gleich gehen müssen (Sie)
9 so leben sollen / kein „Morgen" geben (man/es)

1 Du trainierst so oft, als ob du ...

Wenn das Wörtchen „wenn" nicht wär', wär' mein Vater Millionär.

Ergänzen Sie.

Wenn ich Deutschlehrerin wäre, *hätte ich in Deutschland studiert.*
Wenn ich Gedanken lesen könnte, ______.
Wenn ich mein Leben noch einmal leben dürfte, ______.
Wenn ich so viel wie Albert Einstein wüsste, ______.
Wenn ich früher Deutsch gelernt hätte, ______.
Wenn ich als Kind Klavierspielen gelernt hätte, *wäre ich heute vielleicht ein berühmter Pianist.*
Wenn es im Mittelalter schon Computer gegeben hätte, dann ______.
Wenn ich als Vogel auf die Welt gekommen wäre, ______.
Wenn ich ...

Schreiben Sie weitere Sätze mit „wenn".

KURSBUCH D4-D6

4 3/5

Hören und sprechen Sie.

Sie sind zusammen mit Ihrem Partner Teilnehmer in einer Quizshow. Sie sind getrennt und können nicht hören, was Ihr Partner sagt. Der Quizmaster interviewt ihren Partner und stellt Ihnen dann die gleichen Fragen. Wie gut kennen Sie Ihren Partner? Wissen Sie, was er tun würde oder getan hätte? Antworten Sie.

- *Und hier die erste Frage: Was würde Ihr Partner machen, wenn er im Lotto gewinnen würde?*
  - ■ *Ich glaube, er* ***würde*** *erst einmal eine Schiffsreise rund um die Welt* ***machen.***
- *Bravo! Die Antwort Ihres Partners lautet ebenfalls: Ich würde erst einmal eine Schiffsreise rund um die Welt machen. Frage Nummer 2: Was hätte Ihr Partner anders gemacht, wenn er noch einmal neu entscheiden könnte?*
  - ■ *Ich denke, er* ***hätte*** *keine Stadtwohnung* ***gekauft*** *und wäre aufs Land* ***gezogen.***
- *Super. Die Antwort Ihres Partners lautet ebenfalls: Ich hätte keine Stadtwohnung gekauft und wäre aufs Land gezogen. Nummer 3: ...*

1 eine Schiffsreise rund um die Welt machen
2 keine Stadtwohnung kaufen und aufs Land ziehen
3 gerne Pilot sein
4 gerne 99 Jahre alt werden
5 am liebsten einen Ferrari haben
6 in ein Spielcasino gehen
7 mit dem Musiker tauschen
8 am liebsten in dem Film „Titanic" mitspielen
9 gerne einmal mit Goethe spazieren gehen
10 wieder mich heiraten

KURSBUCH E

E Der Ton macht die Musik

E 1 Hören Sie den Text und markieren Sie die Wortgruppen (|).

Längere Sätze | spricht man im Deutschen | nicht gleichmäßig | und ohne Pausen, sondern in Wortgruppen, mit kleinen Pausen dazwischen | und mit starken Akzenten.

„Ich heiße Ricardo und bin 16 Jahre alt. Ich bin hier in Berlin geboren, auch wenn ich nicht so aussehe. Meine Mutter ist Japanerin und mein Vater Bolivianer. In meiner Klasse sind von 30 Schülern nur vier Deutsche. Meine Freunde beneiden mich, weil ich mehrere Sprachen spreche. Mit meinem Bruder Deutsch, mit meiner Mutter Japanisch und mit meinem Vater Spanisch. Ich bin sehr gern bei meinen Großeltern in Japan: Das Klima ist angenehm und die Menschen sind sehr ruhig. Mir gefallen aber auch die lauten Südamerikaner, die jeden gleich zum Freund haben. Ich möchte später mal für ein Jahr nach England, da war ich noch nie. Und die britische Lebensart, die finde ich irgendwie interessant. Aber meine Heimat, das ist Deutschland."

Hören Sie noch einmal und markieren Sie die Akzentsilben (___) und die Satzakzente (===).

> Jede Wortgruppe hat einen Akzent. In längeren Sätzen und bei langsamem Sprechen gibt es deshalb mehrere Akzente. Der Satzakzent, also der Hauptakzent, ist meistens am Ende des Satzes.

E 2 Lesen Sie die Regel und ergänzen Sie Beispiele aus E1.

Jede Wortgruppe hat einen **Akzent**. Betont wird immer die **wichtigste Information**. Den Wortgruppen-Akzent haben deshalb oft **Inhaltswörter**, also:

Nomen	*in meiner Klasse,*
Verben	
Adjektive	
Adverbien (Ort, Zeit, ...)	*ich bin sehr gern,*

Funktionswörter (Artikel, Präpositionen, Konjunktionen, sein, haben, werden und die Modalverben) haben meistens **keinen Akzent**.

E 3 Hören Sie die Akzentmuster und die Beispiele. Markieren Sie die Akzentsilben.

●● die Welt	●●● mein Glaube	●●● an mein Dorf	●●●● an die Kindheit
●●●● das ist die Welt	●●●●●● das ist mein Elternhaus	●●●●●● an die erste Liebe	

E 4 Lesen Sie diese Wortgruppen, markieren Sie die Akzentsilben und sortieren Sie nach den Akzentmustern.

das ist die Familie ◆ meine Stadt ◆ nach Tomaten ◆ das sind meine Freunde ◆ nach frischem Fisch ◆ wo ich geboren bin ◆ mein Land ◆ nach Knoblauch ◆ wo ich lebe ◆ meine Musik ◆ nach dem Meer ◆ wo man mich kennt ◆ meine Sprache ◆ nach Sonne

Hören Sie, sprechen Sie nach und vergleichen Sie.

E 5 Ergänzen Sie das Gedicht, markieren Sie die Akzente und üben Sie.

Heimat ist für mich ...
Heimat ist auch ...
Heimat, das riecht (nach) ist der Geruch (von) ...
Heimat, das schmeckt (nach) ist der Geschmack (von) ...
Heimat ist die Erinnerung (an) ...
Heimat, das ist die Sehnsucht (nach) ...
Heimat ist da, (wo) ...
Meine Heimat, (das ist/sind) ......

SCHREIBWERKSTATT

1 Was/wer/wie möchten Sie sein? Schreiben Sie einen kurzen Text, der so anfängt:

Ich möchte ... sein. Dann ...

a) Planen

- Überlegen Sie, was, wer oder wie Sie sein möchten, und sammeln Sie Ideen, Assoziationen, Gedanken zu diesem Begriff.
- Welche Begriffe gehören zusammen, welche sind gegensätzlich? Zeichnen Sie Verbindungslinien, Richtungspfeile, finden Sie Unterthemen, passende Verben usw. Beispiel:

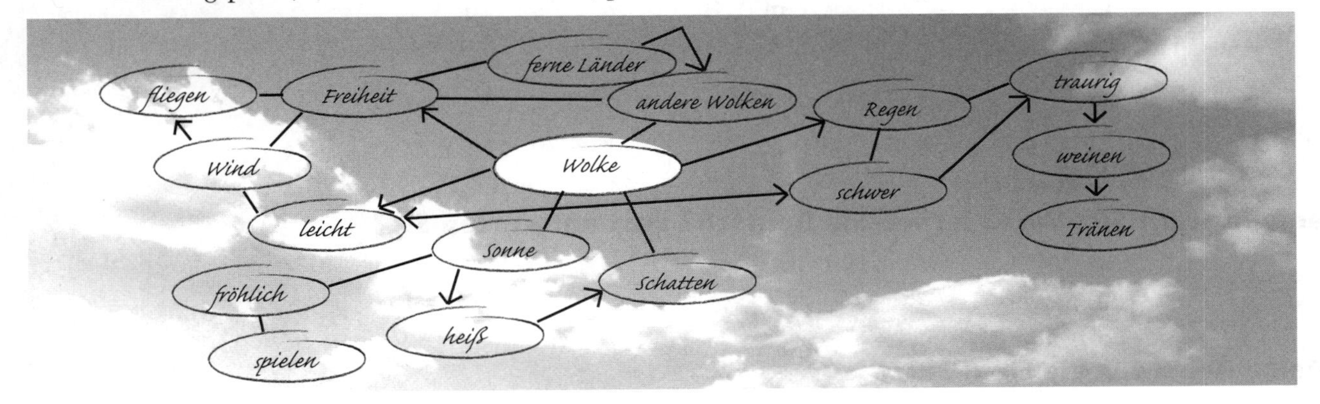

- Ordnen Sie die Notizen eventuell neu:

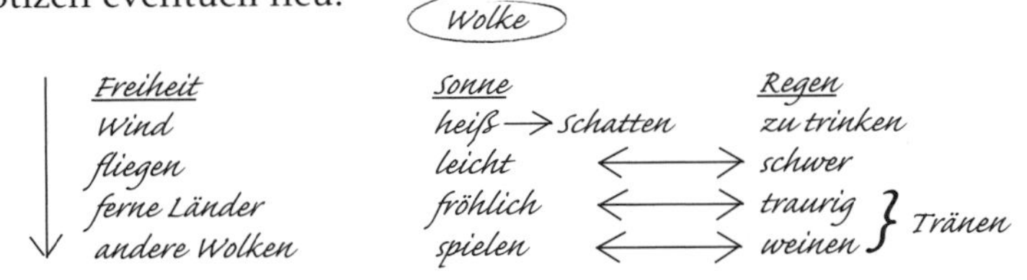

b) Formulieren

- Schreiben Sie mit Hilfe Ihrer Notizen Sätze.
- Bringen Sie die Sätze in eine richtige Reihenfolge. Verbinden Sie die Sätze mit „dann“, „(immer) wenn“, „meistens“, „manchmal“, „deshalb“, „denn“ usw.
- Geben Sie Ihrem Text einen Titel, z. B. „Freiheit“ oder „Frei wie eine Wolke“.

So ein Text könnte z.B. so aussehen:

Freiheit
Ich möchte eine Wolke sein.. Dann wäre ich unendlich frei. Ich würde mich vom Wind treiben lassen, könnte mir die ganze Welt ansehen und viele andere interessante Wolken aus fernen Ländern kennen lernen. Wir würden uns zusammen tun zu einem riesigen Wolkenberg. Wenn es zu heiß wäre, würden wir den Menschen, Tieren und Pflanzen auf der Erde Schatten geben. Wenn sie Durst hätten, würden wir ihnen zu trinken geben. Meistens wäre ich fröhlich und leicht, und würde mit der Sonne spielen. Manchmal wäre ich aber auch schwer und traurig, und meine Tränen würden auf die Erde fallen und sich mit den Tränen der Menschen vermischen.

c) Überarbeiten

- Lesen Sie Ihren Text noch einmal oder mehrmals langsam durch und korrigieren Sie mögliche Rechtschreib- und Grammatikfehler (z. B. Stellung des Verbs im Nebensatz, Verben im Konjunktiv II).
- Versetzen Sie sich in die Rolle des Lesers und überprüfen Sie: Ist das, was Sie geschrieben haben, verständlich und klar formuliert?

2 Unterstreichen Sie in Ihrem Text die zehn wichtigsten Wörter und schreiben Sie mit diesen Wörtern ein kleines Gedicht, z.B. so:

Wolken
Sich vom Wind treiben lassen
Fröhlich mit der Sonne spielen
Schwere Tränen weinen
Mal fröhlich, mal traurig sein –
Aber frei!

G

Kurz & bündig

Wortschatzarbeit

Was passt zu „Ausland“, zu „Heimat“, zu „Traum“?
Finden Sie ein Wort zu jedem Buchstaben.

P A *ss*	H	T
u	e	r
s	i	a
l	m	u
a	a	m
n	t	
d		

Jemand fragt Sie: Wozu lernen Sie Deutsch? Was antworten Sie?

____

____

Meine Regel für die Final-Sätze

damit: ______________________________

um zu + Infinitiv: ______________________________

____

Schreiben Sie.

Wenn es keine Bücher gäbe, …

____

Wo und wie würden Sie am liebsten wohnen?

____

Was würden Sie sich wünschen, wenn Sie drei Wünsche frei hätten?

____

____

Meine Regel für den Konjunktiv II

____

____

Interessante Ausdrücke

____

____

____

Berufe

LEKTION 8

A

Arbeitsplatz: die ganze Welt

1

Was bedeuten diese „internationalen Wörter"? Ordnen Sie zu.

1	City *(f)*	a)	Personal Computer
2	checken	b)	Arbeit, Arbeitsstelle, Beruf
3	E-Mail *(f)*	c)	Hauptsitz, Zentrale einer Firma
4	Global Player *(m)*	d)	Treffen, bei dem praktisch gearbeitet wird
5	Livesendung *(f)*	e)	elektronische Post (wird mit dem Computer verschickt und empfangen)
6	Headquarter *(n)*	f)	sich ausruhen, entspannen
7	Job *(m)*	g)	Stadt(zentrum)
8	Meeting *(n)*	h)	Gruppe von Menschen, die zusammen arbeiten
9	PC *(m)*	i)	Öffentlichkeitsarbeit, Werbung
10	Team *(n)*	j)	direkt verbunden mit anderen Computern
11	Workshop *(m)*	k)	prüfen, kontrollieren
12	Public Relations (PR)	l)	Direktübertragung, Originalübertragung
13	relaxen	m)	Sitzung mit Arbeitskolleginnen und -kollegen
14	Sandwich *(n)*	n)	Firmen, die weltweit arbeiten
15	online	o)	Weißbrot oder Brötchen, belegt mit Käse, Schinken, Salat usw.

Kennen Sie weitere „internationale Wörter"? Ergänzen Sie.
Schreiben Sie Sätze mit mindestens zwei „internationalen Wörtern".

KURSBUCH A1-A4

In der Pause kaufe ich mir ein Sandwich und relaxe.
...

2

3/9

Sie machen eine Führung beim Zweiten Deutschen Fernsehen (ZDF) in Mainz. Was wird bei der Führung gesagt? Hören und markieren Sie.

1 In einer Redaktion
- a) gibt es Kameras und viel Technik.
- b) sieht es aus wie in jedem Büro.

2 Die Redakteure
- a) machen Interviews und Filmberichte.
- b) wählen die Themen für die Sendung aus.

3 Die ZDF-Auslandskorrespondenten
- a) leben im Ausland und berichten von dort.
- b) rufen im Ausland an und fragen, was los ist.

4 Das ZDF hat
- a) insgesamt 20 Auslandsstudios.
- b) Auslandsstudios in allen Ländern.

5 Das „auslandsjournal" ist
- a) ein Treffen aller Auslandskorrespondenten.
- b) eine wöchentliche Fernsehsendung.

6 Stephan Hallmann ist Leiter
- a) der deutschen Journalistenschule in München.
- b) des ZDF-Studios Mexiko.

7 Er hat nach seiner Ausbildung
- a) als Journalist und Redakteur gearbeitet.
- b) Urlaub in Lateinamerika gemacht.

ZDF

A 3 **Lesen Sie die Aussagen und unterstreichen Sie alle „also", „deshalb", „so dass" und „so ..., dass". Ergänzen Sie dann die Regel.**

Die Redaktions-PCs sind online mit den großen Nachrichtenagenturen verbunden, so dass hier täglich Hunderte von Meldungen einlaufen.
Das ist so viel Material, dass für unsere Nachrichtensendungen eine strenge Auswahl nötig ist.
Die Redakteure hier müssen also entscheiden, zu welchen Themen Beiträge gesendet werden.
Die Zuschauer erwarten aktuelle und gründliche Informationen aus erster Hand. Deshalb hat das ZDF seit vielen Jahren auch ein eigenes Korrespondentennetz.
Die insgesamt 20 Auslandsstudios sind so verteilt, dass unsere Leute schnell überall hinkommen können.
Das ZDF-Studio Mexiko ist das Einzige in Mittelamerika, deshalb ist es zuständig für die Berichterstattung aus insgesamt 20 Ländern dieser Region.
Sein Leiter, Stephan Hallmann, war vorher Korrespondent in Caracas, so dass er sich in Lateinamerika schon gut auskannte, als er 1996 die Leitung des Studios Mexiko übernahm.
Die ZDF-Auslandsstudios produzieren über 200 Stunden Sendungen pro Jahr, sie sind also auch quantitativ ein ganz wichtiger Teil der Redaktionsarbeit.

Hauptsatz (3x) ◆ Hauptsätzen ◆ Nebensatz (2x) ◆ Nebensätze

1 Sätze mit „so dass" sind ____________ . Sie stehen immer rechts vom ____________ ____________ .
2 Der ____________ nennt den Grund, der ____________ betont die Folge.
3 Wenn ein Wort im ____________ mit „so" besonders betont wird, beginnt der ____________ nur mit „dass".
4 Mit „deshalb" und „also" betont man die Folge in ____________ .

A 4 **Schreiben Sie über die Arbeit von ZDF-Auslandskorrespondenten.**

ZDF-Auslandskorrespondenten ...

1	meistens für mehrere Länder zuständig sein	(also)	viel reisen müssen
2	überall ein Handy dabei haben	(so dass)	für die Redaktion immer erreichbar sein
3	regelmäßig über aktuelle Ereignisse berichten	(deshalb)	gute Kontakte zu wichtigen Persönlichkeiten brauchen
4	die politischen Verhältnisse der Gastländer gut kennen müssen	(so ..., dass)	auch über Hintergründe von Ereignissen informieren können
5	in der Regel nur einige Jahre an einem Ort bleiben	(also)	im Laufe des Berufslebens viele Länder kennen lernen
6	meistens in Livesendungen berichten	(so dass)	manchmal auch mitten in der Nacht arbeiten müssen
7	oft im deutschen Fernsehen auftreten	(so ..., dass)	in Deutschland sehr bekannt sein
8	guten Kontakt mit den Kollegen in Deutschland brauchen	(deshalb)	regelmäßig die Zentrale in Mainz besuchen

1 ZDF-Auslandskorrespondenten sind meistens für mehrere Länder zuständig, sie müssen also viel reisen. Sie haben überall ein Handy dabei, so dass sie ...

Würden Sie gern als Auslandskorrespondent arbeiten? Warum (nicht)? Diskutieren oder schreiben Sie.

5

Lesen Sie die Geschichte von Gerd Glückspilz und unterstreichen Sie alle „weil", „denn" und „nämlich".

Gerd Glückspilz kann heute in aller Ruhe frühstücken, weil er rechtzeitig aufgestanden ist. Er kommt pünktlich zur Arbeit, denn er hat einen Parkplatz in der Nähe des Büros gefunden. Vor dem Meeting kann er noch einen Kaffee trinken, weil er alle Papiere bereits gestern fertig gemacht hat. Beim Meeting wird er vom Chef gelobt, weil er so gute Vorschläge macht. Mittags isst Gerd Glückspilz nur ein Joghurt und einen Apfel, denn er macht eine Diät. Nachmittags checkt er noch einmal seine E-Mails – er erwartet nämlich eine Nachricht von einem wichtigen Kunden. Bingo! Heute kann er früher Feierabend machen, denn er hat den Auftrag bekommen. Weil er so früh nach Hause kommt, kann er noch zwei Stunden ins Sportstudio gehen. Das tut gut! Schon jetzt freut er sich auf einen netten Abend – um acht ist er nämlich mit seiner neuen Freundin zum Kino verabredet.

Schreiben Sie die Geschichte neu und betonen Sie jetzt die Folgen: Benutzen Sie „so dass", „so ..., dass", „deshalb" und „also".

Gerd Glückspilz ist heute so rechtzeitig aufgestanden, dass er in aller Ruhe frühstücken kann. Er hat einen Parkplatz in der Nähe des Büros gefunden und kommt deshalb pünktlich zur Arbeit. Er hat alle Papiere . . .

Schreiben Sie jetzt die Geschichte von Petra Pechvogel.

... so dass/deshalb/also ...
... weil/denn/nämlich ...

1 spät aufwachen – Wecker nicht hören
2 sich beeilen müssen – keine Zeit fürs Frühstück haben
3 keinen Parkplatz finden – zu spät ins Büro kommen
4 Kaffee über wichtige Papiere schütten – alles noch einmal machen müssen
5 beim Meeting vom Chef kritisiert werden – keine guten Ideen haben
6 keine Mittagspause machen – sehr viel zu tun haben
7 sich nicht auf die Arbeit konzentrieren können – erst spät fertig werden
8 auf der Heimfahrt sehr nervös sein – einen Unfall verursachen
9 zu Hause nicht in die Wohnung kommen – den Schlüssel im Büro vergessen haben
10 in ein Restaurant essen gehen wollen – den ganzen Tag noch nichts gegessen haben
11 schon so spät sein – (die Küche) bereits geschlossen sein

KURSBUCH A5

Statt **„deshalb"** kann man auch *deswegen, daher* oder *darum* sagen. So vermeidet man Wiederholungen.

1 Petra Pechvogel ist heute spät aufgewacht, weil sie den Wecker nicht gehört hat. Sie musste sich beeilen, so dass sie . . .

B

Was Chefs sich wünschen

B 1

Hier sind 16 Berufe versteckt. Wie viele finden Sie?

H O T E L F D B Ä C K E R E S
A H R F R A U I G N E R I N M
C A U T O R I N I N L I S T E
S U R F U S S G P I L O T A K
C S U F R I S E U R N L A L S
H F P O L E V N R G E N X O T
A R Z T B R E I O K R A I F U
U A R O N N R E F O T O F G D
S U F M K A K U M E R M A N E
P L K O C H Ä R Z T I N H M N
I E R D I N U K Ü N S T R A T
E S R E L A F M E I S T E L I
L E A L M S E K R E T Ä R I N
E T U L E H R E R I N C I E L
R A S S I R E I T S C H I R M

B 2

Welches sind die fünf wichtigsten Eigenschaften für diese Berufe?

anspruchsvoll ◆ attraktiv ◆ charmant ◆ einfühlsam ◆ energisch ◆ flexibel ◆ freundlich ◆ geduldig ◆ großzügig ◆ intelligent ◆ kommunikativ ◆ konsequent ◆ kontaktfreudig ◆ kreativ ◆ offen ◆ ordentlich ◆ pünktlich ◆ selbstbewusst ◆ sorgfältig ◆ tolerant ◆ unbestechlich ◆ verständnisvoll ◆ zuverlässig

Kfz-Mechaniker: ______________________________

____

Krankenschwester: ______________________________

____

Friseur: ______________________________

____

Sekretärin: ______________________________

____

> Die Endungen „-ant", „-ent", „-an" und „-iv" bei Adjektiven und Nomen haben meistens den Wortakzent.
> *Aber:* Der Wortakzent ist am Anfang bei: *positiv*, *negativ* und bei „Grammatikwörtern" wie *Adjektiv*, *Akkusativ*, *Infinitiv* …

KURS B1

3 **Lesen Sie die Texte und ordnen Sie die Überschriften zu.**

Ausdauer und Belastbarkeit ◆ Konzentrationsfähigkeit ◆ Lern- und Leistungsbereitschaft
Sorgfalt und Gewissenhaftigkeit ◆ Zuverlässigkeit

Was Chefs von Auszubildenden erwarten

1 ______________________: Sie wird von 90 % der Unternehmen als Grundbedingung der Zusammenarbeit und Voraussetzung des Ausbildungserfolgs angesehen. Man muss sich darauf verlassen können, dass die Jugendlichen – natürlich unter Berücksichtigung ihrer Leistungsfähigkeit – ihre Aufgaben erledigen, und zwar trotz Schwierigkeiten und ohne dauernde Überwachung und Kontrolle.

2 ______________________: Eine weitere Basisbedingung für erfolgreiche Ausbildung ist eine Einstellung, die sich am guten Ergebnis und am Erfolg orientiert. Arbeit und Ausbildung, der eigene Beruf, müssen als positive Bestandteile des Lebens gesehen werden und nicht als eine Einschränkung von Möglichkeiten der Freizeitgestaltung. Jugendliche sollten von der Schule Neugier und Lust auf Neues mitbringen und diese während der Ausbildung aktivieren.

3 ______________________: Erforderlich ist die Fähigkeit, auch da durchzuhalten, wo die Arbeit oder Ausbildung als Belastung angesehen wird. Die Jugendlichen sollten gelernt haben, nicht bei jedem Misserfolgserlebnis oder vorläufigem Ausbleiben des Erfolgs aufzugeben. Diese Fähigkeit wächst zwar im Laufe des Arbeitslebens, aber den Grundstein dafür zu legen ist Aufgabe der Eltern und Lehrer.

4 ______________________: Die betrieblichen Aufgaben erfordern Genauigkeit und Ernstnehmen der Sache. Man kann nicht immer „fünf gerade sein lassen" und alles „locker angehen", wie es die heutige Jugend gern tut – eine solche Haltung dokumentiert schwerwiegende Versäumnisse des Elternhauses. In diesen Zusammenhang gehören Stichworte wie Selbstdisziplin, Ordnungssinn, Pünktlichkeit und ähnliche Werte, die heute nicht mehr in Mode, im Betrieb aber unabdingbar sind. Das gilt sowohl für die Erledigung von Aufgaben als auch für die Organisation des Arbeitsplatzes.

5 ______________________: Sie hat nach Klagen der Betroffenen in den letzten Jahrzehnten stark abgenommen. Sie zu entwickeln, ist innerhalb des Betriebs schwer möglich und kann nicht Aufgabe des Unternehmens sein. Die Fähigkeit, sich mit bestimmten Aufgaben länger als fünf bis zehn Minuten konzentriert zu beschäftigen, muss den Jugendlichen bereits in der Schule anerzogen worden sein. Anders ist die Entwicklung von Leistung nicht möglich.

Welches sind die drei nächsten wichtigen Eigenschaften?

Freundlichkeit ◆ Großzügigkeit ◆ Kontaktfreudigkeit ◆ Kreativität
Kritikfähigkeit ◆ Selbstbewusstsein ◆ Selbstständigkeit ◆ Toleranz

4 **Lesen Sie noch einmal die Texte und ergänzen Sie die Lücken und die Regeln.**

Der Genitiv

Voraussetzung	des Ausbildungserfolgs	*innerhalb*	des Betriebs
Bezugswort	← *Genitiv*	*Präposition +*	*Genitiv*

f	*m*	*n*	*Pl*
Grundbedingung de_ Zusammenarbeit	*Voraussetzung* de_ Ausbildungserfolg_	*positive Bestandteile* de_ Leben_	90 % de_ Unternehmen
unter Berücksichtigung ihre_ Leistungsfähigkeit	*Ausbleiben* de_ Erfolg_	*im Laufe* de_ Arbeitsleben_	*trotz* Schwierigkeiten
Möglichkeiten de_ Freizeitgestaltung	*die Organisation* de_ Arbeitsplatz__	*schwerwiegende Versäumnisse* de_ Elternhaus__	*Aufgabe* de_ Eltern und Lehrer
während de_ Ausbildung	*innerhalb* de_ Betrieb_	*Aufgabe* de_ Unternehmen_	*Klagen* d__ Betroffenen_
Ernstnehmen de_ Sache			

Ersatzform „von" + DAT

eine Einschränkung ____ Möglichkeiten die Erledigung ____ Aufgaben die Entwicklung ____ Leistung

1 Der Genitiv beschreibt sein __________ genauer.
Der Genitiv steht nach den Präpositionen *wegen, außerhalb,* __________ .

2 Das Genus-Signal für den Genitiv: _____ und _____ : „r“,
_____ und _____ : „s“.
Bei *m* und *n* haben die Nomen im Genitiv Singular die Endung _____ .

3 Die Ersatzform für den Genitiv: die Präposition _____ + _____ .

B 5

Wer hat die besten Chancen? Ergänzen Sie die Aussagen der Chefs.

1 Anke Maruschka, HP Employment Hewlett-Packard
„Bei uns sind persönliches Profil, Neugier, Eigeninitiative und ausgeprägte Motivation gefragt. Einsteiger müssen ihre schulischen Leistungen kurz und knackig zusammenfassen und wegen __________ *(die Erreichbarkeit)* möglichst alle Medien – Anrufbeantworter, E-Mail, Handy – benutzen. Die Zeit __________ *(die Bewerbungsmappen)* ist vorbei – wir bevorzugen die Internet-Bewerbung.“

2 Barbara Loose, Personalleiterin im Kempinski Hotel Elephant (Weimar)
„Es gibt nichts Schlimmeres als ‚gesichtslose‘ Hotelmitarbeiter. Ich achte deshalb vor allem auf die Persönlichkeit und die Ausstrahlung __________ *(der Bewerber)* oder __________ *(die Bewerberin)*. Die nötigen Qualifikationen sind dann eine Sache __________ *(das Training)*.“

3 Petra Roth, Oberbürgermeisterin der Stadt Frankfurt am Main
„Bei uns in der Verwaltung gilt das Leitbild __________ *(der ‚Teamplayer‘)* mit großer Leistungsbereitschaft und ausgeprägtem Servicebewusstsein. Die Stadt Frankfurt sucht dynamische Mitarbeiterinnen und Mitarbeiter, die flexibel und lernbereit sind und offen für die Wünsche __________ *(die Bürger)*.“

4 Anja Zapka-Volkmann, Personaldirektorin bei Lancaster/Coty
„Wir brauchen in erster Linie flexible und entscheidungsfreudige Mitarbeiter. Fremdsprachen sind ein Muss – Stichwort Globalisierung. Wer die Zeit __________ *(die Ausbildung)* kurz gehalten hat, hat beim Einstieg bei uns bessere Chancen. Wichtig für den Erfolg __________ *(Bewerbungen)* sind übrigens nach wie vor vernünftige Bewerbungsunterlagen.“

5 Dr. Ihno Schneevoigt, Personalvorstand der Allianz Versicherung
„Wir wünschen uns Mitarbeiter, die auf andere Menschen zugehen und sie für sich gewinnen können. Ideale Einsteiger sollten Probleme und Fragen __________ *(der Gesprächspartner)* in ihre Überlegungen aufnehmen und sich konzentriert und knapp ausdrücken können. Für die Bewertung __________ *(das Vorstellungsgespräch)* mitentscheidend ist also, ob jemand gut zuhören und Fragen konkret beantworten kann.“

6 Dr. Susanne Pennella, Human Resources, Proctor & Gamble
„Der Wert __________ *(Fachkenntnisse)* ist begrenzt. Es ist mir egal, wer wo was studiert hat – ich will nur wissen, warum und mit welchem Erfolg.“

B 6

Wenn Sie Chefin/Chef wären: Welche Eigenschaften der Bewerber wären Ihnen wichtig?

C

Stress

1 **Wer ist der „Nachwuchs"? Was ist Stress für wen? Lesen Sie den Brief und machen Sie Notizen.**

Werter Nachwuchs!
(nach Christine Nöstlinger)

Ihr alle seid – euren eigenen Aussagen nach – unentwegt und tagaus, tagein sehr gestresst. Jetzt brauche
ich mal eure Hilfe. Ich alte Frau rätsle nämlich ziemlich herum, was dieses Wort Stress eigentlich bedeutet.
Zuerst habe ich gedacht, dass es so etwas Ähnliches wie Arbeitsüberlastung heißen soll. Aber das kann
5 nicht recht stimmen, denn von Arbeitsüberlastung verstehe ich ja auch ein wenig. Viele, viele Jahre meines
Lebens habe ich einen Haushalt geführt, Kinder großgezogen und bin achtundvierzig Stunden pro Woche
zur Arbeit gegangen. Außerdem habe ich in diesen Jahren noch für meine Kinder die Kleider genäht und
die Pullover gestrickt, meinen alten Kater versorgt und an den Wochenenden im Schrebergarten
gearbeitet. Ich brauchte nicht in ein Sportstudio zu gehen, um meine Muskeln zu trainieren.
10 Das war ein Arbeitsalltag, der um fünf Uhr in der Früh begann und oft erst um Mitternacht endete. Wenn
ich dann ins Bett sank, war ich erschöpft und hundemüde und manchmal auch recht unzufrieden mit
meinem Leben. Aber ein „Stress" kann das anscheinend doch nicht gewesen sein, denn ihr, werter
Nachwuchs, habt diesen merkwürdigen Stress in ganz anderen Lebenssituationen.
Du, liebe kleine Enkeltochter, bist gestresst, wenn deine Mutter deine Unterstützung braucht und du
15 zwischen dem Frisörbesuch und dem Rendezvous mit einem Jüngling noch schnell mal zur Milchfrau laufen
sollst. Und du, liebe große Enkeltochter, bist sogar total gestresst, wenn du erst im vierten Geschäft das
richtige T-Shirt findest.
Du, liebe Tochter, bist gestresst, wenn das Telefon dreimal in einer halben Stunde klingelt und dich vom
Bügeln wegholt. Du, lieber Sohn, bist gestresst, wenn der Verkehr am Sonntagabend heftig ist und du zur
20 Heimfahrt vom Schwimmbad zehn Minuten länger als üblich brauchst.
Du, lieber kleiner Enkelsohn, bist gestresst, wenn du zwei Wochen lang nicht einen Tupf gelernt hast und
dann an einem Abend alles Versäumte nachholen willst. Und du, lieber großer Enkelsohn, bist sogar
gestresst, wenn deine Mutter will, dass du beim Weggehen den Müll in den Hof hinunterträgst.
Wie übersetze ich „gestresst" also richtig? Im Wörterbuch steht: „zu viel Arbeit haben, unter Druck stehen,
25 sich überfordert fühlen". Dreimal ans Telefon gehen, zehn Minuten länger am Lenkrad sitzen, zur
Milchfrau laufen, den Müll wegbringen, für eine Prüfung lernen und in vier Läden nach einem T-Shirt
fragen, ist sicher nicht angenehm, aber dadurch braucht ihr euch doch nicht „überfordert" zu fühlen.
Solche Kleinigkeiten brauchen euch doch nicht „unter Druck" zu setzen. Das ist doch gar nicht möglich!
Klärt mich also bitte schnell über den „Stress" auf, sonst muss ich annehmen, dass ihr einfach nur ein
30 Modewort benützt und damit meint, dass euch eine Tätigkeit keinen Spaß macht.

Eure wissbegierige
Oma

Wer? — *Stress =*
kleine Enkeltochter — ...

Was will die Oma mit ihrem Brief sagen? Diskutieren oder schreiben Sie.

2 **Was heißt ... ? Suchen Sie die passenden Wörter im Text.**

Zeile			Zeile		
2	1	jeden Tag *tagaus, tagein*	22	7	das, was man nicht gemacht hat
8	2	kleiner Garten am Stadtrand	25	8	mehr erwarten als möglich ist
11	3	sehr, sehr müde	25	9	im Auto
12	4	vermutlich; so, wie es aussieht	29	10	hier: vermuten, glauben
15	5	Verabredung von zwei Leuten	31	11	neugierig, interessiert
21	6	überhaupt nichts			

C 3

Lesen Sie noch einmal, markieren Sie alle „brauchen" im Text und sortieren Sie die Sätze.

„brauchen" als Verb und Modalverb

A Verb „brauchen" + AKK

1 *Jetzt brauche ich mal eure Hilfe.*
2 ______
3 ______

B Modalverb „brauchen" + Negation + „Infinitiv mit zu"

1 *Ich brauchte nicht in ein Sportstudio zu gehen, um meine Muskeln zu trainieren.*
2 ______
3 ______

Welche Regel passt für welches „brauchen"? Markieren Sie.

1 „brauchen" hat eine Akkusativ-Ergänzung. *A*
2 „brauchen" steht mit „Infinitiv mit zu". ______
3 „brauchen" bedeutet, dass man etwas nicht tun muss. ______
4 „brauchen" bedeutet *haben wollen, haben müssen.* ______
5 „brauchen" steht immer mit *nicht/kein-/nur.* ______
6 „brauchen" ist das einzige Verb im Satz. ______

C 4

Vergleichen Sie das Leben der Kinder und Enkel mit dem der Oma.

alle Haushaltsarbeiten machen ◆ die Kinder alleine großziehen ◆ früh aufstehen ◆ für Prüfungen lernen ◆ im Garten arbeiten ◆ lange arbeiten ◆ passende Kleider suchen ◆ ...

Auto ◆ Führerschein ◆ modische Kleider ◆ Schrebergarten ◆ Sportstudio ◆ Telefon ◆ ...

Die jungen Leute brauchen heute nicht mehr so lange zu arbeiten ...
Die Oma brauchte keinen Führerschein, sie hatte kein Auto ...

C 5

Hören und sprechen Sie.

Ihre Bekannte beklagt sich über den vielen Stress. Beruhigen Sie sie und geben Sie Ratschläge.

● *Oh Gott, ich habe vielleicht einen Stress. Schon morgens geht's los: aufstehen, waschen, anziehen, dann die Kinder wecken und anziehen ...*

■ *Mach' dich doch nicht verrückt. Du **brauchst** doch die Kinder **nicht** an**zu**ziehen.*

● *Ich brauche die Kinder nicht anzuziehen? Na ja, vielleicht hast du ja Recht, sie sind ja alt genug. ... Dann Frühstück machen: frische Brötchen, Eier, Schinken, Käse, Kaffee, Kakao ...*

■ *Warum machst du dir denn so viel Arbeit? Du **brauchst** doch **nur** Müsli hin**zu**stellen.*

● *Ich brauche nur Müsli hinzustellen? Stimmt eigentlich, viel Zeit fürs Frühstück bleibt ja sowieso nicht. Dann noch schnell das Geschirr abwaschen - das hasse ich vielleicht ...*

■ *Das ist doch ganz einfach: Du **brauchst** halt eine Spülmaschine.*

1 die Kinder anziehen
2 Müsli hinstellen
3 eine Spülmaschine
4 die Kinder zur Schule bringen
5 ein Auto
6 einen neuen Job
7 jeden Tag kochen
8 nur einmal pro Woche putzen
9 die Hausaufgaben immer kontrollieren
10 einen Babysitter
11 manchmal etwas Hilfe
12 nur anrufen

Der Ton macht die Musik

1 Hören Sie, sprechen Sie nach und vergleichen Sie.

3/ 1-12

In deutschen Wörtern gibt es oft mehrere Konsonanten hintereinander, z.B. *pünktlich* [ŋktl] oder *Arbeitsplatz* [tspl]. Man spricht alle diese Konsonanten **direkt hintereinander** und ergänzt **keine Zwischenvokale**. Es heißt also … Bei Komposita und Vor- oder Nachsilben gibt es oft viele Konsonanten hintereinander.

lpst	sel**bst**	**lpstb**	sel**bstb**ewusst	**lpstf**	sel**bstv**erständlich
ʃpr	**Spr**ache	**sʃpr**	Au**sspr**ache	**mtʃpr**	Fre**mdspr**ache
ʃtr	**Str**ess	**tʃtr**	Freizei**tstr**ess	**ksʃtr**	Allta**gsstr**ess
ŋkt	Pu**nkt**	**ŋktl**	pü**nktl**ich	**ŋkts**	Pu**nktz**ahl
pf	Ko**pf**	**pfl**	ko**pfl**os	**pfʃm**	Ko**pfschm**erzen
çt	Re**cht**	**çts**	re**chts**	**çtʃr**	Re**chtschr**eibung
ks	E**x**amen	**ksp**	E**xp**eriment	**kstr**	e**xtr**a

Erinnern Sie sich?

Schreibung und Aussprache sind nicht immer gleich.
Sprechen Sie:
*Ver**b** – Ver**b**en, Lie**d** – Lie**d**er, Ta**g** – Ta**g**e;*
***Sp**rech-**st**unde – Ge-burts-tags-party;*
*na**ch**ts – ni**ch**ts, Wo**ch**e – wö**ch**entlich,*
*su**ch**t – Si**ch**t, au**ch** – eu**ch**;*
*Frei**z**eit – Arbei**tsplatz**; Allta**gs**thema –*
*Vol**ks**hochschule – se**chs** – Fa**x**.*

Aufgaben

Beantworten Sie die Fragen und suchen Sie Beispielwörter:
Wo spricht man „b" als [p], „d" als [t] und „g" als [k] ?
Wo spricht man „sp" als [ʃp] und „st" als [ʃt]?
Wo spricht man „ch" als [x]?
Wie schreibt man die Lautverbindungen [ts] und [ks]?

2 Welches Wort hören Sie zweimal? Markieren Sie.

3/13

1	☐ sprichst	☐ spricht	7	☐ Nacht	☐ nachts
2	☐ günstig	☐ künstlich	8	☐ schenkst	☐ Schecks
3	☐ gründlich	☐ pünktlich	9	☐ selbst an	☐ seltsam
4	☐ Schreibtisch	☐ Zeitschrift	10	☐ komplett	☐ konkret
5	☐ sechs	☐ Text	11	☐ empfiehlt	☐ enthielt
6	☐ Ausdruck	☐ Ausflug	12	☐ mach mal	☐ manchmal

3 Hören Sie und ergänzen Sie die fehlenden Konsonanten.

3/14

a___e______u____eich	A______eiben	A___ei_______atz	a_______u______oll
Au___i___u_____eruf	Au_____ahlung	Beru____e____e___ive	Bewe___u_____appe
e______eidu______eudig	Ha____a______ob	Li______ild	Schula______uss
Spra______e_____isse	Staa______ie______	Wi________a_______eig	

4 Üben Sie zu zweit.

manchmal singen – oft ◆ Fremdsprachen sprechen – sechs ◆ oft mit den Kindern schimpfen – ständig ◆ täglich Milch trinken – fast ausschließlich ◆ gerne basteln/kochen – leidenschaftlich gerne ◆ viel rauchen/qualmen – ständig ◆ oft Geschenke erhalten – dauernd

Singst du manchmal?
Nein, aber mein Wohnungsnachbar singt oft.

Ich singe oft. Singst du auch manchmal?
Ja, aber ich denke, du singst mehr als ich.

5 Lesen und üben Sie.

3/ 15-17

Keine Startprobleme
Entscheidungsfreudige Schulabgänger
mit perfekten Fremdsprachenkenntnissen,
selbstbewusster Ausstrahlung und
ausgeprägter Leistungsbereitschaft,
ohne Rechtschreibschwächen,
Ausdrucksschwierigkeiten
und Persönlichkeitsprobleme,
finden langfristige Berufsperspektiven
in verschiedenen Wirtschaftszweigen
in abwechslungsreichen
Ausbildungsberufen
und anspruchsvollen Aushilfsjobs.

Perfekte Bewerbungsschreiben
Anschreiben ohne Rechtschreibfehler
Bewerbungsmappe mit Lebenslauf
komplett mit Lichtbild und Abschlusszeugnis
und selbstverständlich: Briefmarke drauf!

Doppeljobber
Hauptberuf Staatsdienst Schutzpolizei
Zusatzjob Schichtdienst Sicherheitskraft
Berufsstress Freizeitstress
Schlafstörungen Kopfschmerzen
Gesundheitszustand: geschafft!

KURSBUCH E1-E3

E

Bewerbungen

E 1

Tobias Berger bewirbt sich um einen Ausbildungsplatz. Was macht er falsch? Lesen Sie die Regeln und notieren Sie die Fehler.

Falsch

Tobias Berger

1 *Telefonnummer und E-Mail fehlen*

Rheinstraße 76
65185 Wiesbaden

2
Global Telecommunication
Frankfurter Ring 88
60899 Eschborn

25. Januar 2000

3
Ihre Anzeige in der „FAZ"

Sehr geehrte Herren,

4
hiermit bewerbe ich mich bei Ihnen als Azubi. Ich mache im Sommer Abitur und wollte eigentlich studieren oder vielleicht ein Jahr im Ausland verbringen.

5

6
Als ich Ihre Anzeige las, dachte ich, dass ich ja eigentlich auch eine Lehre machen kann. In der Anzeige steht, dass man auch Fremdsprachen beherrschen muss. Mein Englisch ist ganz gut, mein Französisch geht so und ein bisschen Spanisch habe ich auch drauf.

Wie Sie aus meinen Zeugnissen sehen können, habe ich immer ganz gute Noten gehabt.

Ich habe diverse Hobbys und arbeite auch bei Greenpeace mit. Praktika habe ich auch gemacht, auch einmal bei einem ähnlichen Unternehmen wie Global Telecommunication.

7
Es wäre toll, wenn das mit der Lehrstelle bei Ihnen klappt.

8
Viele Grüße

Tobias Berger

Tobias Berger

9

1 **Absender:** Geben Sie unbedingt Ihre Telefonnummer und, wenn vorhanden, Ihre E-Mail-Adresse an.
2 **Anschrift und Anrede:** Achten Sie auf die genaue Firmenbezeichnung. Nennen Sie, wenn möglich, in der Anschrift und in der Anrede eine Ansprechpartnerin oder einen Ansprechpartner für Ihre Bewerbung, oder benutzen Sie die „anonyme" Anrede „Sehr geehrte Damen und Herren,".
3 **Betreff-Zeile:** Formulieren Sie kurz und deutlich Anlass (Stellenbewerbung) und Bezug (Anzeige mit Datum) Ihres Schreibens.
4 **Einstieg:** Schreiben Sie gleich nach dem einleitenden Satz, warum Sie sich gerade für diese Stelle interessieren.
5 **Überleitung:** Erwähnen Sie, was Sie zur Zeit machen und wann Sie die Ausbildung beginnen können.
6 **Erläuterung:** Schildern Sie, warum Sie für die Stelle geeignet sind. Benennen Sie Fähigkeiten (möglichst konkret), Aktivitäten (Was?, Wo?) und Interessen mit Bezug zur Firma und zum angestrebten Job.
7 **Ausstieg:** Bitten Sie um eine Einladung zum Vorstellungsgespräch und betonen Sie noch einmal Ihr Interesse an Firma und Job.
8 **Grußformel und Unterschrift:** Verwenden Sie die neutrale Grußformel „Mit freundlichen Grüßen" und unterschreiben Sie den Brief möglichst leserlich.
9 **Anlagen-Hinweise:** Fügen Sie zum Schluss einen Hinweis auf die Anlagen hinzu. Wenn Foto, Lebenslauf und Zeugnisse ordentlich in einem Hefter sortiert sind, genügt der Hinweis „Bewerbungsunterlagen".

Formulieren Sie klar und konkret. Verzichten Sie auf Abkürzungen, auf umgangssprachliche Wörter wie „toll" oder „super" und auf ungenaue Angaben wie „ein bisschen", „ganz gut", „vielleicht" oder „eigentlich".

Das **Bewerbungsschreiben** ist die erste **Arbeitsprobe**.

2 **Tobias Berger hat seine Bewerbung noch einmal geschrieben und dabei die Regeln beachtet. Welche Regel passt wo? Ergänzen Sie die Überschriften und unterstreichen Sie die zusätzlichen Informationen im Text.**

Richtig

Absender

Tobias Berger
Rheinstraße 76
65185 Wiesbaden
Tel.: 0611 / 370077

Anschrift

Global Telecommunication GmbH

Frau Dr. Marita Evermann
Frankfurter Ring 88

6 08 99 Eschborn

25. Januar 2000

Ihre Anzeige in der „FAZ" vom 24. 1. 2000: Ausbildung zum Industriekaufmann

Anrede

Sehr geehrte Frau Dr. Evermann,

ich habe Ihre Anzeige in der „FAZ" gelesen und bewerbe mich als Auszubildender bei Ihnen. Mich interessiert neben Sprachen und Computertechnik ganz besonders der Telekommunikationsmarkt. Eine Ausbildung bei Global Telecommunication halte ich für interessant und lehrreich, weil Sie mir als internationales, technisch orientiertes Unternehmen viele Möglichkeiten bieten, meine Sprach- und Computerkenntnisse anzuwenden und auszubauen.

Ich besuche zur Zeit noch das Elly-Heuss-Gymnasium in Wiesbaden und stehe gerade vor dem Abitur. Einen Ausbildungsplatz suche ich zum 1. August 2000.

In den letzten drei Jahren habe ich Praktika in verschiedenen Firmen absolviert. Ganz besonders interessant fand ich das Praktikum bei Interkom in Wiesbaden, die ebenfalls als Netzwerkbetreiber arbeiten und wo ich einen guten Überblick über die Arbeit im Bereich Kundenbetreuung erhalten habe. Mir hat der Kontakt mit Kunden gut gefallen, und ich habe nach ein paar Tagen eigenständige Kundengespräche führen dürfen. Dort konnte ich meine Sprachkenntnisse (Englisch und Französisch) anwenden.

Meine Bewerbungsunterlagen füge ich diesem Brief bei. Bitte laden Sie mich zu einem Vorstellungsgespräch ein, denn ich bin an einem Ausbildungsplatz in Ihrem Unternehmen interessiert.

Mit freundlichen Grüßen
Tobias Berger
Tobias Berger

Anlagen:
Bewerbungsunterlagen

Lerntipp:
Kaufen Sie sich eine deutsche Zeitung mit vielen Stellenanzeigen (am besten die Wochenend-Ausgaben von überregionalen Tageszeitungen oder die Wochenzeitung Die Zeit)) oder suchen Sie deutsche Stellenanzeigen im Internet, z.B. unter <http://www.jobs.zeit.de/>, <http://www.stellenmarkt.de/> oder <http://www.arbeitsamt.de/>.
Suchen Sie eine interessante Anzeige aus und überlegen Sie, warum gerade Sie für diese Stelle geeignet sind. Machen Sie Notizen, schreiben Sie eine Bewerbung und „frisieren" Sie Ihren Lebenslauf: Verändern Sie die Schwerpunkte so, dass Ihr Lebenslauf gut zu der Stelle und den Anforderungen passt.
Sie können die Bewerbung dann auch losschicken – viele Menschen schreiben Bewerbungen „zur Probe", und absagen können Sie immer noch.

3 **Schreiben Sie eine Bewerbung.**

Zur Zeit / Seit ... bin ich als ... bei ... in ... tätig.
Ich möchte mich beruflich verändern, weil ...

KURSBUCH F1-F3

F

Zwischen den Zeilen

F 1

Welche Nomen verstecken sich in diesen Adjektiven?

abwechslungsreich	*die Abwechslung*	ideenreich	______
alkoholfrei	______	kalorienreich	______
autofrei	______	konfliktfrei	______
erfolgreich	______	kontaktarm	______
fantasiearm	______	niederschlagsfrei	______
fettarm	______	traditionsreich	______
gebührenfrei	______	umfangreich	______
hilfreich	______	vitaminreich	______

Unterstreichen Sie die Endungen der Adjektive.

F 2

Ergänzen Sie die Regeln.

-reich (2x) ◆ -frei ◆ -arm ◆ Adjektive ◆ wenig ◆ ohne

1 Die Zusätze ______ , ______ und ______ machen aus Nomen ______ .

2 Der Zusatz ______ bedeutet „viel/groß", der Zusatz „-arm", bedeutet ______ , der Zusatz „-frei" bedeutet ______ .

Vorsicht: Die Zusätze „-reich", „-arm" und „-frei" können nicht beliebig ausgetauscht werden: *kalorienreich – kalorienarm – kalorienfrei, ideenreich – ideenarm – ~~ideenfrei~~, umfangreich – ~~umfangarm~~ – ~~umfangfrei~~, ~~abwechslungsfrei~~, ~~kostenreich~~ – ~~kostenarm~~ – kostenfrei.*
Die gebräuchlichsten Kombinationen finden Sie im Wörterbuch, beim Nomen oder als eigenen Eintrag.

F 3

Ergänzen Sie die Stellenangebote und Kleinanzeigen.

Sie sind ein ______ Macher

(viel Erfolg), weder ______ *(wenig Kontakt)* noch ______ *(ohne Fantasie)* und suchen einen ______ Job *(viel Abwechslung)* in angenehmer, ______ Arbeitsatmosphäre *(ohne Konflikte)*. Wir sind eine ______ PR-Agentur *(großer Einfluss)* und suchen ______ Kreative *(viele Ideen)* zur Betreuung unserer ______ namhaften Kunden *(große Zahl)*. Nehmen Sie Kontakt über unsere Hotline auf – Ihr Anruf ist ______ *(ohne Gebühren)*.

Erinnern Sie sich?

Auch Adjektive auf „-voll" und „-los" kann man von Nomen ableiten:
Sinn – sinn*voll*, Wert – wert*voll*, Rücksicht – rücksichts*voll* …
Arbeit – arbeits*los*, Sprache – sprach*los*, Grenze – grenzen*los* …

Aufgaben

Was bedeuten „-voll" und „-los"? Finden Sie je drei weitere Adjektive.
Welche Veränderungen gibt es beim Nomen? Welche Veränderungen gibt es auch bei „-reich", „-arm" und „-frei"? Finden Sie Beispiele.

Kellner/in gesucht

für ______ Restaurant *(lange Tradition)*, bekannt für seine ______ Küche *(viel Abwechslung)* und sein ______ Weinsortiment *(großer Umfang)*. ______ Gäste *(große Zahl)* aus dem Ausland, Fremdsprachenkenntnisse sind deshalb ______ *(große Hilfe)*. Tel. …

Sie leiden an Stress und Schlaflosigkeit?

Sie essen zu fett und zu ______ *(viele Kalorien)*? Sie sehnen sich nach Ruhe und Erholung? Bei uns können Sie sich so richtig entspannen! Wir verwöhnen Sie mit gesunder, ______ , ______ und ______ Kost *(wenig Fett, wenig Kalorien, viele Vitamine)* und leckeren, aber ______ Drinks *(ohne Alkohol)*. Sie genießen die ruhige und ______ Atmosphäre *(kein Stress)* in einer garantiert ______ Gegend *(wenig Niederschlag)* auf einer kleinen, ______ Insel *(ohne Autos)* in der Karibik. Fordern Sie unseren Prospekt an unter …

SCHREIBWERKSTATT

G 1

Was für Arten von Briefen gibt es? Über welche freut man sich, über welche nicht? Machen Sie Notizen.

Urlaubsbriefe, Reklame ...

Lesen Sie den folgenden Text.

Verwirrung *(nach Rafik Schami)*

Ich bewundere alle Postbotinnen und Postboten der Welt. Und weil viel zu selten jemand eine Hymne auf ihren Beruf anstimmt, will ich es tun. Ich könnte nicht ohne sie leben. Kein Brief aus meiner Heimat, den ich lese, an dem ich rieche und zur Kühlung meiner Wunden in der Hand wedele, würde mich je erreichen. Welche Geduld, welche Ausdauer müssen sie haben! Manchmal bekomme ich Briefe, die wurden offensichtlich von Hühnern im Laufschritt adressiert.

Ich schaue unserer Postbotin nach und bewundere sie, dass sie bei minus 20 Grad immer noch Post für mich austrägt und trotzdem noch gute Laune hat.

Als Kind wollte ich Räuber, Schriftsteller, Schauspieler, Kapitän oder Lokomotivführer, nie aber Postbote werden. Warum eigentlich? Postboten dürfen alles sein: böse und hilfsbereit, unverschämt, freundlich, wütend, geduldig, cholerisch und lieb. Alles, doch niemals dürfen sie neugierig sein. Nicht mal ein bisschen. Sie dürfen nicht einmal ahnen, was in den Briefen steht, die sie verteilen, sonst werden sie ganz schnell verrückt.

So geschah es einmal dem Postboten D. Er begann, sich Gedanken zu machen. Brief um Brief. Täglich. Zu allem, was er zustellen musste. Er überlegte, was der Inhalt sein könnte und beobachtete dann an den folgenden Tagen die Leute, ob sich an ihnen zeigte, dass seine Vermutungen richtig waren. Das tat er fünf Jahre lang. ...

G 2

Wie könnte es weitergehen? Schreiben Sie ein Ende für die Geschichte.

a) Planen

- Es ist wichtig, dass Sie bereits eine Idee im Kopf haben, bevor Sie anfangen zu schreiben. Notieren Sie in Stichwörtern, wie die Geschichte weitergehen könnte.
- Schauen Sie noch einmal in den Text: Aus welcher Perspektive wird die Geschichte erzählt? Spielt sie in der Gegenwart oder in der Vergangenheit? Wie müsste sie weitergehen (im Präsens, Perfekt oder Präteritum)?

b) Formulieren

- Schreiben Sie das Ende der Geschichte mit Hilfe Ihrer Notizen. Es sollte nicht zu lang sein.
- Machen Sie kurze, einfache Sätze.
- Verbinden Sie die Sätze mit „dann“, „als“, „meistens“, „manchmal“, „deshalb“, „aber“ usw.

c) Überarbeiten

- Lesen Sie Ihren Text noch einmal oder mehrmals langsam durch und korrigieren Sie mögliche Rechtschreib- und Grammatikfehler (z. B. Stellung des Verbs im Nebensatz, Verben im Präteritum).
- Versetzen Sie sich in die Rolle des Lesers und überprüfen Sie: Ist das, was Sie geschrieben haben, verständlich und klar formuliert?

G 3

Wenn Sie noch Lust haben, dann schreiben Sie die Geschichte noch einmal, diesmal aber aus der Perspektive einer anderen Person.

Erzähler/in könnte z. B. sein:

- der Postbote D. selbst
- ein Briefempfänger / eine Briefempfängerin
- die Frau des Postboten D.
- ... ?

Beachten Sie auch die Punkte „Planen“, „Formulieren“ und „Bearbeiten“ aus G2.

H

Kurz & bündig

Wie sieht Ihr Traumberuf aus?

Ich möchte so viel verdienen, dass

Ich möchte mich mit den Kollegen so gut verstehen, dass

Was ist Ihr Traumberuf? Warum?

Welche Eigenschaften braucht man für Ihren Traumberuf?

Meine Regel für die Genitiv-Ergänzung

Wie sind die Genus-Signale für den Genitiv?

f = ______ , *m* = ______ , *n* = ______ , *Pl* = ______

Nach welchen Präpositionen steht der Genitiv?

In einem Lied heißt es „Ich brauche keine Millionen. Ich brauche nur Musik." Was brauchen Sie? Was brauchen Sie nicht?

Das brauchst du nicht! Beruhigen Sie Ihren Partner:

Ich mache mir Sorgen! – *Du brauchst dir keine Sorgen zu machen!*

Ich stehe jeden Morgen um fünf Uhr auf!

Ich arbeite jeden Tag 14 Stunden!

Ich habe die E-Mail noch nicht geschrieben.

Ich habe den Termin für das Meeting noch nicht abgesagt.

Ich muss den Workshop noch organisieren.

Ich muss den Tisch für heute Abend noch reservieren.

Ich habe jeden Abend ein schlechtes Gewissen, weil ich noch so viele Dinge tun müsste.

Sie haben eine Anzeige mit Ihrem Traumjob gesehen und rufen dort an. Was sagen Sie?

Interessante Ausdrücke

KONFLIKTE UND LÖSUNGEN

LEKTION 9

A

Beziehungskisten

1 **Was sind die Gründe für Probleme in einer Partnerschaft? Machen Sie Notizen.**

Sprechen oder schreiben Sie Dialoge zu den Zeichnungen.

Private Konflikte

Einleitung

Ist was? / Hast du was?
Was ist denn jetzt schon wieder los?
Was hast du denn bloß immer?

Ärger und Unzufriedenheit ausdrücken

Ich hab' dir doch schon hundert Mal gesagt, dass ...
Musst du denn immer ...?
Kann man denn nicht ein Mal in Ruhe ...?!
Wir wollten doch ...
Gestern/vor einer Woche/... hast du noch gesagt, ...
Wie oft muss ich dir noch sagen, dass ...
Das darf doch wohl nicht wahr sein!
Du hörst mir nie zu.

Reaktionen

Dir kann man aber auch nichts recht machen!
Kannst du nicht endlich mal damit aufhören?!
Immer machst du Probleme, wo gar keine sind.
Jetzt reg dich doch nicht auf.

KURSBUCH A1-A4

A 2 **Lesen Sie die Wörterbucherklärungen und ergänzen Sie.**

Beziehung, *die*; -, -en; 1 e-e **Beziehung (mit/zu j-m)** *mst* sexuelle Kontakte zu j-m; **2** *mst* Pl; ***Beziehungen (mit/zu j-m/etw.)*** bestimmte Verbindungen zwischen Personen, Gruppen, Institutionen od. Staaten

Kiste, *die*; -, -n; **1** ein rechteckiger Behälter aus Holz <e-e K. mit Büchern; etw. in e-e K. tun, verpacken> **2** ein (altes) Auto **3** Sache, Angelegenheit

Beziehungskiste, ______________________

____

____

Lesen Sie zuerst die Aufgaben und dann den Text. Markieren Sie.

„Was ich dich schon immer mal fragen wollte ..."
Eine BeziehungsKiste für
Beziehungskisten

1 Die BeziehungsKiste hilft Menschen,

- a) die mit niemandem über ihre Probleme sprechen können.
- b) die sich von ihrem Partner/ihrer Partnerin trennen wollen.
- c) die ihre Beziehung zu ihrem Partner/ihrer Partnerin verbessern wollen.

2 Die BeziehungsKiste ist

- a) eine Sammlung von Gesprächskarten.
- b) eine Art Ratgeber für Eheberater.
- c) ein Spiel für die ganze Familie.

3 Mit Hilfe der BeziehungsKiste

- a) kann man prüfen, ob man den richtigen Partner/die richtige Partnerin gewählt hat.
- b) sollen Paare lernen, wieder mehr miteinander zu sprechen.
- c) kann man alle Konflikte in einer Partnerschaft lösen.

Eigentlich ist Ihre Beziehung ganz gut. Eigentlich ..., aber „irgendwie" scheint sie Ihnen festgefahren. Sie stagniert, es findet keine Entwicklung statt. Nein, unglücklich sind Sie nicht, glücklich aber auch nicht.

Wenn Sie sich in solch einer ambivalenten Situation befinden, sollten Sie mal abends den Fernseher aus lassen, sich Zeit mit dem Partner nehmen und sich Ihre BeziehungsKiste vornehmen.

Damit ist nicht gemeint, dass Sie sich nun in endlosen Gesprächen, gegenseitigen Vorwürfen und Anklagen ergehen sollen. Nein, die BeziehungsKiste, von der hier die Rede ist, ist von anderer Qualität. Entwickelt wurde sie von zwei Kommunikationsexperten, die verstummte Paare wieder miteinander ins Gespräch bringen wollen.

Dreißig wichtige und kritische Problembereiche, die wohl in jeder Partnerschaft eine mehr oder weniger große Rolle spielen, haben die Autoren auf Dialogkarten aufgegriffen. Die Paare können es dabei dem Zufall überlassen, welche Karte sie „bearbeiten" wollen, sie können sich aber auch gezielt mit einer Frage befassen, die für ihre Beziehung besonders relevant ist. Ob es um das leidige Thema Geld geht („Was können wir uns finanziell leisten?") oder die liebe Verwandtschaft („Wie beeinflussen unsere Eltern und Verwandten unsere Beziehung?") – alle Dialogkarten führen das Paar durch sorgfältig ausgewählte Unterfragen an das Problem heran.

Wie das Begleitheft verrät, stützen sich die Erfinder der BeziehungsKiste bei der Entwicklung ihrer Idee auf grundlegende Erkenntnisse der Kommunkationsforschung. Dennoch, so betonen die Autoren, sind die Dialogkarten kein Ersatz für professionelle Hilfe durch Eheberater oder Familientherapeuten. Doch überall dort, wo Selbsthilfe möglich und die Beziehung „nur" durch Routine und Alltagsstress festgefahren ist, kann die BeziehungsKiste allzu lahme Beziehungskisten wieder flott machen.

3 **Welche Fragen passen zu welcher Karte?**

- 3 a) Wie sehr ist unsere Bindung von äußeren Einflüssen abhängig (Druck von außen, Verlust von Ansehen, Konventionen, religiöse Motive, Verlust von Freunden usw.)?
- b) Wie sehr ist unsere Beziehung durch Gewohnheit und Bequemlichkeit „stabilisiert"?
- c) Gespräche mit negativem Inhalt rauben Kraft und töten die Gesprächsbereitschaft. Wie sehr sind uns unsere Gespräche Gelegenheiten, uns über andere zu beklagen, zu jammern, andere zu kritisieren oder uns gegenseitig Vorwürfe zu machen?
- d) Wie ehrlich und spontan können wir uns nach dem Streiten wieder versöhnen?
- e) Was für ein Gesprächsthema haben wir, das uns beide interessiert?
- f) Welche gemeinsamen Interessen verbinden uns?
- g) Wie verlaufen unsere Diskussionen, wenn wir unterschiedlicher Meinung sind?
- h) Falls „Liebe" uns verbindet, wie würde ich diese Liebe aus meiner Sicht beschreiben?
- i) Wie wollen wir unsere Zeit gestalten, um die nötige Muße und Ruhe für gute Gespräche zu finden?
- j) Wie fest werde ich durch Angst vor materiellen Einschränkungen oder gar dem Verlust in unserer Beziehung gehalten (zum Beispiel Angst vor finanziellen Problemen, Aufgabe von Wohnung usw.)?
- k) Wer von uns beiden gibt in einem Streit eher nach?

Wie finden Sie die Idee mit den Dialogkarten? Sammeln Sie Pro und Kontra. Schreiben Sie einen kurzen Text zu diesem Thema.

+	–
viele Ideen / Themen	künstlich
man bleibt sachlich	kontextlos
macht Spaß / ist witzig / ist lustig	lächerlich

KURSBUCH A5

B Probleme am Arbeitsplatz

B 1 Hören Sie, was Katharina, Anja und Marco berichten, und machen Sie Notizen.

3/ 18-20

Name

Alter

Beruf

Kollegen

Problem

Katharina T., 38

Anja S., 19

Marco S., 33

Wie sollte man sich Ihrer Meinung nach in solchen Situationen verhalten? Schreiben Sie Ratschläge auf.

Sie/Er sollte ...
Es ist wichtig, dass ...
An ihrer/seiner Stelle würde ich ...
Das Beste wäre, wenn sie/er ...
Sie/Er sollte auf keinen Fall ...
Ich finde, sie/er sollte ...

ganz direkt/offen mit der Kollegin/dem Kollegen sprechen ◆ selbstbewusst reagieren ◆ klar ihre/seine Meinung sagen ◆ (nicht) freundlich/aggressiv/... reagieren ◆ den Arbeitsplatz wechseln ◆ mit dem Chef/der Chefin reden ◆ andere Kollegen fragen ◆ ...

Ratschläge für Katharina
An Katharinas Stelle würde ich versuchen, ganz offen mit der Kollegin zu sprechen.
Katharina sollte auf keinen Fall ...

B 2 Lesen Sie die Beispielsätze und ergänzen Sie die Präpositionen und Fragepronomen.

	Sätze mit Pronominaladverb	*Verb + Präposition*	*Fragepronomen*
1	Dann ärgere ich mich **darüber**, dass sie bei der Arbeit immer so laut Musik hört.	sich ärgern *über*	*Worüber* ?
2	Aber wenn ich sie mal freundlich **darum** bitte, das Radio leiser zu stellen, tut sie so, als ob sie nichts hört.	bitten ______	Wor______ ?
3	Ich träume eigentlich schon lange **davon**, zwischen Abi und Studium noch mal so'ne richtig große Reise zu machen.	träumen ______	______ ?
4	Wenn ich **daran** denke, wie die anderen Kollegen immer hinter meinem Rücken über mich reden ...	denken ______	______ ?
5	In den Pausen haben die immer derbe Witze erzählt. Am Anfang fand ich das ja noch ganz witzig, aber irgendwann konnte ich wirklich nicht mehr **darüber** lachen.	lachen ______	______ ?
6	Die meisten Sprüche waren ausländerfeindlich. Seit ich einmal **dagegen** protestiert habe, ist es noch schlimmer geworden.	protestieren ______	______ ?

Aber: Für Personen stehen Personalpronomen:
*Aber wenn **ich** sie dann mittags mal gefragt hab, ob sie vielleicht **mit mir** in die Kantine gehen möchte, ...*

Ergänzen Sie die Regeln.

Satz/Text ◆ Fragepronomen ◆ Pronominaladverbien ◆ da- ◆ r

1 In Texten oder Dialogen ersetzen ______________ Aussagen oder Sachen.
2 Mit Pronominaladverbien bezieht man sich – genau wie mit Personalpronomen – auf etwas, das gesagt wurde: *Seit ich einmal* ***dagegen*** *(= gegen die ausländerfeindlichen Sprüche) protestiert habe, ist es noch schlimmer geworden.*
3 Pronominaladverbien können auch auf den nachfolgenden ________ aufmerksam machen: *Dann ärgere ich mich* ***darüber, dass sie bei der Arbeit immer so laut Musik hört.***
4 Ein Pronominaladverb bildet man aus _____ + Präposition, das passende ____________ aus „wo-"+ Präposition. Wenn die Präposition mit einem Vokal beginnt, wird ein ___ eingefügt: *darüber, worüber*

3 Hatten Sie schon einmal Probleme am Arbeitsplatz? Berichten oder schreiben Sie.

sich ärgern über ◆ sich beschweren bei/über ◆ sich aufregen über ◆ sich entschuldigen bei/für ◆ Streit haben mit ◆ sich gewöhnen an ◆ sich entscheiden für/gegen ◆ Probleme haben mit ◆ Mut haben zu ◆ überzeugt sein von ◆ Angst haben vor ◆ achten auf ◆ protestieren gegen ◆ ...

Vor drei Jahren habe ich in einem Restaurant gearbeitet. Ich habe mich immer darüber geärgert, dass meine Kollegen ...

Aufpassen
(von Hans Manz)

Jeder muss lernen,
sich anzupassen,
aber gleichzeitig
aufpassen, dass er nicht verpasst
zu sagen:
Das passt mir nicht!

KURSBUCH B5

4 Hören und fragen Sie.

21

Ihr Chef ist auf Geschäftsreise und ruft Sie im Büro an. Sie sollen verschiedene Dinge für ihn erledigen. Die Telefonverbindung ist sehr schlecht, und manchmal können Sie nicht verstehen, was er sagt. Deshalb müssen Sie nachfragen.

In Rückfragen mit Fragewörtern betont man die Fragewörter stark.
Wie bitte? ↗ *Worum soll ich mich kümmern?* ↗

- *Nächste Woche Montag fliege ich nach Mailand. Sagen Sie, könnten Sie sich bitte um die Hotelres... vierung kümmern?*
  - ■ *Wie bitte?* ↗ ***Worum*** *soll ich mich kümmern?* ↗
- *Worum Sie sich kümmern sollen? Um die Hotelreservierung in Mailand. Sie wissen doch, dort ist nächste Woche Messe. Ach ja, und könnten Sie bitte für den kommenden Freitag noch einen Termin mit Frau Sp...gatis machen?*
  - ■ *Wie bitte?* ↗ ***Mit wem*** *soll ich einen Termin machen?* ↗
- *Mit wem Sie einen Termin machen sollen? Mit Frau Spirgatis. Sie wissen doch, das ist die Dame von „Multimedia Consult".*

1 sich kümmern um	5 achten auf	9 beginnen mit
2 einen Termin machen mit	6 sich Gedanken machen über	10 nachfragen bei
3 denken an	7 sich erkundigen nach	11 Schluss machen mit
4 eine Kopie schicken an	8 sprechen mit	12 anrufen bei

KURSBUCH C1-C2

C

Zwischen den Zeilen

C 1

Unterstreichen Sie alle Wörter mit „irgend-“.

1 Ich weiß nicht, Männer, die viel reden, sind mir irgendwie suspekt.
2 Sie wissen nicht genau, was es ist, aber irgendetwas in Ihrer Partnerschaft stimmt nicht.
3 Na, das kommt mir auch irgendwie bekannt vor.
4 Ständig kommt mein Chef mit irgendwelchen Zusatzaufgaben an.
5 Glauben Sie mir, wenn Sie noch lange darauf warten, dass man Ihnen diesen Job von allein anbietet, bekommt ihn irgendjemand anders.
6 Ständig kriege ich nur irgendeine unfreundliche Antwort.
7 Irgendwann sind sogar über Nacht Akten aus meinem Schreibtisch verschwunden.
8 Und wenn irgendwelche Gerichte mal ausverkauft sind, erfahre ich auch nur durch Zufall davon.

C 2

Was ist richtig? Markieren Sie.

1 „Irgend-“ bedeutet:
- ☐ Es ist etwas Unbestimmtes, nichts Konkretes.
- ☐ Es ist etwas ganz Bestimmtes.

2 „Irgend-“ steht …
- ☐ vor unbestimmten Artikeln.
- ☐ vor Indefinitpronomen.
- ☐ vor Fragepronomen.
- ☐ ganz allein.

3 Das Artikelwort „irgendein“ …
- ☐ hat keine Pluralform.
- ☐ hat die Pluralform „irgendwelche“.

C 3

Ergänzen Sie die Sätze.

irgendwelche (2x) ◆ irgendeinen ◆ irgendwie (3x) ◆ irgendjemand (2x) ◆ irgend(et)was ◆ irgendwann ◆ irgendeins

● Sag mal, weißt du, warum die Chefin heute schon wieder so schlechte Laune hat?
■ Ich weiß auch nicht. ______________ hat mir mal erzählt, dass sie private Probleme hat.
● Na ja, ______________ finde ich das nicht in Ordnung. Ich lasse meine schlechte Laune ja auch nicht an meinen Kollegen aus, wenn ich zu Hause ______________ Probleme habe. Weißt du ______________ Genaueres darüber?
■ Ich glaube, ______________ vor ein paar Wochen hat ihr Mann sie verlassen.
● Wirklich? Na, umso besser! Den fand ich sowieso ______________ seltsam. Dann soll sie sich doch ______________ netten Kollegen aus der Firma angeln.
■ Ha! Du glaubst doch nicht im Ernst, dass ______________ hier im Hause bei ihr eine Chance hätte. Der müsste doch mindestens eine Million auf dem Konto haben. Und außerdem müsste er ein tolles Auto fahren. Nicht ______________ , mindestens einen Mercedes oder einen BMW.
● Meinst du wirklich? Ach nee, ______________ glaub ich nicht, dass ihr Geld so wichtig ist.
■ Na, das werden wir ja sehen. ______________ Verehrer hat sie ja schließlich immer.

Hören und vergleichen Sie.

Service und Beschwerden

1 Machen Sie das Kreuzworträtsel und ergänzen Sie die passenden Wörter.

Bedienung ◆ Beschwerde ◆ Geduld ◆ Höflichkeit ◆ Kompromiss ◆ Kunde ◆ Kundenservice ◆ Personal ◆ Störung ◆ Wunsch

Waagerecht:

2 __________ ist wichtig im Umgang mit Kunden.
4 Wenn das __________ unzufrieden ist, stimmt der Service nicht.
5 In diesem Restaurant ist die __________ wirklich langsam!
9 Entschuldigen Sie bitte die __________!
10 Bei uns ist der __________ König.

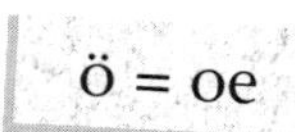

Senkrecht:

1 Vielleicht können wir einen __________ finden, um dieses Problem zu lösen.
3 Die Beratung gehört zum __________.
6 Bitte formulieren Sie Ihre __________ schriftlich.
7 Haben Sie noch irgendeinen __________?
8 Bitte haben Sie noch etwas __________. Sie werden sofort bedient.

2 Was passt nicht? Streichen Sie.

1	sich über die unfreundliche Bedienung	ärgern ◆ beschweren ◆ entschuldigen ◆ aufregen
2	der Gast fühlt sich von dem Lärm	belästigt ◆ gestört ◆ bemüht ◆ genervt
3	einen Vorschlag	ablehnen ◆ machen ◆ annehmen ◆ beschweren
4	jdn. mit lauter Musik	drücken ◆ belästigen ◆ nerven ◆ stören
5	einen Kompromiss	akzeptieren ◆ lösen ◆ finden ◆ eingehen
6	einen guten Service	erwarten ◆ fordern ◆ verlangen ◆ warten
7	eine Beschwerde	vorbringen ◆ formulieren ◆ zeigen ◆ haben
8	einen Kunden	verärgern ◆ vergessen ◆ machen ◆ bedienen
9	einen Wunsch	äußern ◆ haben ◆ verlieren ◆ erfüllen

KURSBUCH D2-D6

Erinnern Sie sich?

Adjektive vor Nomen haben eine Endung. Das Genus-Signal steht entweder am Artikel-Ende oder am Adjektiv-Ende:
der unzufriedene Kunde – ein unzufriedener Kunde

Aufgaben

Wie heißen die Genus-Signale der Adjektive für feminin, maskulin und neutrum im Nominativ, Akkusativ und Dativ? Machen Sie eine Tabelle und finden Sie Beispielsätze.
Wie enden die Adjektive nach Artikel im Plural?
Wann sind Nominativ und Akkusativ gleich?

D 3 **Lesen Sie den Brief und machen Sie Notizen.**

Von wem?	An wen?	Was?	Wo?	Wann?	Warum?

1 Werner Grill
Paderborner Str. 14
14678 Berlin

2 An die Geschäftsleitung
des Heimwerkermarktes „Bauland"
Lilienstr. 14
14569 Berlin

3 Berlin, den 24. 05. 2000

4 **Unqualifiziertes Personal**

5 Sehr geehrte Damen und Herren,

nachdem ich mich mehrmals über den schlechten Service bei „Bauland" geärgert habe, wende ich mich nun mit einer schriftlichen Beschwerde an Sie.
Da ich passionierter Hobbybastler bin, freut es mich, einen kleinen, gut sortierten Heimwerkermarkt in meiner direkten Nähe zu haben. Allerdings lässt der Service Ihres sonst gut geführten Betriebes in letzter Zeit zu wünschen übrig. Oder verlange ich zu viel, wenn ich vom Personal eine kompetente Auskunft erwarte?

Wiederholt wurde ich mit der Unwissenheit schüchterner Lehrlinge konfrontiert, die nicht in der Lage waren, auf meine Fragen fachkundig zu antworten. So bekam ich z. B. letzten Montag auf meine einfache Frage „Können Sie mir sagen, ob ich für dieses Schloss 3mm- oder 4mm-Schrauben brauche?" nicht nur eine unfreundliche, sondern auch eine falsche Antwort. Das hat mich natürlich geärgert, denn ich musste die Schrauben am nächsten Tag wieder umtauschen.

Nun können die armen Lehrlinge ja auch nichts dafür, wenn sie von verantwortungslosen Vorgesetzten an Stellen mit besonders regem Kundenverkehr eingesetzt werden, obwohl sie noch gar keine ausreichenden Fachkenntnisse haben. Sie sollten mir aber zumindest sagen können, wer meine Frage richtig beantworten kann.

Als Hobby-Handwerker schätze ich die Vorteile einer fachkundigen Beratung und eines kompetenten Personals. Da ich annehme, dass Sie mich als treuen Kunden nicht verlieren wollen, hoffe ich sehr, dass Sie Ihren Service in nächster Zeit deutlich verbessern werden.

6 Mit freundlichen Grüßen

7 Werner Grill

„da" und „denn"

„da" + Nebensatz
Da ich passionierter Hobbybastler bin, freut es mich, einen kleinen, gut sortierten Heimwerkermarkt in meiner direkten Nähe zu haben.
(= ***Weil*** ich passionierter Hobbybastler bin, ...)

„denn" + Hauptsatz
Das hat mich natürlich geärgert, ***denn*** ich musste die Schrauben am nächsten Tag wieder umtauschen. (= Das hat mich natürlich geärgert, ***weil*** ich die Schrauben am nächsten Tag ...)

„Da" und „denn" verwendet man eher in der Schriftsprache. Der „denn"-Satz steht immer rechts vom Hauptsatz, den er erklärt.

4

Suchen Sie die passenden Adjektive im Brief und ergänzen Sie die Tabelle und die Regeln.

Genitiv

f	*m*	*n*	*Pl*
der fachkundigen Beratung	des gut geführten Betriebes	des kompetenten Personals	dieser schüchternen Lehrlinge
einer ________ Beratung	Ihres ________ Betriebes	eines ________ Personals	ihrer schüchternen Lehrlinge
fachkundiger Beratung		kompetenten Personals	________ Lehrlinge

f (2x) ◆ *Pl* (2x) ◆ *m* ◆ *n* ◆ Bezugswort ◆ Adjektive

1 Der Genitiv beschreibt sein ______________ genauer.
2 Das Genus-Signal für den Genitiv: _________ und _________: „-r“
_________ und _________: „-s“.
3 Die ______________ im Genitiv haben immer die Endung „-en“. Das Signal ist am Nomen und/oder am Artikel.
Ausnahme: Adjektive ohne Artikel bei ________ und ________: „-r“.

Worüber kann man sich beim Einkaufen ärgern oder freuen? Ergänzen Sie.

1 das Benehmen dieser arrogant__ Verkäuferin
2 die Unwissenheit picklig__ Lehrlinge
3 die Öffnungszeiten eines klein__ Geschäftes
4 die Arroganz dieses unfreundlich__ Verkäufers
5 der Service des unhöflich__ Personals
6 das Verhalten der unzufrieden__ Kunden
7 die Geduld dieser nett__ Kassiererin
8 das Lächeln des sympathisch__ Kellners
9 die Art einer charmant__ Kundin
10 das Angebot des groß__ Supermarktes
11 die Kompetenz einer neu__ Buchhändlerin
12 das Lachen hilfsbereit__ Verkäuferinnen

Lerntipp:
Wenn Sie einen Beschwerdebrief schreiben, achten Sie darauf, dass er alle wichtigen Informationen enthält. Sie können das z. B. mit den Fragewörtern aus D3 prüfen. Wichtig sind außerdem:
Adresse des Absenders (1) und des Empfängers (2), Ort und Datum (3), Thema (4), höfliche Anrede (5), Grußformel (6) und Unterschrift (7).

KURSBUCH D7

5

Schreiben Sie einen Beschwerdebrief.

neuer Schrank mit Kratzer ◆ Mahnung für eine bereits bezahlte Rechnung ◆ unvollständige Lieferung: Computer ohne Maus / Kaffeeservice ohne Tassen / … ◆ fehlerhafte Gebrauchsanweisung für das Videogerät / den Fernseher / …

Haben Sie sich schon einmal beschwert? Mündlich oder schriftlich? Berichten Sie.

E Der Ton macht die Musik

E 1 Hören Sie, sprechen Sie nach und markieren Sie die Akzentsilben.

3/23

Komposita	nominale Ausdrücke	Komposita	nominale Ausdrücke
der Berufsalltag	der berufliche Alltag	Lerntipps	Tipps für das Lernen
die Fremdsprache	die fremde Sprache	Namenskärtchen	Kärtchen mit Namen
Haushaltsgeräte	Geräte im Haushalt	am Nebentisch	am Tisch nebenan
eine Hörübung	eine Übung zum Hören	ein Sprechanlass	ein Anlass zum Sprechen
die Klotür	die Tür zum Klo	Überstunden	zusätzliche Stunden
Kurzgeschichten	kurze Geschichten	eine Wortfamilie	eine Familie von Wörtern

Erinnern Sie sich?

Komposita aus Nomen
Viele deutsche Wörter sind Komposita (= zusammengesetzte Wörter).
Viele Komposita sind aus zwei Nomen gebildet:
Arbeitsplatz = Arbeit (+s) + Platz.

Aufgaben
Beantworten Sie die Fragen und suchen Sie Beispielwörter:
Wie nennt man diese beiden Wörter?
Welches Wort bestimmt den Artikel?
Welches Wort hat den Wortakzent?
Wo findet man Komposita im Wörterbuch?
Welche Buchstaben werden manchmal als Verbindung zwischen den Nomen ergänzt?

E 2 Wo ist der Akzent: links oder rechts? Ergänzen Sie die Beispiele und die Regeln.

1 Bei Komposita mit Nomen ist der Wortakzent immer __________ :

Nomen + Nomen *Berufsalltag,* __________
Adjektiv + Nomen *Fremdsprache,* __________
Verb(stamm) + Nomen __________
Präposition + Nomen __________

2 Bei nominalen Ausdrücken ist der Wortgruppenakzent immer __________ :
der berufliche Alltag, __________

E 3 Markieren Sie die Akzentsilben.

Hellseher ◆ keine Erfolgsgarantie ◆ Experten für Kommunikation ◆ Fachkenntnisse ◆ im Streitfall ◆ Schnapsideen ◆ mehr Erfolg beim Lernen ◆ Kopfkissen ◆ Auskünfte über Preise ◆ Sendungen im Radio ◆ Schreibaktivitäten ◆ zusätzliche Aufgaben ◆ beim Lernen der fremden Sprache

Jetzt hören und vergleichen Sie.

E 4 Markieren Sie die Akzentsilben und üben Sie.

____ = Wortgruppenakzent ____ = Hauptakzent, Satzakzent

Verrückte Ideen, um mehr Erfolg beim Lernen zu haben
Tipps für das Lernen an die Tür zum Klo hängen,
Wörterbücher als Kissen unter den Kopf legen,
mit Familien von Wörtern Ratespiele machen
und Kärtchen mit den Namen an die Geräte im Haushalt kleben,
Auskünfte über Preise als Anlass zum Sprechen nehmen,
Sendungen im Radio als Übungen zum Hören nutzen,
mit Artikeln aus der Zeitung Hellseher spielen
und kurze Geschichten als Aktivitäten zum Schreiben nutzen.
Kurz gesagt: sich verrückte Ideen als zusätzliche Aufgaben ausdenken,
um beim Lernen der fremden Sprache mehr Erfolg zu haben.

Mehr Lernerfolg mit Schnapsideen
Lerntipps an der Klotür,
Wörterbücher als Kopfkissen,
Ratespiele mit Wortfamilien
und Namenskärtchen an Haushaltsgeräten,
Preisauskünfte als Sprechanlässe,
Radiosendungen als Hörübungen,
Hellseher spielen mit Zeitungsartikeln
und Kurzgeschichten als Schreibaktivitäten.
Kurz: Schnapsideen als Zusatzaufgaben,
um beim Fremdsprachenlernen
mehr Lernerfolg zu haben.

SCHREIBWERKSTATT

Stellen Sie sich folgende Situation vor und schreiben Sie einen Dialog.

Herr Konrad trägt meistens einen Cowboy-Hut, Westernstiefel und hört immer laute Country-Musik, sogar im Büro. Nicht jeder ist begeistert. Folgende Personen unterhalten sich über Herrn Konrad.

Die Kollegin Frau Häuser, die mit Herrn Konrad in einem Büro sitzt, spricht mit dem Chef.

Eine Nachbarin von Herrn Konrad und der Hausmeister unterhalten sich.

Eine Kollegin, die in Herrn Konrad verliebt ist, spricht mit ihrer Freundin.

Ein Kollege unterhält sich mit der Frau von Herrn Konrad.

Der Sohn von Herrn Konrad und sein Freund unterhalten sich.

???

a) Planen

- Wählen Sie eine Situation oder denken Sie sich eine neue aus.
- Machen Sie Notizen zum möglichen Verlauf des Dialogs.

b) Formulieren

- Schreiben Sie den Dialog (allein oder in Partnerarbeit), ohne darin die Namen der Personen zu nennen.
- Beachten Sie, wer miteinander spricht: Sagen die Personen „Sie“ oder „du“? Sind sie ärgerlich, höflich etc.?
- Benutzen Sie auch Ausrufe wie „Ach!“, „Oh!“, „Hm“, „Ach so!“, „Klar!“, „Was?!“, „Toll!“ usw. Dann wirkt der Dialog besonders lebhaft und echt. Meistens stehen diese Ausrufe am Anfang von Sätzen.

Frau Häuser: *Entschuldigen Sie bitte, hätten Sie vielleicht einen Moment Zeit?*
Herr Leitner: *Aber immer doch. Na, was gibt's denn?*
Frau Häuser: *Ach, wissen Sie, es geht um Herrn Konrad.*
Herr Leitner: ...

c) Überarbeiten

- Korrigieren Sie mögliche Rechtschreib- und Grammatikfehler (z. B. Großschreibung nach dem Doppelpunkt. Die Zeichen für die direkte Rede stehen im Deutschen am Anfang unten und am Ende oben: „Dialog“).
- Lesen Sie den Dialog mehrmals laut und überprüfen Sie: Hört er sich an wie gesprochene Sprache? Lesen Sie Ihren Dialog im Kurs laut vor, am besten zusammen mit einem Partner. Die anderen raten, um welche Personen es sich handelt.

d) Erweitern

- Wer sagt was wie? Charakterisieren Sie die Aussagen der Personen, z. B.:
  „Entschuldigen Sie bitte, Herr Leitner“, sagte Frau Häuser nervös zu ihrem Chef. „Hätten Sie vielleicht einen Moment Zeit?“ „Aber immer doch, Frau Häuser,“ antwortete Herr Leitner und lächelte freundlich. „Na, was gibt's denn?“ „Ach, wissen Sie, es geht um Herrn Konrad.“ usw.
- Machen Sie aus dem ergänzten Dialog eine kleine Erzählung. Beschreiben Sie auch, was die Personen machen, und verbinden Sie die Sätze z. B. mit „als“, „dann“, „da“, „und“, „aber“, „deshalb“ usw.

  Leise klopfte Frau Häuser an die Bürotür von Herrn Leitner und öffnete sie. „Entschuldigen Sie bitte, Herr Leitner“, sagte sie nervös, ohne ihren Chef dabei anzusehen, „Hätten Sie vielleicht einen Moment Zeit?“

Kurz & bündig

Welchen Rat geben Sie?

Eine Freundin hat Probleme mit ihrem Partner, weil er abends immer nur fernsehen will.

____

Ihre Schwester hat Probleme, weil ihre Kollegen hinter ihrem Rücken schlecht über sie reden.

____

Ihr Sohn will nicht mehr in die Schule gehen, weil er sich mit den Jungen aus seiner Klasse nicht versteht.

____

Ein Freund hat sich geärgert, weil er in einem Restaurant sehr unfreundlich bedient wurde.

____

Ergänzen Sie.

Wovor	haben Sie Angst?	*Davor*	, dass *ich die ganze Arbeit nicht schaffe.*
______	ärgern Sie sich?	______	, dass ______
______	erinnern Sie sich?	______	, dass ______
______	möchten Sie sprechen?	______	, dass ______
______	liegt das?	______	, dass ______
______	haben Sie Probleme?	______	, dass ______
______	träumen Sie?	______	, dass ______
______	achten Sie?	______	, dass ______

Meine Regel für die Pronominaladverbien

____

____

Was schätzen Sie besonders beim Einkaufen? Ergänzen Sie.

Ich schätze besonders die Höflichkeit netter Verkäufer, die Kompetenz eines

____

____

____

Meine Regel für die Adjektivdeklination im Genitiv

____

____

Schreiben Sie einen Satz mit den Wörtern „irgendjemand", „irgendwann" und „irgendwo".

____

____

Interessante Ausdrücke

____

____

____

Gemeinsinn
statt Egoismus

LEKTION 10

Der Weg ist das Ziel!

Ergänzen Sie.

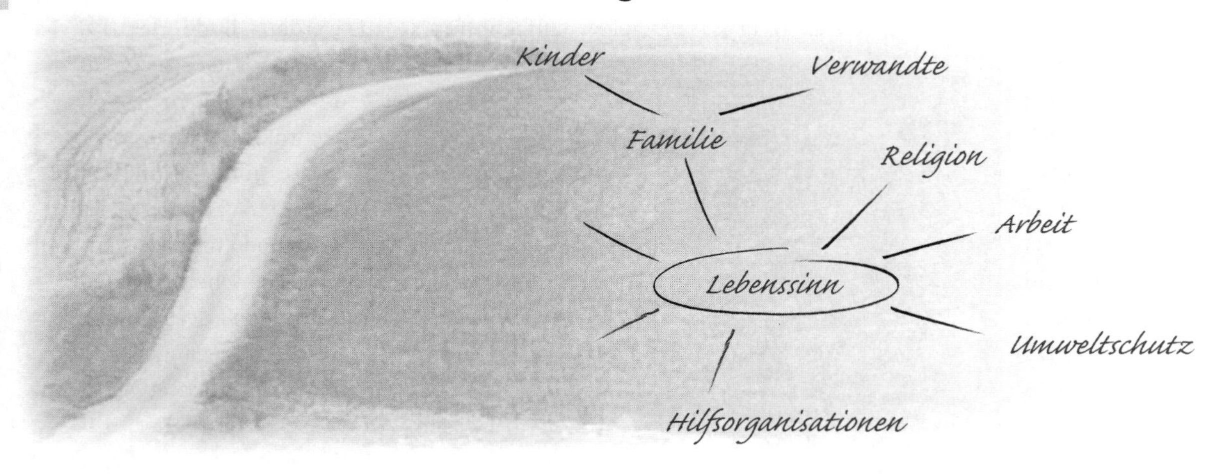

Ergänzen Sie die passenden Begriffe.

KURSBUCH A1-A4

Engagement *(n)* ◆ Gleichgültigkeit ◆ Lebenskrise ◆ Lebenssinn *(m)* ◆ Pubertät ◆ Sekte ◆ Selbsthilfegruppe ◆ Umbruch *(m)*

1 ______________________
Die Zeit zwischen Kindheit und Erwachsensein.

2 ______________________
Das ist das Zentrum meines Lebens, das ist mir wichtig.

3 ______________________
Eine sehr plötzliche und große Veränderung im Leben.

4 ______________________
Eine Zeit, in der man viel über sich und das Leben nachdenkt, in der man sich nicht wohl fühlt, in der man etwas in seinem Leben ändern will oder muss.

5 ______________________
Eine Gruppe von Menschen, die das gleiche glauben, die aber nicht zu den großen Religionen gehören.

6 ______________________
Man arbeitet für eine Hilfsorganisation, man handelt statt zuzuschauen.

7 ______________________
Man empfindet nicht mit anderen mit, alles ist egal.

8 ______________________
Eine Gruppe von Menschen, die das gleiche Problem haben, z. B. Alkoholiker sind. Sie treffen sich regelmäßig und versuchen sich gegenseitig zu helfen, ihr Problem zu lösen.

A 3 **Lesen Sie die Überschriften und ordnen Sie sie den Abschnitten zu.**

Sinnsuche früher und heute ◆ Der Mensch auf Sinnsuche ◆
Zufriedenheit ohne Sinnsuche ◆ Der richtige Weg

1 ______________________

Der kleine dicke Hund, der da in der Sonne liegt und friedlich schläft, hat es gut: Jemand hat ihm zu fressen gegeben, er ist satt. Jemand hat ihn gestreichelt, er ist zufrieden. Die Sonne wärmt ihn. Mehr braucht er nicht. Er macht sich keine Gedanken über den nächsten Tag oder das nächste Jahr. Er fragt sich nie, ob es richtig und sinnvoll ist, gerade jetzt zu schlafen oder was der ganze Zirkus mit seinem Hundeleben eigentlich soll. Wir Menschen mit dem größeren Gehirn können noch so viel nachdenken, studieren, meditieren oder die Sterne befragen – sich so satt und wohl fühlen im Hier und Jetzt, das erreichen wir nie.

2 ______________________

Der Mensch ist, jedenfalls soweit wir wissen, das einzige Wesen, das sich mit der Frage nach dem Sinn seines Tuns und seines Lebens beschäftigt. Auch wenn viele große Geister in den vergangenen Jahrtausenden viele Antworten gefunden haben, stolpert jeder Mensch irgendwann ganz für sich allein in den Dschungel der Sinnsuche. Selten in glücklichen Zeiten, meistens in Umbrüchen und Lebenskrisen, zum ersten Mal spätestens in der Pubertät, wenn an der Schwelle zum Erwachsenen-Leben alles möglich und doch nichts mehr klar und sicher erscheint.

3 ______________________

Die traditionellen Sinngeber – Familie, Gemeinschaft, Gott, Vaterland – haben an Bedeutung verloren. Zwar sehen noch 91 Prozent der Befragten einer Forsa-Umfrage im Familienleben Lebenssinn. Die Realität sieht aber anders aus: Jede dritte, in den Großstädten gar jede zweite Ehe wird heute geschieden. Und es leben 4,5 Millionen Deutsche im „Familienalter" zwischen 25 und 64 allein.

Viele Jahrhunderte glaubten die Menschen daran, von einer göttlichen Kraft zum Leben mit all seinen Höhen und Tiefen bestimmt zu sein und nach dem Tod in die Ewigkeit aufgenommen zu werden. Ende des 19. Jahrhunderts ersetzte in der westlichen Welt Technik, Naturwissenschaft und Rationalität das Ur-Vertrauen in Religionen und Mythen.

Heute scheint vielen Deutschen der Glaube verloren gegangen zu sein: Nur noch etwa 42 Prozent der über 14-Jährigen glauben an den Gott des Christentums. Etwa 24 Prozent glauben an eine göttliche Kraft „unabhängig von allen Religionen" und der Rest – jeder dritte – an gar keinen Gott.

Etwa zwei Millionen Menschen suchen Halt und Lebensinhalt in einer Sekte. Die Anhänger der New Age- und Esoterik-Welle sind ungezählt.

4 ______________________

Aber liegt der Sinn nicht doch im Handeln? Im aktiven Engagement mit und für Menschen, gegen die Gleichgütigkeit?

Immerhin sind in Deutschland allein 150 000 Menschen Mitglied in einer Umweltschutz-Organisation. Das ist nur die Spitze des Eisbergs, denn da sind noch die vielen anderen, die Flüchtlinge oder Obdachlose betreuen, sich in Selbsthilfegruppen engagieren, für einen Kindergarten oder gegen eine sinnlose Schnellstraße vor ihrer Haustür kämpfen. Oder der Müllmann, der aus dem Abfall des Überflusses Spielzeug sortiert und für Flüchtlingskinder repariert.

Der Sinn ist wohl nur in der paradoxen Maxime „Der Weg ist das Ziel" zu verwirklichen. Sinn kann nicht gegeben, sondern muss gefunden werden. Auf welchem Weg, zu welchem Ziel, kann nur jeder für sich selbst herausfinden.

4 **Machen Sie eine Textzusammenfassung: Sortieren Sie die Sätze.**

- ☐ Familie, Gemeinschaft, Gott und Vaterland sind heute nicht mehr wo wichtig wie früher.
- ☐ Jeder Mensch muss selbst nach dem Sinn seines Lebens suchen.
- ☐ Spätestens mit der Pubertät kommen die Fragen nach dem Sinn des Lebens.
- ☐ Lange Zeit fanden die Menschen den Sinn des Lebens in Gott.
- 1 Der Mensch kann nie so selbstzufrieden sein wie ein Tier, weil er über den Sinn seines Lebens nachdenkt.
- ☐ Den Sinn des Lebens finden heute viele eher darin, sich zu engagieren, anderen zu helfen.

Wie ist das in Ihrem Land? Schreiben oder diskutieren Sie.

KURSBUCH A5

Alles Ehrensache!

KURSBUCH B1-B5

1 **Was passt zusammen? Markieren Sie.**

1 das Ehrenamt ☐
2 der Ehrendoktor ☐
3 der Ehrenplatz ☐
4 der Ehrengast ☐
5 das Ehrenmitglied ☐
6 Das ist doch Ehrensache! ☐
7 der Ehrentag ☐
8 jdm. sein Ehrenwort geben ☐

a) etwas fest versichern oder versprechen
b) etwas ist ganz selbstverständlich
c) besonders wichtiger Gast bei einer Veranstaltung oder bei einer Feier
d) akademischer Titel ohne Dissertation für spezielle Leistungen, von einer Universität verliehen
e) Aufgabe oder Arbeit, die man ausführt, ohne dafür bezahlt zu werden
f) besonderer Tag, an dem jemand Geburtstag oder ein Jubiläum hat
g) Mitglied in einem Verein, einer Partei o. ä., der keinen Beitrag dafür zahlen muss
h) ganz besonderer Platz, an den man etwas stellt oder an dem man sitzt

Suchen Sie im Wörterbuch weitere Komposita mit „Ehren-".

2 **Was meinen Sie? Wo arbeiten die Leute ehrenamtlich? Hören und markieren Sie.**

> **eh·ren·amt·lich** *Adj*; so, dass die Person, die die Tätigkeit ausübt, nicht dafür bezahlt wird ⟨e-e Funktion⟩: *Sie arbeitet als ehrenamtliche Helferin für das Rote Kreuz* ‖ *hierzu* **Eh·ren·amt** *das*

- ☐ bei der Freiwilligen Feuerwehr
- ☐ bei der Polizei
- ☐ in der Bahnhofsmission
- ☐ im Supermarkt
- ☐ bei Stadtführungen
- ☐ beim Arzt
- ☐ in öffentlichen Parks
- ☐ bei Ämtern und Behörden
- ☐ im Sportverein
- ☐ bei Banken
- ☐ im Gesangsverein
- ☐ bei der Telefonseelsorge

3 **Warum engagieren sich die Leute ehrenamtlich?**
Hören Sie noch einmal und machen Sie Notizen.

– *weil der Großvater und der Vater auch schon dabei waren*
– *um anderen Menschen zu helfen*
– ...

B 4

Lesen und ergänzen Sie die Tabelle und die Regeln.

In Deutschland engagieren sich etwa sechs Millionen Menschen ehrenamtlich: bei der Freiwilligen Feuerwehr oder in der Bahnhofsmission, im Verein oder bei der Telefonseelsorge. Ehrenamtliche bringen kranke Menschen zum Arzt oder ins Krankenhaus, helfen ausländischen Nachbarn bei Behördengängen und alten Menschen beim Einkaufen, pflegen öffentliche Parks und Grünanlagen, arbeiten als Dirigent beim Gesangsverein oder organisieren Stadtführungen. Oft machen sie die gleichen Arbeiten wie ihre hauptamtlichen Kollegen, aber sie erhalten dafür keinen Pfennig Geld. Ihr einziger Lohn sind die Artikel, die Journalisten über sie schreiben, und die Dankbarkeit der Menschen, denen sie geholfen haben.

Die n-Deklination

Singular

NOM	AKK	DAT	GEN
der Mensch			
	den Dirigenten		
		dem Kollegen	
			des Journalisten

Plural

NOM	AKK	DAT	GEN
(die) Menschen			*der Menschen*
	(die) Dirigenten		
		(den) Kollegen	
			(der) Journalisten

Nominativ Singular ◆ -ist, -ent/-ant, -e ◆ Nationalitäten ◆ Nomen

1 Einige maskuline ___________ folgen der „n-Deklination“: Außer im ___________________ sind die Kasus-Endungen immer „-n“ bzw. „-en“.

2 Die Wörter der „n-Deklination“ bezeichnen oft Berufe (Journalist, Dirigent, Psychologe), ___________ ___________ (Franzose, Chinese) oder Tiere (Affe, Hase).

3 Man muss die Wörter der „n-Deklination“ extra lernen. Es gibt aber auch einige Endungen (________ ___________), die anzeigen, dass das Nomen zur „n-Deklination“ gehört.

B 5

Haben Sie schon ehrenamtlich gearbeitet, würden Sie ehrenamtlich arbeiten? Warum? Wo?

6

Was passt für wen? Lesen und sortieren Sie.

1 Beate G., 45 Jahre, arbeitet als Musiklehrerin und möchte gerne einen Chor oder ein Orchester leiten. ☐
2 Hildegard Z., 58 Jahre, ist von Beruf Erzieherin und möchte gerne im Garten arbeiten. ☐
3 Karlheinz M., 51 Jahre, ist Lehrer und möchte gerne noch mehr unterrichten. ☐
4 Ursula R., 62 Jahre, ist Hausfrau und möchte gerne noch zusätzlich in einem gemeinnützigen Büro arbeiten. ☐
5 Monika F., 39, ist Hausfrau und würde gerne bei der Organisation und Vorbereitung von Tombolas und gemeinnützigen Veranstaltungen mithelfen. ☐

a) **Fahrradwerkstatt für Schule**
Überprüfen der Fahrrad-Funktionstüchtigkeit
Voraussetzung: Handwerkliche Fähigkeiten
Ort: Ostend

b) **Kontakte für Seniorenorchester**
Organisation/Veranstaltung von Konzerten
Voraussetzung: Musikalische Kenntnisse, Kontaktfähigkeit und Redegewandtheit
Ort: eigene Wohnung

c) **Deutschunterricht**
Hilfe im Unterricht für ausländische MitarbeiterInnen im Altenzentrum
Voraussetzung: Gutes Deutsch, Einfühlungsvermögen
Ort: Hausen

d) **Büroarbeit/Archivierung/Telefon**
Briefe/Manuskripte schreiben, Archivierungsarbeiten, Telefon
Voraussetzung: Positive Einstellung zu Flüchtlingen/Ausländern
Ort: Nordend

e) **Helfen per Telefon**
Dame mit netter, verbindlicher Art für Telefonzentrale eines Vereins gesucht
Voraussetzung: Erfahrung mit Büro- und Telefondienst
Ort: Bockenheim

f) **Arbeitskreis Weihnachtsbasar**
Strümpfe, Schals o. ä. stricken
Voraussetzung: Gute Handarbeitskenntnisse
Ort: eigene Wohnung

g) **Garten für betreute Anwohner**
Mit Bewohnerinnen einmal wöchentlich den Garten pflegen
Voraussetzung: Liebe zum Garten
Ort: Sachsenhausen

C

Zwischen den Zeilen

1

Machen Sie Nomen mit der Endung „-schaft".

1 der Freund	*die Freundschaft, -en*	6 der Nachbar	______
2 der Bekannte	*die Bekanntschaft, -en*	7 der Kamerad	______
3 der Partner	______	8 bereit	______
4 der Verwandte	______	9 gemein	______
5 der Mann	______	10 wissen/das Wissen	______

Nomen mit der Endung „-schaft" haben immer den Artikel ______. Der ______ wird immer mit „-en" gebildet. Nomen mit „-schaft" bezeichnen ein Verhältnis, in dem Menschen zueinander stehen (Freundschaft, ______) oder ein Gruppe (Mannschaft, ______).

Lesen Sie die Definitionen und bilden Sie passende Komposita.

der Ball ◆ die Bereitschaft ◆ der Dienst ◆ der Fuß ◆ die Gemeinschaft (3x) ◆ die Mannschaft ◆ der Raum ◆ der Zweck ◆ Wohnen

1 Auch nachts oder sonntags ist jemand da, bekommt man Hilfe, z. B. im Krankenhaus oder bei der Feuerwehr. *der Bereitschaftsdienst*
2 Mehrere Leute leben zusammen, sind aber keine Familie. ____________
3 Ein Zimmer für viele Leute, z. B. die Küche im Studentenwohnheim ____________
4 22 Leute spielen mit einem Ball. *zwei* ____________
5 Menschen bilden eine Gruppe, weil sie das Gleiche wollen. ____________

C3

Ergänzen Sie die passenden Nomen.

Bereitschaftsdienst ◆ Fußballmannschaft ◆ Freundschaften ◆ Gemeinschaftsräume ◆ Nachbarschaft ◆ Partnerschaft ◆ Verwandtschaft ◆ Wohngemeinschaft ◆ Zweckgemeinschaft

Zeitung in der Schule

In Düsseldorf gibt es das „Don Bosco-Haus“. Das ist ein Haus für Obdachlose, die nicht mehr auf der Straße leben wollen. Schüler der Klasse 9b des Cecilien-Gymnasiums haben sich im „Don Bosco-Haus“ umgesehen und mit dem Leiter und einem Bewohner ein Interview gemacht.

Als das „Don Bosco-Haus“ gegründet wurde, gab es Probleme mit den Bewohnern des Viertels. Sie wollten keine Probleme in ihrer direkten ____________ (1) haben. Sie hatten viele Ängste, z. B. dass die Obdachlosen stehlen und auf der Straße Alkohol trinken und so einen schlechten Einfluss auf die Kinder ausüben könnten. Das hat sich aber schnell geändert.

Im „Don Bosco-Haus“ gibt es 72 Plätze in Ein- und Zweibettzimmern und eine ____________ (2) von fünf Frauen. Sozialarbeiter betreuen die Bewohner von 7 bis 21 Uhr montags bis freitags und zusätzlich gibt es einen ____________ (3), der außerhalb dieser Zeiten zur Verfügung steht. Den Hausbewohnern stehen folgende ____________ (4) zur Verfügung: ein Café und eine Bücherei. Vor kurzem wurde sogar die erste ____________ (5) gegründet. Seitdem wird jeden Samstag auf dem Sportplatz hinter dem Haus trainiert.

Die Gründe, warum Menschen obdachlos werden, sind sehr verschieden, aber oft fängt alles mit einem privaten Schicksalsschlag an: Zum Beispiel mit dem Tod des Partners oder mit dem plötzlichen Ende einer langjährigen ____________ (6).

Auch bei Herrn Hansen war das so. Nach der Trennung von seiner Familie konnte er kein normales Leben mehr führen. Weder in der ____________ (7) noch im Freundeskreis gab es jemanden, der ihm half. Herr Hansen sagt, dass die Obdachlosen sich auf der Straße zwar zusammentun, dass sie eine ____________ (8) bilden, aber dass auf der Straße keine ____________ (9) entstehen können. Herr Hansen ist seit einem Jahr im „Don Bosco-Haus“. Er hat gerade eine Lehre beendet und möchte sich jetzt eine Arbeit suchen und dann eine Wohnung mieten. Er hofft, dass er bald wieder ein normales Leben führen kann.

Hören und vergleichen Sie.

Der Ton macht die Musik

1 **Hören Sie, sprechen Sie nach und markieren Sie den Wortgruppenakzent.**

4/3

Bei Konsonantenhäufungen spricht man alle Konsonanten ohne Zwischenvokale. Dies gilt auch bei Wortgrenzen: Wörter werden miteinander verbunden und klingen **wie ein Wort**.

zum Beispiel	kein Problem	falls nötig
viel wert	alles Gute	Moment mal!
am liebsten	ziemlich verrückt	Urlaub machen
nach Paris	nach Berlin	in Rom
nicht fließend	jeden Tag trainieren	das klingt gut
nimm dein Buch	ein paar Vokabeln	was mich nervt

Erinnern Sie sich?
Die Konsonanten „b", „d", „g" und „s" spricht man unterschiedlich. Vergleichen Sie: ***Brief – Job, Deutsch – und, Glück – Dialog, Sinn – Glas.***

Aufgaben
Wann spricht man diese Konsonanten weich als [b], [d], [g] und [z]?
Wann spricht man sie hart als [p], [t], [k] und [s]?
Sortieren Sie die Wörter in Gruppen und finden Sie für jede Gruppe mindestens drei Beispiele.
Wie spricht man „v", „st" und „sp" am Wortanfang und am Wortende?
Bilden Sie Gruppen und finden Sie Beispielwörter.

2 **Lesen Sie und ergänzen Sie die fehlenden Buchstaben.**

schnell __ernen ◆ vie__ lieber ◆ im __oment ◆ ko____ mit ◆ ka____ nicht ◆ mein __ame
fün__ vor halb ◆ akti__ fördern ◆ effekti__ vorbereiten ◆ Stoff __ür ◆ intensi__ Phonetik
Deutsch __reiben ◆ Engli__ sprechen ◆ fantastisch __till ◆ ab __aris ◆ Partizi__ Perfekt
priva__ treffen ◆ und __rotzdem ◆ statt __ropfen ◆ ein Stück __uchen ◆ jeden Ta__ kochen

bis __onntag ◆ nicht__ sagen ◆ ab __erlin ◆ ein Jo__ bei ◆ ist __as ◆ un__ du
genu__ Geld ◆ Glück __ehabt! ◆ 100 Mar__ Gewinn ◆ auf __unsch ◆ akti__ werden ◆ el__ Videos

Gleiche Konsonanten an Wortgrenzen spricht man **wie einen Laut**: *fünf=vor, ab=Paris, und=trotzdem.*
Ist der zweite Konsonant weich, spricht man **Kompromiss-Laute***): *auf=Wunsch, ab=Berlin, und=du.*
*„Kompromiss-Laute": nicht so hart wie [s], [p], [t], [k], [f] – nicht so weich wie [z], [b], [d], [g], [v].

4/4 **Jetzt hören Sie und sprechen Sie nach.**

3 **Lesen Sie die Dialoge und markieren Sie Bindungen (‿ oder ‿) und Neueinsätze (|).**

- Was | ist denn deine Lieblingsfarbe?
  - ■ Ich mag Gelb besonders gern. Und du?
- Ich finde Grün nicht schlecht, und Rot | ist | auch | okay.
  - ■ Ich werde | an | uns denken, wenn | ich | an 'ner | Ampel steh.

- Fahrt ihr mit dem Auto oder mit der Bahn in Urlaub?
  - ■ Ich will fliegen, aber Ralf will lieber mit der Bahn nach Rom fahren, und Tom möchte nicht nach Rom, sondern nach Paris.
- Und was soll jetzt passieren? Worauf wollt ihr euch verständigen? Wie sieht da ein Kompromiss aus?
  - ■ Im Moment ziemlich verrückt: Wir fahren erst mit dem Auto nach Berlin, nehmen ab Berlin die Bahn nach Paris, fliegen ab Paris und fahren in Rom mit Mietwagen. Und was mich am meisten nervt: Jeden Tag kommt ein neuer Vorschlag! Ich mag gar keinen Urlaub mehr machen …

- Ich kann noch nicht fließend Deutsch sprechen. Was soll ich tun? Was rätst du mir?
  - ■ Dir fehlt Training! Du musst täglich üben: ein paar Vokabeln, ein Stück Grammatik und intensiv Phonetik. Jeden Tag gezielt trainieren? Viel Deutsch sprechen? … Am besten zu zweit! … Sich privat treffen? Fantastisch schnell lernen? Bei Kaffee und Kuchen? Das klingt doch gut! Wann fangen wir an? Wann soll es losgehen? Wo treffen wir uns? Bei mir oder dir?
- Moment mal! … Was soll das? … Nein, ich kann nicht. … Nun mal langsam.
  - ■ Du kannst doch auch allein aktiv werden. Nimm dein Buch und lern mit Tangram!

Erinnern Sie sich?
Vokale oder Diphthonge am Wort- oder Silbenanfang spricht man mit **Neueinsatz**:
Rot | ist | auch | okay.
„H" am Wort- oder Silbenanfang hört man als **Hauchlaut**.
*Um Punkt **h**alb fährt die Bahn.*

4/5-7 **Jetzt hören, vergleichen und üben Sie.**

E Umweltschutz

E 1 **Lesen Sie den Text und erklären Sie dann folgende Begriffe.**

Biotonne ◆ Der Grüne Punkt / Gelber Sack ◆ Glascontainer ◆ Müll trennen ◆ Recycling-Hof ◆ Restmüll ◆ Verpackungsmüll

In welche Tonne mit dem Müll?

In Deutschland gibt es für den Müll einen gelben Sack und verschiedene Tonnen, dazu Glascontainer und erst seit relativ kurzer Zeit Biotonnen. Es ist nicht immer leicht zu wissen, was in welche Tonne kommt. Und es ist nicht immer leicht, Müll zu trennen, wenn man nur eine Mini-Küche hat, in der man dann vier oder fünf Mülleimer unterbringen muss. Es gibt regionale Unterschiede, welche Tonnen vor der Haustür stehen und welchen Müll man zum Container oder zu einem so genannten Recycling-Hof bringen muss.

Der gelbe Sack ist für Verpackungsmüll. Alle Lebensmittelverpackungen, die einen grünen Punkt tragen, dürfen dort entsorgt werden. Es gibt eine Tonne für Altpapier. Aber sie ist nur für unbeschichtetes Papier, also z. B. nicht für Milchtüten – die gehören in den gelben Sack. Eine Tonne ist für den so genannten Restmüll da. Alles, was man nicht wieder verwerten kann, wandert in diese Tonne und wird verbrannt. Glascontainer stehen in jedem Viertel. Man hat keine allzu langen Wege dorthin. Die Biotonne ist für Küchenabfälle, also Essensreste, Kartoffelschalen etc. Diese Abfälle werden zu Erde.

Wie ist das in Ihrem Land? Schreiben oder berichten Sie.

E 2 **Lesen und markieren Sie. Welcher Text antwortet auf welches Vorurteil?**

Die häufigsten Vorurteile über Mülltrennung:

Die häufigsten Vorurteile über Mülltrennung:

Vorurteil 1
„Wir haben die Arbeit und die Gebühren steigen.“ ☐

Vorurteil 2
„Zum Müllsparen sind doch alle zu faul.“ ☐

Vorurteil 3
„Wir sortieren, und hinterher wird wieder alles zusammengeworfen.“ ☐

Vorurteil 4
„Alles zu verbrennen wäre billiger und einfacher.“ ☐

Vorurteil 5
„Wenn ich schon für den Grünen Punkt zahle, kann ich ruhig Dosen kaufen.“ ☐

Vorurteil 6
„Der Einzelne hat sowieso keinen Einfluss.“ ☐

Die häufigsten Vorurteile über Mülltrennung

A

Billiger schon. Eine Tonne Kunststoff zu verbrennen kostet 400 Mark, sie wieder zu verwerten 1800 Mark. Verbrennen ist auch nicht grundsätzlich schlechter als verwerten. Technisch wäre es kein Problem, neue Müllverbrennungsanlagen so zu bauen, dass kaum Schadstoffe austreten. Das wesentliche Argument von Experten gegen die Verbrennung: Sie ist nicht zukunftsweisend. Anstatt Ressourcen zu verbrauchen, sollte man in ihre Rückgewinnung investieren. Neue Technologien zu entwickeln, das ist zwar zunächst teuer, auf die Dauer macht es sich aber bezahlt.

B

Stimmt. Die Müllgebühren haben sich seit Einführung des Grünen Punktes vor acht Jahren mehr als verdoppelt. Der Grund dafür: Dank Mülltrennung wandert weniger Abfall in die Verbrennungsanlagen – die sind deshalb nicht mehr ausgelastet. Um wirtschaftlich arbeiten zu können, haben die Betreiber die Preise erhöht. Anstatt den Kunden, der Müll sortiert, zu belohnen, weil er Ressourcen schont, bitten ihn die Firmen zur Kasse.

C

Offenbar ein Gerücht. Um das „Duale System Deutschland" (DSD) zu überprüfen, haben die Bundesländer zwei unabhängige Firmen beauftragt. Die Mitarbeiter besuchen jährlich etwa 100 Sortieranlagen vor Ort, kontrollieren auch die Datenbanken des DSD. Was stimmt: 62 Prozent der Kunststoffabfälle wie zum Beispiel Bonbontüten oder kleine Joghurtbecher können nicht recycelt werden - sie werden stattdessen verbrannt. Verwenden kann man für neue Produkte beispielsweise Plastiktaschen, aus denen Rohre und Säcke entstehen.

D

Gerade das Beispiel Bierdosen zeigt, dass das nicht stimmt: Gäbe es keine große Nachfrage, würden sie gar nicht erst produziert. Beim Umweltproblem Müll gilt: Es gibt nicht den großen Wurf, sondern viele kleine Schritte. Der beste Müll ist der, der gar nicht erst entsteht. Zugegeben: Das ist unbequem. Wer das Mehrwegsystem unterstützen will, muss Pfandflaschen statt Plastikflaschen nach Hause tragen. Wer unnötige Verpackungen sparen will, muss Taschen oder Körbe zum Einkauf mitnehmen und Wurst und Käse lose an der Theke kaufen statt verpackt in Folie. Aber nur so können die Verbraucher der Industrie zeigen, was sie wollen.

E

Im Gegenteil. Die Bundesbürger verbrauchen pro Kopf 13 Prozent weniger Verpackungsmüll als Anfang der neunziger Jahre. Zahlreiche Firmen und Versandhäuser haben ganz auf Verpackungen verzichtet, statt die Verpackungen größer, aufwendiger und schöner zu machen.

F

Vor allem Bier in Dosen ist konkurrenzlos billig, seit einige große Brauereien Deutschlands Supermärkte damit beliefern. Deshalb werden jedes Jahr mehr Dosen und weniger Mehrwegflaschen verkauft. Hält der Trend an, wird laut Verpackungsverordnung bald ein Zwangspfand von 50 Pfennig auf jede Einwegflasche, jede Dose und jeden Milchkarton fällig. Dann müssen Verbraucher, wenn sie ihr Geld wiederhaben wollen, die Dosen in den Supermarkt zurückbringen, statt sie einfach wegzuwerfen. Ob diese Androhung das umweltfreundliche Mehrwegsystem retten kann, ist allerdings zweifelhaft. Denn die Supermärkte könnten mit dem Pfand sogar Profit machen: Wenn nur zehn Prozent der Verbraucher die leeren Verpackungen einfach wegwerfen, statt sie zurückzubringen, bleiben den Supermärkten mehrere Millionen Mark Gewinn. Der Effekt davon? Sie bestellen gewinnbringende Dosen statt platzfressender Pfandflaschen.

E 3

Lesen Sie die Beispiele und ergänzen Sie die Regeln.

1 **Anstatt** Ressourcen **zu verbrauchen**, sollte man in ihre Rückgewinnung investieren.
2 Sie bestellen gewinnbringende Dosen **statt** platzfressender Pfandflaschen.
3 Wer das Mehrwegsystem unterstützen will, muss Pfandflaschen **statt** Plastikflaschen nach Hause tragen.

einen Gegensatz ◆ Konjunktion ◆ Präposition

1 Die Konjunktion „(an)statt" und die Präposition „statt" drücken ______________________ aus: Sie nennen eine Alternative, die gleichzeitig verneint wird.
2 Die ______________ „(an)statt" leitet einen Nebensatz ein. Sie wird meistens mit „Infinitiv mit zu" benutzt. Dann gilt das Subjekt des Hauptsatzes auch für den Nebensatz.
3 Die ______________ „statt" steht mit dem Genitiv *(platzfressender Pfandflaschen)*.

Suchen Sie im Text oben nach weiteren Beispielsätzen.

Mit „(an)statt" betont man die verneinte Alternative, mit „stattdessen" die reale Alternative. Vergleichen Sie:
Bonbontüten verbrennt man, statt sie zu recyceln. (= Man recycelt sie nicht.)
Bonbontüten können nicht recycelt werden – sie werden stattdessen verbrannt.

E 4

Was passt zusammen? Markieren Sie.

1 Anstatt sich um den Müll so viel Gedanken zu machen, ☐
2 Ich werde immer Dosen ☐
3 Ich habe keine Lust, statt einem Mülleimer ☐
4 Alle Leute sollten bei der Mülltrennung mitmachen, ☐

a) fünf in der Küche zu haben.
b) statt Pfandflaschen kaufen. Die sind so leicht.
c) statt gedankenlos alles in eine Tonne zu werfen.
d) sollte man sich lieber um arme Menschen kümmern.

Was halten Sie von Mülltrennung? Trennen Sie Ihren Müll?

E 5

Hören und antworten Sie.

Ihr Partner wartet vor dem Theater auf Sie. Sie sind wie immer zu spät. Ihr Partner ist sehr wütend und wirft Ihnen alle Ihre Fehler vor. Sie haben ein schlechtes Gewissen.

● *Ich halte das nicht mehr aus. Egal, wann und wo wir uns treffen, immer kommst du zu spät. Im Restaurant muss ich auf dich warten, zum Kino kommst du zu spät und jetzt auch noch zum Theater. Warum musst du denn immer bis zur letzten Minute im Büro bleiben?*

■ *Entschuldige bitte.* ***Statt*** *immer zu spät* ***zu kommen****, sollte ich lieber früher mit der Arbeit aufhören.*

● *Ja, genau, statt immer zu spät zu kommen, solltest du lieber früher mit der Arbeit aufhören. Aber es ist ja nicht nur deine Unpünktlichkeit! Heute musste ich noch bügeln und spülen, obwohl du mir vor einer Woche versprochen hattest, das alles zu machen. Aber du hast ja nur dein Skatspielen im Kopf.*

■ *Entschuldige bitte.* ***Statt*** *des Skatabends sollte ich vielleicht besser meine Haushaltsarbeiten machen.*

1	immer zu spät kommen	lieber früher mit der Arbeit aufhören
2	Skatabend	vielleicht besser meine Haushaltsarbeiten machen
3	so lange im Bett liegen bleiben	vielleicht mal den Hund Gassi führen
4	Lottoschein	besser die Überweisung ausfüllen
5	die Post immer in die Schublade legen	sie vielleicht mal lesen und beantworten
6	deine Mutter verärgern	schnell das Paket abholen und ihr antworten
7	Geschäftstermine	lieber unsere privaten Termine notieren
8	Überstunden machen	mit dir ausgehen

SCHREIBWERKSTATT

Suchen Sie im Mülleimer nach einem Gegenstand (z. B. eine Getränkedose) und lassen Sie ihn erzählen.

a) Planen

- Was für Gegenstände findet man in einem Mülleimer? Sammeln Sie Ideen und wählen Sie einen Gegenstand aus, der eine interessante „Lebensgeschichte" haben könnte.
- Machen Sie sich Notizen zu folgenden Fragen:
  - Was denkt und fühlt dieser Gegenstand, wenn er sich an seine Vergangenheit erinnert, wenn er die traurige Gegenwart und die mögliche Zukunft betrachtet?
  - Wovor hat er Angst?
  - Was wünscht er sich?

b) Formulieren

- Stellen Sie sich vor, der Gegenstand spricht leise vor sich hin. Schreiben Sie eine Art „inneren Monolog" in der Ich-Form.
- Machen Sie kurze, einfache Sätze.
- Verbinden Sie die Sätze mit „als", „meistens", „manchmal", „deshalb", „aber", „jetzt" usw.
- Benutzen Sie Perfekt oder Präteritum, wenn der Gegenstand von seiner Vergangenheit erzählt. Benutzen Sie Präsens für die Gegenwart und Präsens oder Futur für die Zukunft.
- Versuchen Sie, den Gegenstand mit viel Gefühl sprechen zu lassen. Ist er z. B. traurig, wütend oder hoffnungsvoll?
- Geben Sie Ihrem Text einen Titel.

Jetzt liege ich schon seit mindestens zwei Tagen hier herum und niemand beachtet mich. Es ist schrecklich dunkel und mir tut alles weh. Ich bin doch noch gar nicht so alt. Soll das schon alles gewesen sein? Früher war ich eine wunderschöne, glänzende Dose und stand stolz im Supermarkt im Regal …

c) Überarbeiten

- Lesen Sie Ihren Text noch einmal oder mehrmals langsam durch und korrigieren Sie mögliche Rechtschreib- und Grammatikfehler (z. B. beim Tempusgebrauch).
- Versetzen Sie sich in die Rolle des Lesers und überprüfen Sie: Ist das, was Sie geschrieben haben, verständlich und klar formuliert? Hört es sich an wie gesprochene Sprache?

Variante

Schreiben Sie einen Dialog zwischen zwei Gegenständen in einem Mülleimer. Sie könnten sich z. B. solche Fragen stellen:

- Wie bist du hierher gekommen?
- Wovon träumst du?
- Was ist für dich der Sinn des Lebens?

G

Kurz & bündig

Wortschatzarbeit

Was passt zu „Lebenssinn", zu „Ehrenamt", zu „Umweltschutz"?
Finden Sie ein Wort zu jedem Buchstaben.

____ L *iebe*		____ U ____
____ e ____		____ m ____
____ b ____	____ E ____	____ w ____
____ e ____	____ h ____	____ e ____
____ n ____	____ r ____	____ l ____
____ s ____	____ e ____	____ t ____
____ s ____	____ n ____	____ s ____
Fam i *lie*	____ a ____	____ c ____
____ n ____	____ m ____	____ h ____
____ n ____	____ t ____	____ u ____
		____ t ____
		____ z ____

Jemand fragt Sie: „Was gibt Ihrem Leben Sinn?" Was antworten Sie?

Meine Regel für die n-Deklination

Antworten Sie.

Jemand fragt Sie, ob es auch in Ihrem Heimatland Menschen gibt, die ehrenamtlich arbeiten.
Was antworten Sie?

Was machen Sie für die Umwelt?

Ein Freund von Ihnen trennt seinen Müll nicht, sondern wirft alles in eine Tonne. Sie möchten, dass er das ändert. Was sagen Sie zu ihm?

Meine Regel für die „(an)statt"-Sätze

Interessante Wörter und Ausdrücke

Medienwelten

LEKTION 11

A

Ferngesehen – gern gesehen

A 1

Schreiben Sie Wortkarten für folgende Medien.

Zeitschrift ◆ Film ◆ Internet ◆ Brief ◆ Fernsehen ◆ Computer ◆ Buch ◆ Fax ◆ Radio ◆ Zeitung ◆ Telefon ◆ E-Mail ◆ Handy

die Zeitschrift, -en
der Film, -e

Sortieren Sie die Wortkarten in Gruppen.

Man liest es:
die Zeitschrift

Man hört und/oder sieht es:
der Film

elektronische Medien
der Film

Printmedien*
die Zeitschrift

Unterhaltung/Information
die Zeitschrift

Kommunikation
das Internet

*to print = engl. „drucken"

Lesen Sie die Wort-Gruppen ohne Überschriften vor. Die anderen raten die Überschriften.

Welche Medien benutzen Sie am meisten? Wie informieren Sie sich? Berichten oder schreiben Sie.

KURSBUCH A1-A2

2

Kombinieren Sie diese Wörter mit „Fernseh-" oder „-fernsehen" und vergleichen Sie mit dem Wörterbuch.

Antenne ◆ Farbe ◆ Gebühren ◆ Gerät/Apparat ◆ Kabel ◆ Konsum ◆ privat ◆ Programm ◆ Sender ◆ Sendung ◆ Zeitschrift ◆ Zuschauer

Fernseh-	*-fernsehen*
8 die Fernsehantenne	*4 das Farbfernsehen*

Was passt wo? Ergänzen Sie.

1 kommerzielle Sender, die sich hauptsächlich durch Werbung finanzieren
2 ein abgeschlossener Teil im Fernsehen
3 kauft man, um zu wissen, was im Fernsehen läuft
4 gibt es in Deutschland seit 1967
5 alles, was im Fernsehen läuft
6 anderes Wort für „Fernseher"
7 bietet über 30 verschiedene Programme
8 wichtig, wenn man keinen Kabelanschluss hat
9 jemand, der fernsieht
10 die Zeit, die man vor dem Fernseher verbringt
11 muss man bezahlen, um fernsehen zu dürfen
12 produziert ein Programm und strahlt es aus

A 3 **Wer steht „vor" und wer steht „hinter" der Kamera? Sortieren Sie.**

Moderator/in ◆ Regisseur/in ◆ Nachrichtensprecher/in ◆ Schauspieler/in ◆ Ansager/in ◆ Kameramann/frau ◆ Showmaster/in ◆ Reporter/in

„vor" der Kamera	„hinter" der Kamera
Moderator/in	

Was macht eine Moderatorin, ein Regisseur ...? Berichten oder schreiben Sie.

sprechen ◆ ansagen ◆ berichten über ◆ filmen ◆ spielen ◆ moderieren ◆ drehen ◆ Regie führen ◆ berichten aus ◆ machen

eine Rolle ◆ eine Sendung ◆ das Programm ◆ ein Spielfilm ◆ eine Quizsendung ◆ das Ausland ◆ Interviews ◆ die Nachrichten ◆ eine Talkshow ◆ aktuelle Ereignisse

Eine Moderatorin moderiert eine bestimmte Sendung, z.B. eine Talkshow. Sie spricht mit den Gästen und stellt Fragen zum Thema.

KURS A3

A 4 **Lesen Sie den Text und ordnen Sie die Überschriften 1–5 den Abschnitten A–E zu.**

1 Fernsehen – immer mehr gesehen ☐
2 Mehr Unterhaltung, weniger Information ☐
3 Die Qual der Wahl A
4 Fernsehen – bald nicht mehr so wichtig? ☐
5 Zwei ungleiche Gegner ☐

A Wer in Deutschland die Fernbedienung des Fernsehers in die Hand nimmt und unentschlossen durch die Angebote der verschiedenen Sender zappt, hat die Wahl zwischen mehr als 30 Programmen – wenn sein Haushalt verkabelt ist. Noch größer ist die Auswahl für Besitzer einer privaten Satellitenschüssel: Allein über das Satellitensystem Astra können 60 Programme aus ganz Europa empfangen werden. Diese Vielzahl von Angeboten gibt es seit 1984, als zum ersten Mal in der Geschichte der Bundesrepublik Deutschland privatwirtschaftlich organisiertes Fernsehen zugelassen wurde.

B Bis dahin waren Fernsehprogramme nur vom öffentlich-rechtlichen Rundfunk angeboten worden. Durch eine politische Entscheidung konnte nun auch der privat-kommerzielle Rundfunk „auf Sendung gehen" und es entstand eine Rundfunk- und Fernsehlandschaft, die mit dem freundlichen Begriff „duales System" nicht sehr treffend charakterisiert ist. Der schnelle Tod des öffentlich-rechtlichen Rundfunks, der von einigen vorausgesagt worden ist, ist zwar nicht eingetreten, aber zwischen den „Partnern" herrscht ein scharfer Wettbewerb, der das Rundfunksystem insgesamt bereits heute stark verändert hat und weiter verändern wird. Dabei folgen die Konkurrenten einer unterschiedlichen Logik: Öffentlich-rechtlicher Rundfunk braucht Geld, um Programm zu machen. Privatfernsehen braucht Programm, um Geld zu machen.

TV in Deutschland

C Aber nicht nur das Fernsehen, auch die Fernsehzuschauer haben sich verändert. Vor allen Dingen sehen sie mehr fern. Von öffentlich-rechtlich bis Pay-TV: An einem normalen Wochentag sind in 88% aller deutschen Haushalte die Fernsehgeräte eingeschaltet. Und von Jahr zu Jahr wird länger zugeschaut. In den vergangenen zehn Jahren stieg die Zeit, die die Deutschen durchschnittlich vor dem Fernseher verbrachten, um fast eine Dreiviertelstunde. Schon die 3- bis 13-Jährigen sehen täglich 100 Minuten fern.

D Doch die Entwicklung der neuen Medien wird auch für das Fernsehen Folgen haben. Noch ist es am Abend die liebste Beschäftigung der Deutschen. Immer stärker in den Vordergrund rückt aber das Fernsehen „nebenbei" – beim Essen, bei der Hausarbeit, beim Surfen im Internet. Und bald wird abends vielleicht nicht mehr automatisch der Fernseher eingeschaltet werden, denn das Leitmedium der Zukunft steht schon bereit: der Computer – wenn es ihm gelingt, alle bisher getrennten Medien zusammenwachsen zu lassen.

E Der Fernsehmarkt der Zukunft zeigt deutliche Tendenzen: mehr spezialisierte Programme für mehr Geld, die sich an noch differenziertere Zielgruppen wenden. Information wird noch mehr als bisher hinter Unterhaltung zurücktreten. Einschaltquote und Marktanteil entscheiden über Wohl und Wehe der Sender. Es sei denn, der Zuschauer entdeckt, dass er mehr vom Fernsehen will als Marktstrategen ihm zutrauen. Die Diskussion um die Fernsehzukunft in Deutschland ist noch nicht beendet.

Das Passiv in Perfekt, Plusquamperfekt und Futur I
Das Passiv im Präteritum bildet man mit **wurde- + Partizip Perfekt**:
1984 ***wurde*** *zum ersten Mal privatwirtschaftlich organisiertes Fernsehen* ***zugelassen****.*
Das Passiv im Perfekt und Plusquamperfekt bildet man mit **ist/war + Partizip Perfekt + worden**:
Bis 1984 ***waren*** *Fernsehprogramme nur vom öffentlich-rechtlichen Rundfunk* ***angeboten worden****.*
Der Tod des öffentlich-rechtlichen Rundfunks, der von einigen ***vorausgesagt worden ist****, ist nicht eingetreten.*
Das Passiv im Futur I bildet man mit **werden + Partizip Perfekt + werden**:
Bald ***wird*** *abends vielleicht nicht mehr automatisch der Fernseher* ***eingeschaltet werden****, sondern der Computer.*

Lesen Sie die Erklärungen, suchen Sie die Wörter im Text und ergänzen Sie.

A 1 ______________ = Institution, die Radio- und Fernsehprogramme sendet
2 ______________ = zwischen verschiedenen Programmen immer hin und herschalten
3 ______________ = einen Kabelanschluss für viele verschiedene Programme haben
4 ______________ = Antenne, mit der man Fernsehprogramme über Satellit empfangen kann
5 ______________ ≈ erlauben
B 6 ______________ = am Gewinn orientiert
7 ______________ ≈ beschreiben, bezeichnen
8 ______________ ≈ Konkurrenz
9 ______________ = *hier:* Art des Denkens, Denkweise
C 10 ______________ = spezielle Privat-Sender, für die man extra bezahlen muss
D 11 ______________ = das wichtigste Medium
E 12 ______________ ≈ Trend
13 ______________ = Anzahl der Zuschauer einer Sendung
14 ______________ = *hier:* Erfolg oder Misserfolg

Machen Sie eine Textzusammenfassung: Sortieren Sie die Sätze.

☐ Insgesamt zeigen die aktuellen Trends, dass die meisten Fernsehzuschauer lieber unterhalten als informiert werden wollen.
☐ Der öffentlich-rechtliche Rundfunk ist seitdem mit einer harten Konkurrenz konfrontiert.
☐ Parallel zur Erweiterung des Programmangebots hat auch der Fernsehkonsum der Deutschen zugenommen.
1 Seit 1984 sind in der Bundesrepublik Deutschland private Fernsehsender erlaubt.
☐ Allerdings wird das Fernsehen heute von neuen Medien wie Computer und Internet immer mehr in den Hintergrund gedrängt.

Was machen Sie beim Fernsehen? Berichten oder schreiben Sie.

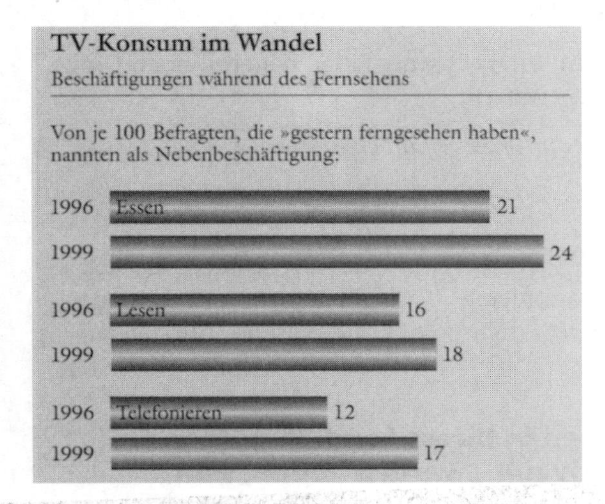

beim + Verb als Nomen
Wenn man zwei Dinge gleichzeitig tut, benutzt man „beim + Verb".
Das Verb wird dann groß geschrieben wie ein Nomen, weil ein Artikel davor steht (beim = *bei + dem*).
Ich bügle oft ***beim Fernsehen. Beim Bügeln*** *sehe ich oft fern.*

Lerntipp:
Nehmen Sie mit dem Videorecorder eine deutsche Fernsehsendung auf (z. B. eine Serie oder einen Spielfilm), schauen Sie sich den Anfang der Sendung (ca. fünf Minuten) **ohne Ton** an und überlegen Sie: Worum geht es hier? Die W-Fragen (Wer? Was? Wann? Wo? Warum? ...) helfen Ihnen dabei. Schauen Sie sich die Szene dann noch einmal **mit Ton** an und überprüfen Sie dabei Ihre Vermutungen.
Wählen Sie eine Person aus, die Ihnen sympathisch ist. Schauen Sie sich die Szene ein drittes Mal an und drücken Sie jedes Mal die **Pausentaste**, wenn „Ihre" Person zu sprechen beginnt. Formulieren Sie, was „Ihre" Person sagen wird, und vergleichen Sie dann mit dem Original.
Üben Sie mit Hilfe der Pausentaste und der „Ton aus"-Taste, bis Sie „Ihre" Person gut synchronisieren können. Achten Sie dabei auch auf die Sprechweise (Lautstärke, Rhythmus, Betonung, Melodie).
Wenn Sie in Kleingruppen arbeiten, können Sie die Sprecherrollen verteilen und eine Szene komplett synchronisieren.

A 5

Lesen Sie den Text und die Textzusammenfassung noch einmal. Ergänzen Sie die Passiv-Formen und die Regeln.

	werden-PASSIV (Handlung/Prozess)	sein-PASSIV (Zustand/Resultat)
1	Wer in Deutschland die Wahl zwischen mehr als 30 Programmen haben will, muss dafür sorgen, dass sein Haushalt verkabelt wird.	→ Wer in Deutschland die Fernbedienung des Fernsehers in die Hand nimmt ..., hat die Wahl zwischen mehr als 30 Programmen – wenn sein Haushalt ________ ________ .
2	Diese Vielzahl von Angeboten gibt es seit 1984, als zum ersten Mal ... privatwirtschaftlich organisiertes Fernsehen ________ ________ .	→ Seit 1984 ist in der Bundesrepublik Deutschland privatwirtschaftlich organisiertes Fernsehen zugelassen.
3	Der öffentlich-rechtliche Rundfunk wurde damals mit einer harten Konkurrenz konfrontiert.	→ Seitdem ________ der öffentlich-rechtliche Rundfunk mit einer harten Konkurrenz ________ ________ .
4	Heute ________ das Fernsehen von neuen Medien immer mehr in den Hintergrund ________ .	→ Bald wird das Fernsehen von neuen Medien in den Hintergrund gedrängt sein.
5	Es wird zur Zeit um die Fernsehzukunft in Deutschland diskutiert.	→ Die Diskussion um die Fernsehzukunft in Deutschland ________ noch nicht ________ .

An einem normalen Wochentag werden in 88% aller deutschen Haushalte die Fernsehgeräte eingeschaltet.	→ An einem normalen Wochentag sind in 88% aller deutschen Haushalte die Fernsehgeräte eingeschaltet.

Adjektiv ◆ Partizip Perfekt ◆ sein ◆ Zustand

1 Das Passiv bildet man normalerweise mit „werden" und ________ . Es beschreibt Handlungen oder Prozesse: *Die Fernsehgeräte* ***werden eingeschaltet****. = Die Menschen schalten die Fernsehgeräte ein.* → Handlung.

2 Um einen ________ oder ein Resultat zu beschreiben, kann man das Passiv auch mit ________ und Partizip Perfekt bilden. Das Partizip Perfekt hat dann dieselbe Funktion wie ein ________ : *Die Fernsehgeräte* ***sind eingeschaltet****. → die* ***eingeschalteten*** *Fernsehgeräte* → Zustand.

A 6

Hören und sprechen Sie.

Sie wollen sich zu zweit einen gemütlichen Fernsehabend machen. Ihrem Partner fallen dauernd noch Dinge ein, die erledigt werden müssen – aber Sie haben natürlich an alles gedacht.

● *Schatzi! Vergiss bitte nicht, die Haustür abzuschließen, bevor wir es uns hier gemütlich machen.*

■ *Aber Schatz! Die Haustür* ***ist*** *schon längst* ***abgeschlossen****.*

● *Die ist schon abgeschlossen? Na, dann ist ja gut. ...*

1 die Haustür abschließen	5 die Vorhänge zuziehen	9 das Geschenk einpacken
2 Brote machen	6 den Videorekorder programmieren	10 die Rechnung bezahlen
3 den Wein aufmachen	7 die Videocassette einlegen	11 die Wäsche aufhängen
4 die Spülmaschine ausräumen	8 das Abo verlängern	12 den Fernseher einschalten

KÜ

A 7

Berichten oder schreiben Sie über das Fernsehen in Ihrem Land. Benutzen Sie dabei möglichst viele dieser Verben im Passiv mit „werden" oder „sein".

abonnieren ◆ anbieten ◆ ausschalten ◆ diskutieren ◆ einschalten ◆ empfangen ◆ finanzieren ◆ informieren ◆ organisieren ◆ senden ◆ verbieten ◆ verkabeln ◆ zulassen (erlauben) ◆ ...

In meiner Heimat ist das Fernsehen staatlich organisiert. Es gibt zehn Programme ...

KÜ

3

Wer liest, sieht mehr

1

Was passt? Ergänzen Sie.

Wochenzeitungen ◆ Nachrichtenmagazine ◆ Tageszeitungen ◆ Fachzeitschriften ◆ Boulevardzeitungen (Regenbogenpresse)

1 ______________________ berichten genau über Aktuelles aus Politik, Wirtschaft, Kultur und Sport. Überregionale ______________________ werden auch an anderen Orten gelesen, regionale und lokale ______________________ berichten vor allem über die Region.

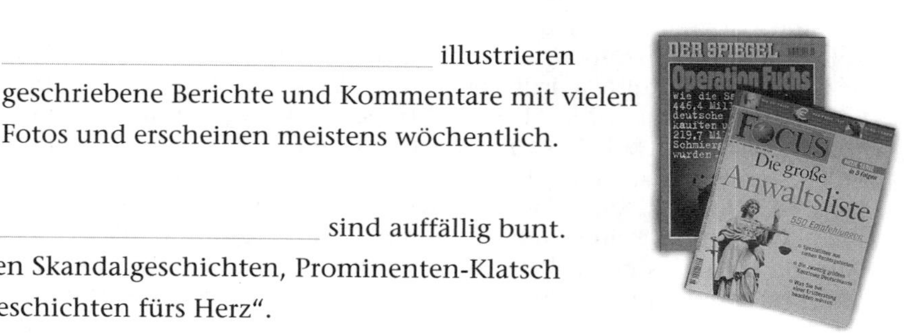

2 ______________________ illustrieren geschriebene Berichte und Kommentare mit vielen Fotos und erscheinen meistens wöchentlich.

3 ______________________ sind auffällig bunt. Sie bieten Skandalgeschichten, Prominenten-Klatsch und „Geschichten fürs Herz“.

4 ______________________ befassen sich wegen ihrer Erscheinungsweise mehr mit den Hintergründen von Ereignissen und beleuchten wichtige Themen von verschiedenen Seiten.

5 ______________________ richten sich an eine sehr spezielle Zielgruppe und bieten viele und genaue Informationen zu dem jeweiligen Wissensgebiet.

Welche Rubriken gibt es normalerweise in einer Tageszeitung? Markieren Sie.

☐ Garten	☐ Nachrichten	☐ Kontakte	☐ Wirtschaft	☐ Psychologie
☐ Feuilleton/Kultur	☐ Fernsehprogramm	☐ Horoskop	☐ Vermischtes	☐ Wetter
☐ Sport	☐ Ernährung	☐ Lokalnachrichten	☐ Medien	☐ Leserbriefe

KURSBUCH B2-B5

2

Was passt wo? Markieren Sie.

1 Büro, in dem Nachrichten aus aller Welt gesammelt und an Presse, Rundfunk und Fernsehen weitergegeben werden ☐
2 anderes Wort für „Zeitung“ ☐
3 jemand, der Artikel für die Veröffentlichung (in Zeitungen, Zeitschriften usw.) bearbeitet oder eigene Artikel schreibt ☐
4 Tätigkeit des Redakteurs; Gesamtheit der Redakteure; Arbeitsräume der Redakteure
5 Journalist, der regelmäßig (aus dem In- oder Ausland) aktuelle Berichte für Presse, Rundfunk oder Fernsehen liefert ☐
6 von einem Reporter vor Ort hergestellter Bericht über ein aktuelles Ereignis ☐
7 Geschäftsbereich, Aufgabengebiet ☐

a) Reportage
b) Redakteur
c) Ressort
d) Korrespondent
e) Nachrichtenagentur
f) Redaktion
g) Blatt

B 3 **Lesen Sie den Anfang des Artikels und markieren Sie: Worum geht es hier?**

- um eine Wochenzeitung
- um ein Nachrichtenmagazin
- um eine Tageszeitung
- um eine Fachzeitschrift
- um eine Boulevardzeitung

Aus dem Leben eines Nachrichtenredakteurs

Verfolgt vom Lauf der Welt

Kaum ist das Blatt gemacht, bringt eine Eilmeldung alles durcheinander

Sdt. München (Eigener Bericht) – Manchmal hat der Nachrichtenredakteur einen Traum: Nur ein einziges Mal möchte er der Kollege von Seite Drei* sein. Mit dem besten Schreiber des Hauses würde er morgens gegen 10 eine packende, genau recherchierte und glänzend formulierte Reportage vereinbaren, 350 Zeilen und keine mehr, höchstens einen kurzen, zum Thema passenden Artikel des Chefredakteurs würde er noch akzeptieren. (Fast) nichts könnte ihn aus der Ruhe bringen, kein Attentat, kein Flugzeugabsturz, keine Wahl. Und abends ginge er zufrieden heim.

Wie anders das reale Leben des Nachrichtenmannes. Immer verfolgt ihn der rasende Lauf der Welt, und wenn er einmal glaubt, endlich fertig zu sein, kommen Eilmeldungen rein und alles fängt von vorne an. Nicht selten muss er innerhalb weniger Minuten mühsam ausgearbeitete Berichte wieder rausschmeißen, weil Platz für wichtigere oder neuere Ereignisse gemacht werden muss. Was eben noch auf Seite 1 stand, wandert auf eine der hinteren Seiten, wo dann ein anderer Artikel gekürzt oder ganz aus dem Blatt

Lesen Sie jetzt den ganzen Artikel und lösen Sie die Aufgaben 1–7.

Wie in kaum einem anderen Ressort sind in der Nachrichtenredaktion Flexibilität, spontane Entscheidungen und schnelles Reagieren notwendig – und das unter großem Zeitdruck. Der Zeitfaktor entscheidet, ob eine Nachricht den Leser noch erreicht. Immer schneller werdende Kommunikationsmittel bringen den Korrespondentenbericht auch aus der entferntesten Ecke der Welt in Minutenschnelle auf den Bildschirm der Zentrale. Trotzdem ist immer noch das *Können* des Redakteurs das alles entscheidende Kriterium: Er muss ein sicheres Gespür bei der Auswahl der Nachrichten haben und das Handwerk des Schreibens verstehen. Schnell wechselnde Technologien bestimmen immer mehr den Arbeitsalltag des Redakteurs. Schon lange sind große Teile der technischen Zeitungsproduktion in die Redaktion verlagert. Ganze Zeitungsseiten, inklusive Fotos und anderer grafischer Elemente, werden am Bildschirm gestaltet.

Täglich produziert die Nachrichtenredaktion bis zu fünf Seiten. Ihre Informationen bekommt sie von den fast 30 Auslands- und den 40 Inlandskorrespondenten sowie mehreren hundert freien Mitarbeitern. Außerdem arbeitet die Redaktion zusammen mit den großen Nachrichtenagenturen. Hinzu kommen täglich Hunderte von Telefaxen von Organisationen und Privatpersonen.

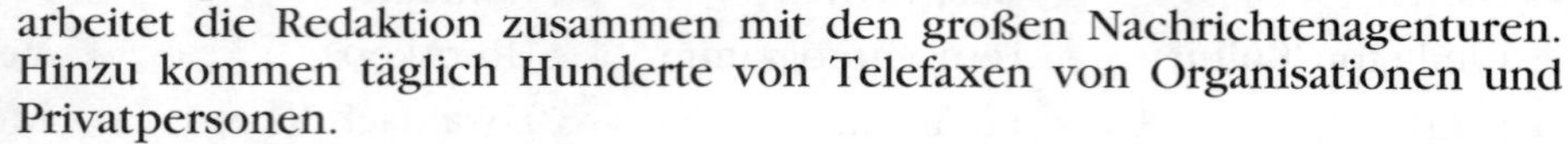

Die aus 13 Redakteurinnen und Redakteuren bestehende Nachrichtenredaktion hat die Aufgabe, diesen nicht endenden Strom von Informationen und durchschnittlich 600 Fotos der Nachrichten- und Bildagenturen zu bearbeiten. Dies passiert täglich (außer samstags) zwischen 9 und 23 Uhr und auch noch bis weit nach Mitternacht, wenn die Ereignisse (zB. Wahlen) noch späte Aktualisierungen notwendig machen. Von 9 Uhr an überfliegen und ordnen der Ressortleiter und sein Stellvertreter das nachts eingegangene Material – geteilt in Inlands- und Auslandsnachrichten. Sie sprechen mit den Korrespondenten über Themen und Artikel-Längen. Sobald gegen Mittag feststeht, wie viel Platz in der Zeitung für die Redaktion und wie viel für die Anzeigen zur Verfügung steht, werden die Nachrichten, zusammengefasst nach Themen oder Ländergruppen, zur weiteren Bearbeitung auf die einzelnen Redakteure verteilt.

Gestaltet und illustriert werden die Seiten am Bildschirm jeweils von einem verantwortlichen Redakteur und auf der Grundlage eines weitgehend gleich bleibenden Seitenlayouts. Wie bei einem aus vielen verschiedenen Einzelteilen zusammengesetzten Puzzle wird die Seite so in wenigen Stunden zu einem

* Die „Seite Drei" ist eine besondere Rubrik der Süddeutschen Zeitung. Hier findet der Leser immer eine lange Reportage zu einem wichtigen Thema.

Was steht im Text? Markieren Sie die richtige Lösung: a, b oder c.

1 Nachrichtenredakteure
- a) können immer genau nach Plan arbeiten.
- b) müssen sehr flexibel sein.
- c) haben keine festen Arbeitszeiten.

2 Die Nachrichtenredaktion bekommt ihr Material
- a) nur von den Korrespondenten im In- und Ausland.
- b) ausschließlich über die großen Nachrichtenagenturen
- c) aus vielen verschiedenen Quellen.

3 Das Team der Nachrichtenredaktion besteht aus
- a) mehreren hundert Mitarbeitern.
- b) dem Ressortleiter und seinem Stellvertreter.
- c) 13 Redakteurinnen und Redakteure im Haus.

4 Die Nachrichtenredaktion bekommt ihr Material
- a) ständig.
- b) zwischen 9 und 23 Uhr.
- c) bis 17 Uhr.

5 Über welche Ereignisse berichtet wird,
- a) entscheiden die einzelnen Redakteure.
- b) entscheidet das Redaktionsteam gemeinsam.
- c) entscheiden der Ressortleiter und sein Stellvertreter.

6 Die Gestaltung und Illustration der Zeitungsseiten
- a) übernimmt ein Grafiker.
- b) übernimmt ein Redakteur.
- c) übernehmen freie Mitarbeiter.

7 Eine neue, wichtige Nachricht erreicht den Leser nur,
- a) wenn auf den Seiten noch genug Platz ist.
- b) wenn sie rechtzeitig vor Redaktionsschluss eintrifft.
- c) wenn sie vom Chefredakteur kommt.

4 **Suchen Sie die passende Stelle im Text. Ergänzen Sie die Partizipien und die Regeln.**

		Partizip Präsens	Partizip Perfekt	
1	eine	*packende*,		
	genau		*recherchierte*	und
	glänzend		______	Reportage
2	einen kurzen, zum Thema	______		Artikel des Chefredakteurs
3	der	______		Lauf der Welt
4	mühsam		______	Berichte
5	immer schneller	______		Kommunikationsmittel
6	das alles	______		Kriterium
7	schnell	______		Technologien
8	die aus 13 Redakteurinnen und Redakteuren	______		Nachrichtenredaktion
9	diesen nicht	______		Strom von Informationen
10	das nachts		______	Material
11	auf der Grundlage eines weitgehend gleich	______		Seitenlayouts
12	bei einem aus vielen verschiedenen Einzelteilen		______	Puzzle

Adjektive ◆ Adjektivendung ◆ Infinitiv ◆ kurz und bündig ◆ Nomen ◆ Partizip Präsens ◆ Passiv

1 Das ______________________ und das Partizip Perfekt kann man wie ein Adjektiv benutzen. Es steht dann immer links vom ____________________ . So kann man komplizierte Zusammenhänge ________________________ ausdrücken. *(immer schneller **werdende** Kommunikationsmittel = Kommunikationsmittel, die immer schneller **werden**; mühsam **ausgearbeitete** Berichte = Berichte, die mühsam **ausgearbeitet worden sind**)*
2 Das Partizip Präsens hat immer Aktiv-Bedeutung *(eine **packende** Reportage = eine Reportage, die den Leser **„packt"**)*. Es wird gebildet aus: ______________ + -d- + ____________________________ .
3 Das Partizip Perfekt hat als Adjektiv meistens _______________-Bedeutung *(eine genau **recherchierte** Reportage = eine Reportage, die genau **recherchiert worden ist**)*.
4 Einige Partizipien sind echte ______________________ geworden und haben einen eigenen Eintrag im Wörterbuch.

wech·seln·d- *Adj; nur attr, ohne Steigerung, nicht adv*; einmal so u. einmal anders ≈ unterschiedlich: *mit wechselndem Erfolg*

pa·ckend 1 *Partizip Präsens*; ↑ **packen 2** *Adj*; ⟨ein Roman, ein Film⟩ so, dass man nicht aufhören kann, sie zu lesen od. anzusehen ≈ fesselnd

Partizipien rechts vom Nomen
Bei sehr langen nominalen Ausdrücken steht das Partizip mit seinen Ergänzungen, abgetrennt mit Kommas und ohne Adjektiv-Endung, manchmal rechts vom Nomen.
*Mittags werden **die nach Themen und Ländern zusammengefassten Nachrichten** auf die einzelnen Redakteure verteilt.*
*→ Mittags werden **die Nachrichten, zusammengefasst nach Themen und Ländern**, auf die einzelnen Redakteure verteilt.*

Verben als Nomen
Man kann Verben auch als Nomen benutzen. Sie werden dann großgeschrieben, sind *neutrum* und stehen häufig mit Artikel.
*In der Nachrichtenredaktion sind Flexibilität, spontane Entscheidungen und schnelles **Reagieren** notwendig.*
*Trotzdem ist immer noch **das Können** des Redakteurs das alles entscheidende Kriterium.*
*Er muss das Handwerk **des Schreibens** verstehen.*

B 5 Bilden Sie Partizipien und formulieren Sie die Sätze neu.

Kleiner Leitfaden für angehende Redakteure
Eine Reportage, die den Leser **packt** und **fasziniert**, muss schon durch ein Layout, das **anspricht**, und durch Fotos, die **auffallen** und **zum Inhalt passen**, das Interesse des Lesers wecken. Ein Titel, der **viel verspricht**, und ein paar Sätze, die **gut formuliert sind** und **neugierig machen**, sind die Voraussetzungen, die **entscheiden**. Der Artikel selbst sollte nur Informationen enthalten, die **gut recherchiert worden sind** und **zum Thema gehören**. Auf unwichtige Informationen, die **niemand interessieren**, auf unklare Formulierungen, die **verwirren** und auf Wiederholungen, die **ermüden**, sollte man verzichten. Eine Reportage, die **beeindrucken** soll, enthält immer auch Aspekte, die **überraschen**, und glänzt mit Formulierungen, die **treffen** und **gut gewählt worden sind**.

Eine packende und faszinierende Reportage muss schon durch ein ansprechendes Layout und durch auffallende, zum Inhalt passende Fotos das Interesse des Lesers wecken. ...

B 6 Beschreiben Sie eine Zeitung oder Zeitschrift, die Sie gern lesen.

täglich ◆ wöchentlich ◆ regelmäßig ◆ gut ◆ schlecht ◆ besonders ◆ schön ◆ interessant ◆ ...

faszinierend ◆ passend ◆ wechselnd ◆ packend ◆ entscheidend ◆ geschrieben ◆ gestaltet ◆ schockierend ◆ aufregend ◆ beeindruckend ◆ umfassend ◆ ausreichend ◆ auffallend ◆ glänzend ◆ ansprechend ◆ erscheinend ◆ illustriert ◆ störend ◆ überraschend ◆ verwirrend ◆ ...

Zeitung/Zeitschrift ◆ Geschichte/n ◆ Artikel ◆ Rubrik/en ◆ Foto/s ◆ Reportage/n ◆ Nachrichten ◆ Informationen ◆ Anzeige/n ◆ Layout ◆ ...

Ich lese regelmäßig „Die Woche". Das ist eine wöchentlich erscheinende Zeitung mit einem ansprechenden Layout und interessanten Artikeln. Sie bietet umfassende Informationen zu interessanten Themen. ...

Unterwegs auf dem Daten-Highway

Was passt? Markieren Sie.

1 der Computer	4 die Diskette	7 die Maus	10 das Kabel
2 der Monitor / der Bildschirm	5 die Tastatur	8 die CD-Rom	11 das Laufwerk
3 der Drucker	6 das Modem	9 der Lautsprecher	12 die Festplatte

Was passt nicht? Streichen Sie.

1 den Computer	(aus)drucken ◆ ausschalten ◆ installieren ◆ einschalten
2 die Daten	eingeben ◆ löschen ◆ einschalten ◆ speichern
3 eine Diskette	einlegen ◆ formatieren ◆ zappen ◆ herausnehmen
4 einen Text	speichern ◆ chatten ◆ (aus)drucken ◆ kopieren
5 das Programm	installieren ◆ kopieren ◆ surfen ◆ schließen
6 im Internet	suchen ◆ surfen ◆ chatten ◆ zappen
7 eine E-Mail	verschicken ◆ abstürzen ◆ schreiben ◆ lesen

KURSBUCH C1-C4

Lesen Sie die Aufgaben 1–11, dann hören Sie. Markieren Sie: richtig oder falsch.

richtig falsch

1 Isabel Fehsenfeld hat sich zum Geburtstag einen PC gewünscht.
2 Sie hat zum Geburtstag von Ihren Söhnen einen PC bekommen.
3 Sie nutzt ihren Computer zum Spielen und Briefe schreiben.
4 Ingeborg Dietsche findet, dass das Internet Männersache bleiben sollte.
5 Im Internet hat sie einen Studenten kennen gelernt und ihm ein Foto geschickt.
6 Sie möchte eine Homepage für Hausfrauen einrichten.
7 Rosmarie Ottolinger arbeitet beruflich viel mit dem Computer.
8 Sie besucht Internet-Adressen, die sie in der Zeitung findet.
9 Sie findet es gut, dass sich die Leute in den Chatrooms mit „du" ansprechen.
10 Seit einigen Jahren gibt es Seniorentreffs, die Computerkurse anbieten.
11 Isabel Fehsenfeld hat ihren Computer ihrer Enkelin geschenkt.

C 4 Ergänzen Sie „seit", „bis", „während" oder „bevor" .

Isabel Fehsenfeld:

1 __________ sie das Paket öffnen durfte, musste sie erst einmal raten, was es sein könnte.
2 Abends spielt sie noch ein paar Runden Solitaire oder Backgammon am PC, __________ sie ins Bett geht.
3 __________ ich das Ding zum ersten Mal angestellt habe, bin ich davon fasziniert.
4 Oft probiere ich stundenlang, __________ etwas richtig funktioniert.

Ingeborg Dietsche:

5 __________ ich einen Internet-Anschluss habe, entdecke ich jeden Tag aufs Neue, was für tolle Möglichkeiten das Internet bietet.
6 Der hat mir mein Alter nicht geglaubt, __________ ich ihm ein Foto von mir geschickt habe.
7 __________ wir hier reden, habe ich wahrscheinlich schon wieder ein paar Mails im Briefkasten.

Rosmarie Ottolinger:

8 __________ sie keine Arbeit mehr hat, ist der Computer ihr Hobby.
9 Ich sitze täglich mindestens einmal dran, z. B. mittags, __________ ich darauf warte, dass die Kartoffeln gar werden.
10 __________ ich regelmäßig ins Internet ging, war ich immer sehr förmlich mit neuen Bekannten.

4/10

Hören Sie noch einmal und vergleichen Sie. Ergänzen Sie die Regeln.

am Anfang ◆ bis ◆ gleichzeitig ◆ nacheinander ◆ seit ◆ temporale

„Seit", „bis", „während" und „bevor" sind ______________ Konjunktionen. Sie stehen ______________ ______________ von Nebensätzen. Die Bedeutungen sind:

- zwei Handlungen geschehen ______________ : während
- zwei Handlungen geschehen ______________ : bevor
- eine Handlung hat zu einem festen Zeitpunkt begonnen: __________
- eine Handlung endet zu einem festen Zeitpunkt: __________

Erinnern Sie sich?

Seit, während und **bis** können auch Präpositionen sein:

Seit *einigen Jahren ...*
Während *dieser Zeit ...*
... ***bis*** *1946 ...*

Aufgaben

Welchen Kasus brauchen **seit, während** und **bis**?
Welche anderen Präpositionen zur Zeitangabe kennen Sie?
Machen Sie Beispielsätze mit **seit, während** und **bis** als Präpositionen und als Konjunktionen.
Welche anderen temporalen Konjunktionen kennen Sie?
Machen Sie eine Liste und Beispielsätze.

C 5 Welche Konjunktion passt? Ergänzen Sie.

Auch der vierundsechzigjährige Werner Ludwig hatte nie daran gedacht, sich einen Computer zu kaufen, ______________ (1) *(während/bis/wenn)* er eines Tages ein entscheidendes Erlebnis hatte. ______________ (2) *(Bevor/Seit/Als)* er plötzlich nicht mehr mit dem Katalog in der Stadtbibliothek umgehen konnte, erkannte er, dass er etwas ändern musste. __________ (3) *(Seit/Bis/Wenn)* er dieses Erlebnis hatte, verbindet ihn eine Art „Hassliebe" mit dem PC. Der Hass kommt aber immer nur dann, __________ (4) *(nachdem/wenn/seit)* wieder mal irgendwas nicht klappt. __________ (5) *(Seit/Wenn/Bevor)* er sich um einen Internet-Anschluss kümmerte, besuchte er erst einmal einen Internet-Einführungskurs für Senioren.
Der Computer – das ist für Werner Ludwig auch ein Mittel, sich in die Politik einzumischen. So wie neulich, __________ (6) *(bevor/als/wenn)* es um die Rentenreform ging. __________ (7) *(Seit/Bis/Nachdem)* er der Berliner Zeitung eine „Leser-Mail" geschrieben hatte, hat er gleich eine Kopie davon an www.bundestag.de weitergeleitet. Doch viel häufiger kommt es vor, dass er private E-Mails verschickt – an seinen Sohn in den USA zum Beispiel. __________ (8) *(Bevor/Während/Seit)* er einen Internet-Anschluss hat, ist der Kontakt viel intensiver geworden.

C 6 Surfen Sie oder Ihre Freunde im Internet? Schreiben Sie E-Mails? Und wie hat alles angefangen? Berichten oder schreiben Sie.

Zwischen den Zeilen

1

Was passt? Markieren Sie.

1 Vor allem wenn die Kinder sich langweilen oder frustriert sind, schalten sie die **Glotze** ein. ▢

2 Als wir dann in dieses Haus zogen, haben wir den **Kasten** rausgeschmissen. ▢

3 Die Kinder waren einverstanden. Fast alle sind begeisterte **Leseratten** geworden. ▢

4 Das hat mir eine Lebensqualität beschert, die ich mir immer gewünscht habe: z.B. Zeit, mal wieder so einen richtigen **Schmöker** zu lesen. ▢

5 Es dauert ewig, bis ich mal jemanden **an der Strippe habe**. ▢

6 Wie war das noch? Ein Computer ist auch nur ein Mensch? Also versuche ich es **auf die nette Tour**. ▢

7 Tipps für **Computerfreaks** ▢

8 Während ich **nach x Versuchen** noch immer auf die Tasten haue und merke, wie sich meine gute Laune langsam verabschiedet, habe ich endlich DIE Idee. ▢

a) auf eine freundliche Art und Weise

b) mit jemand telefonieren, jemand telefonisch erreichen

c) jemand, der sich sehr für Computer interessiert

d) der Fernseher (2x)

e) jemand, der sehr viel und gern liest

f) nach vielen Versuchen

g) ein spannendes und dickes Buch

2

Ergänzen Sie die umgangssprachlichen Begriffe aus D1.

● Sag mal, hast du gestern „Lindenstraße" gesehen?

■ Ne, ich hab keine Lust, ständig vor ______________ zu sitzen. Ich lese lieber so einen richtigen ______________ . Außerdem haben meine Eltern ______________ vor ein paar Wochen abgeschafft.

● Echt? Na dann ... Du bist eigentlich schon immer eine ______________ gewesen. Immer noch besser als Steffen. Den hatte ich gestern Abend ______________ endlich mal wieder ______________ . Wir sehen uns ja kaum noch. Er sitzt nur noch zu Hause rum. Seit Neuestem ist er zum ______________ geworden, und das nervt mich total.

■ Das kann ich verstehen. Aber ich glaube, bei dem musst du's echt ______________ versuchen. Sonst erreichst du gar nichts.

● Ja, wahrscheinlich hast du Recht ...

/11 **Hören und vergleichen Sie.**

3

Was ist richtig? Markieren Sie.

Umgangssprache ...	Umgangssprache ...
▢ sollte man vorsichtig benutzen.	▢ wird meistens von Geschäftsleuten verwendet.
▢ kann man immer benutzen.	▢ wird meistens von jungen Menschen verwendet.
▢ sollten nur Muttersprachler benutzen.	▢ wird meistens von älteren Menschen verwendet.

KURSBUCH E

E Der Ton macht die Musik

E 1 Hören Sie, sprechen Sie nach und markieren Sie die Akzentsilben (__) und die Satzakzente (═).

4/12

Normalakzente	Kontrastakzente
Wer nicht liest, ist doof. Das Lesen ist für mich lebenserklärend.	Wer nicht liest, ist trotzdem doof. Das Lesen ist für mich lebenserklärend. Das Lesen war und ist für mich lebenserklärend. Das Lesen ist nicht nur für mich lebenserklärend. Das Lesen ist für mich lebenserklärend, ja sogar lebensrettend.
Ich habe das Leben kennen gelernt.	In den Büchern habe ich das Leben kennen gelernt. In den Büchern habe ich das Leben kennen gelernt, das die Schule vor mir versteckt hatte.
In Büchern zeigt sich mir eine andere Realität.	In Büchern zeigt sich mir eine andere Realität. In Büchern zeigt sich mir eine andere Realität als die, in die meine Eltern mich pressen wollten.
Die Fernsehprogramme haben sich verändert. Die Fernsehzuschauer haben sich verändert.	Nicht nur die Fernsehprogramme, auch die Fernsehzuschauer haben sich verändert.
Wenn Sie einen Telefonanschluss haben, können Sie im Internet surfen.	Wenn Sie nur einen Telefonanschluss haben, können Sie nicht telefonieren, wenn Sie im Internet surfen.

E 2 Ergänzen Sie die Regeln und Beispiele aus E1.

1 ____________________ sind stärker als ____________________ (= man spricht lauter und deutlicher).
Sie zeigen Gefühle oder betonen besonders wichtige Informationen und Gegensätze.

2 Mit Kontrastakzenten betont man auch:
Funktionswörter*) (= normalerweise kein Akzent) ____________________
sonst unbetonte Silben (in längeren Wörtern) ____________________

*) zum Akzent bei Inhaltswörtern und Funktionswörtern vgl. S. 98

E 3 Lesen Sie die Sätze laut und markieren Sie alle Akzente.

Früher habe ich mich als Münchner gefühlt, heute eher als Gast.
Überall gibt es Menschen, die mich nicht akzeptieren, aber auch solche, mit denen ich mich nicht identifizieren kann.
In Deutschland muss man sich für eine Staatsangehörigkeit entscheiden. Das finde ich schade.
Mir macht es nichts aus, älter zu werden. Im Gegenteil, ich freue mich darauf.
Ich habe ein fantastisches Leben: Ich verzichte auf wenig und bekomme unglaublich viel.
Eigentlich ist Ihre Beziehung ganz gut. Eigentlich ..., aber „irgendwie" scheint sie Ihnen festgefahren. Nein, unglücklich sind Sie nicht, glücklich aber auch nicht.
Für die einen sind Polizisten „Freunde und Helfer", für die anderen Vertreter der Staatsmacht.
Ich bin abends fix und fertig, ich kann nicht mal mehr „mu" sagen. Und er will sich unterhalten.
Mit der Zahl der Internetsurfer ist auch die Zahl der Internetsüchtigen rapide gestiegen.

Jetzt hören und vergleichen Sie.

E 4 Ergänzen Sie die Sätze, markieren sie die Akzente und üben Sie.

Früher habe ich mich … gefühlt, heute fühle ich mich …
Überall gibt es …, die …, aber auch solche, die …
Mir macht es nichts aus, … Im Gegenteil: …
Ich … (zu) wenig und … (zu) viel.
… bin/will ich nicht, aber … bin/will ich auch nicht.

Eigentlich …, aber …
Für die einen …, für die anderen … .
Nicht nur die …, auch die … haben sich verändert.
Mit der Zahl der … ist auch die Zahl der … rapide gestiegen/gesunken.

SCHREIBWERKSTATT

Schreiben Sie eine Kritik über ein Buch oder einen Film.

a) Planen

- Wählen Sie ein Buch/einen Film aus, das/den Sie besonders interessant finden, z. B. Ihr/-en Lieblingsbuch/-film. Es/Er kann gut oder schlecht, ein Krimi oder ein Klassiker sein.
- Machen Sie sich Gedanken und Notizen zu folgenden Punkten:
  - Für wen schreibe ich die Kritik? Was könnte meine Leser interessieren?
  - Welche Informationen sind wirklich wichtig?
  - Wie kann ich meine Leser neugierig machen auf das Buch / den Film?
  - Warum habe ich dieses Buch / diesen Film ausgewählt?
  - Will ich auch erzählen, wie die Geschichte ausgeht?

b) Formulieren

- Sammeln Sie Adjektive und Partizipien, die dieses Buch/diesen Film oder Personen, die darin vorkommen, gut beschreiben, z.B.: lustig, spannend, langweilig, faszinierend, anstrengend, beeindruckend ...
- Sammeln Sie Formulierungen, die für die Zusammenfassung des Inhalts wichtig sind, z. B.:

Dieses Buch
Diese Geschichte
Dieser Text
Dieser Film

handelt von ...
beginnt mit ...
erzählt von ...
spielt ...
beschreibt ...

Es handelt sich um ...
Es geht um ...
Zunächst .../ Zuerst .../ Dann ... / Schließlich .../ Am Ende ...
Die Hauptpersonen/-figuren/-darsteller sind ...

- Schreiben Sie dann mit Hilfe Ihrer Notizen eine Buchkritik oder eine Filmkritik. Die Vorlagen unten helfen Ihnen dabei.
- Machen Sie kurze, einfache Sätze.

c) Überarbeiten

- Lesen Sie Ihren Text noch einmal langsam durch und korrigieren Sie Rechtschreib- und Grammatikfehler.
- Versetzen Sie sich in die Rolle des Lesers und überprüfen Sie: Ist das, was Sie geschrieben haben, verständlich und klar formuliert?

Buchkritik

Titel: | **Erscheinungsort/-jahr:**
Autor/in: | **Seitenzahl:**
Verlag: | **Preis:**
Genre: [ ] Roman [ ] Krimi [ ] Sachbuch [ ] Biografie [ ]
Sprache: [ ] leicht [ ] gerade richtig [ ] schwer
Inhaltsangabe:

Die Figuren: | **Warum ich dieses Buch gewählt habe:**

Was mir am besten gefiel: | **Was mir nicht gefiel:**

Schlussbeurteilung
[ ] sehr empfehlenswert
[ ] empfehlenswert
[ ] annehmbar
[ ] nicht zu empfehlen

Name des Kritikers/der Kritikerin:

Filmkritik

Titel:
Regisseur: | **Land und Jahr:**
[ ] Fernsehen [ ] Kino | **Hauptdarsteller:**
für [ ] Kinder [ ] Jugendliche [ ] Erwachsene
Genre: [ ] Spielfilm [ ] Krimi [ ] Dokumentation [ ] Komödie [ ] Western [ ] Actionfilm [ ] Sciencefiction [ ]
Sprache: [ ] leicht [ ] gerade richtig [ ] schwer
Handlung:

Die Hauptdarsteller: | **Warum ich diesen Film gewählt habe:**

Was mir am besten gefiel: | **Was mir nicht gefiel:**

Schlussbeurteilung
[ ] sehr empfehlenswert
[ ] empfehlenswert
[ ] annehmbar
[ ] nicht zu empfehlen

Name des Kritikers/der Kritikerin:

G

Kurz & bündig

Wortschatzarbeit

Was passt zu „Computer" und „Medien"?
Finden Sie ein Wort zu jedem Buchstaben.

	C			M	
	O			E	
	M			D	
	P			I	
	U			E	
	T			N	
	E				
	R				

Finden Sie Wörter mit „FERNSEH-":

Farb	-FERNSEH-	*en*
	-FERNSEH-	
	-FERNSEH-	
	-FERNSEH-	
	-FERNSEH-	
	-FERNSEH-	
	-FERNSEH-	

Sie wollen einem Freund mit seinem neuen Computer helfen. Als Sie dort ankommen, ist schon alles fertig. Beschreiben Sie.

Computer aufstellen ◆ Kabel in die Steckdose stecken ◆ Monitor einschalten ◆ verschiedene Programme installieren ◆ Diskette einlegen ◆ Text tippen ◆ Daten speichern ◆ Internet anschließen ◆ erste E-Mails verschicken

Der Computer ist schon aufgestellt.

Meine Regel für das Passiv mit „sein"

Was braucht eine gute Zeitung?

Bilden Sie passende Adjektive aus den Verben und ergänzen Sie.

faszinieren ◆ passen ◆ wechseln ◆ packen ◆ gestalten ◆ beeindrucken ◆ umfassen ◆ ansprechen ◆ schreiben

- eine ______ Reportage
- ein ______ Layout
- ______ Themen
- ______ Fotos
- gut ______ Artikel
- ______ Überschriften
- ______ Informationen
- schön ______ Seiten

Meine Regel für das Partizip I und II als Adjektiv

Ergänzen Sie die Temporalsätze.

Bevor ______, muss ich mir einen Internet-Anschluss besorgen.
Seit ______, kann ich besser und schneller arbeiten.
Während ______, läuft meistens der Fernseher.
Ich werde so lange im Internet surfen, **bis** ______.

Interessante Ausdrücke

Test

1 Was ist richtig: a, b oder c? Markieren Sie.

Beispiel: ● Wie heißen Sie?
■ Mein Name ____________ Schneider.
a) hat
X b) ist
c) heißt

● Du arbeitest seit einem halben Jahr als Au-pair in Deutschland. Warum?
■ Meine Eltern wollten das, ________ ich etwas selbstständiger werde.
a) obwohl
b) damit
c) weil

● Sie sind Türke und leben in Deutschland. Wünschen Sie sich als Schwiegertochter eine Türkin oder eine Deutsche?
■ Das ist mir eigentlich egal. ________________ , sie macht meinen Sohn glücklich!
a) Hauptsache
b) Hauptsächlich
c) Hochzeit

● Durch Ihren Beruf können Sie keine Familie haben, keine Freunde. Tut Ihnen das nicht Leid?
■ Ja schon, doch ich habe die Hoffnung _____ ein Zuhause noch nicht aufgegeben.
a) um
b) auf
c) von

● Wann hast du Isabella das letzte Mal geschrieben?
■ Ach, ich habe kaum Zeit, deshalb bekommt sie jetzt nur eine kurze ________ .
a) Brief
b) E-Mail
c) Anruf

● Und nach der Schule sind Sie drei Jahre um die Welt gefahren?
■ Ich war jung und hatte nichts zu verlieren. Was ________ Sie an meiner Stelle __________ ?
a) hatten – zu tun
b) haben – getan
c) hätten – getan

● Wenn ich mehr Geld ____________ _________ , ________ ich mehrere Jahre durch die Welt ____________ .
■ Na, dann musst du deinen Job wechseln.
a) verdienen würde – würde reisen
b) verdient hätte – wäre gereist
c) verdient habe – würde reisen

7 ● Was machst du in deiner Freizeit?
■ Freizeit? Ich arbeite _____ lange, _____ ich danach nur noch müde ins Bett falle.
a) um – zu
b) so – weil
c) so – dass

8 ● Die Ausbildung zum Bürokaufmann interessiert mich. Wie ist da der Abschluss?
■ Am Ende ______________ findet eine Prüfung der Industrie- und Handelskammer statt.
a) der Ausbildung
b) die Ausbildungen
c) die Ausbildung

9 ● Und was sind die Nachteile?
■ Nun ja, als Reiseleiter haben Sie ________ der vielen Reisen wenig Zeit für die Familie.
a) trotz
b) wegen
c) innerhalb

10 ● Wie hat sich der Arbeitstag verändert seit du jung warst, Oma?
■ Die jungen Leute heute _________ nicht mehr so lange ___ arbeiten.
a) brauchen – um zu
b) brauchen – zu
c) müssen – zu

11 ● Warum arbeiten Sie abends noch in einer Kneipe?
■ Ich _____________ das Geld für meine Reisen.
a) kann
b) brauche
c) muss

12 ● Sie möchten sich also bei uns bewerben?
■ Ja, als ich Ihre _________ las, hatte ich gleich Interesse.
a) Zeugnisse
b) Bewerbung
c) Anzeige

13 ● Wer von uns beiden gibt bei einem ___________ ______ eher nach?
■ Ich natürlich!
a) Streit
b) Besuch
c) Dialog

14 ● Was hast du gegen deine neue Kollegin?
■ Ich ärgere mich __________ , dass sie bei der Arbeit immer so laut Musik hört.
a) weil
b) über
c) darüber

15 ● Können Sie sich bitte um die Hotelreservation kümmern?
■ Wie bitte? ________ soll ich mich kümmern?
a) Worum
b) Wann
c) Was

16 ● Weißt du, warum die Chefin heute so schlechte Laune hat?
■ ____________ hat mir erzählt, dass sie private Probleme hat.
a) Irgendwie
b) Irgendetwas
c) Irgendjemand

17 ● Wo bleibt denn das Essen? Wir haben doch schon vor Stunden bestellt!
■ In diesem Restaurant ist die ____________ wirklich langsam!
a) Personal
b) Beschwerde
c) Bedienung

18 ● Du kaufst im Fachgeschäft? Das ist aber teurer als der Baumarkt.
■ Als Hobby-Handwerker schätze ich aber die Vorteile ________________ Beratung.
a) fachkundig
b) einer fachkundigen
c) eines fachkundigen

19 ● Was gibt deinem Leben ___________?
■ Mein Hobby: Ich arbeite leidenschaftlich gern im Garten.
a) Sinn
b) Aufgabe
c) Lösung

20 ● Entschuldigung, können Sie mir sagen, wie ich zur „Tauschbörse" komme?
■ Tut mir Leid, ich bin auch nicht von hier. Aber sehen Sie ____________ da hinten? Der kann Ihnen sicher helfen.
a) die Polizisten
b) den Polizisten
c) der Polizist

21 ● Wie viel verdient man denn bei der Freiwilligen Feuerwehr?
■ Verdienen? Die Arbeit ist doch ___________ !
a) kostenlos
b) sinnvoll
c) ehrenamtlich

22 ● Hast du schon mal etwas von den „Tafeln" gehört?
■ Ja, die _________ über ihre Organisation auch ____________ im Internet. Das ist ganz interessant.
a) geben … Auskunft
b) wissen … Bescheid
c) stehen … zur Verfügung

23 ● Warum soll ich anderen Menschen helfen? Die denken doch auch nur an sich!
■ Du könntest schon etwas hilfsbereiter sein statt nur an dich selbst ____________ .
a) denken
b) zu denken
c) gedacht

24 ● Bei jedem Einkauf bekomme ich neue Plastiktüten! Ich weiß schon kaum noch, wo ich sie lassen soll, und für die Umwelt ist es auch nicht gut.
■ Nimm doch einen Einkaufskorb _______ neuer Plastiktüten.
a) damit
b) stets
c) statt

25 ● Meinst du, die Deutschen sehen viel fern?
■ Das kann man wohl sagen! An Wochentagen _____ in 88% der Haushalte die Geräte ________ __________ .
a) hatten – eingeschaltet
b) wollen – einschalten
c) sind – eingeschaltet

26 ● Wie wird sich das Fernsehen verändern, was meinst du?
■ In den Programmen wird Information hinter ___________ zurücktreten.
a) Talkshows
b) Nachrichten
c) Unterhaltung

27 ● Was sind denn ____________ ?
■ Das sind die Teile einer Tageszeitung: Lokalnachrichten, Wirtschaft, Feuilleton …
a) Rubriken
b) Vermischtes
c) Seiten

28 ● Liest du gern Romane?
■ Nein, lieber Berichte über Länder und Menschen. Hier ist zum Beispiel eine solche ____________ Reportage.
a) gepackte
b) zu packen
c) packende

29 ● Dein PC fasziniert dich wohl?
■ Ja, aber oft probiere ich stundenlang, __________ etwas richtig funktioniert.
a) bevor
b) während
c) seit

30 ● Haben Sie viel Kontakt zu Ihrem Sohn?
■ ______ ich einen Internet-Anschluss habe, ist der Kontakt viel intensiver geworden.
a) Als
b) Seit
c) Wenn

Wie viele richtige Antworten haben Sie?

Schauen Sie in den Lösungsschlüssel S. L1 Für jede richtige Antwort gibt es einen Punkt. Wie viele Punkte haben Sie?

_______________ Punkte

Jetzt lesen Sie die Auswertung für Ihre Punktzahl.

24–30 Punkte: Sehr gut. Weiter so!

13–23 Punkte: Schauen Sie noch einmal in den Lösungsschlüssel. Wo sind Ihre Fehler? In welcher Lektion finden Sie Übungen dazu? Machen Sie eine Fehlerliste.

Meine Fehler

Nummer	*Lektion*	*(G) = Grammatikfehler*	*(W) = Wortschatzfehler*
1	*7, B-Teil*		*X*
5	*7, D-Teil*	*X*	

- **Ihre Fehler sind fast alle in einer Lektion?** Zum Beispiel: Fragen 7, 8, 9, 10 und 11 sind falsch. Dann wiederholen Sie noch einmal die ganze Lektion 8.
- **Ihre Fehler sind Grammatikfehler (G)?** Dann schauen Sie sich in allen Lektionen „Kurz & bündig" noch einmal an. Fragen Sie auch Ihre Lehrerin oder Ihren Lehrer, welche Übungen für Sie wichtig sind.
- **Ihre Fehler sind Wortschatzfehler (W)?** Dann schauen Sie sich in allen Lektionen „Kurz & bündig" noch einmal an. Lernen Sie mit dem Vokabelheft und üben Sie auch mit anderen Kursteilnehmern. Dann geht es bestimmt leichter.

5–12 Punkte: Wiederholen Sie noch einmal gründlich alle Lektionen. Machen Sie ein Programm für jeden Tag. Üben Sie mit anderen Kursteilnehmern. Und sprechen Sie mit Ihrer Lehrerin oder Ihrem Lehrer.

0–4 Punkte: Besuchen Sie doch einen Computerkurs!

B Schreiben wie ein Profi

B 1 **Was schreiben Sie im täglichen Leben? Was haben Sie zuletzt geschrieben? Welche anderen Gründe gibt es fürs Schreiben? Machen Sie Notizen und diskutieren Sie.**

Geschäftsbriefe, an Freunde ...
Vor zehn Minuten habe ich eine E-Mail geschrieben.

B 2 **Welche Aussagen treffen auf Sie zu? Markieren Sie.**

- ☐ Ich schreibe nicht gern, auch nicht in meiner Muttersprache.
- ☐ Mir fehlt die Fantasie zum Schreiben.
- ☐ Ich habe eigentlich keine Probleme mit dem Schreiben.
- ☐ Seit es Internet und E-Mails gibt, schreibe ich mehr als früher.
- ☐ Ich finde es wichtig, auch in einer Fremdsprache korrekt schreiben zu können.
- ☐ Wir sollten nicht nur zu Hause, sondern auch im Unterricht viel schreiben.
- ☐ Schreiben sollte freiwillig sein und nur als Hausaufgabe aufgegeben werden.
- ☐ Die Kursleiterin/der Kursleiter sollte jeden Fehler genau korrigieren.
- ☐ Die Kursleiterin/der Kursleiter sollte nur die wichtigsten Fehler korrigieren.
- ☐ Die Kursleiterin/der Kursleiter sollte die Fehler nur markieren und nicht korrigieren, damit ich selber die richtige Lösung finden kann.
- ☐ Wir sollten die Texte untereinander austauschen und korrigieren.

Vergleichen Sie Ihre Ergebnisse in Kleingruppen.
Diskutieren Sie dann mit dem ganzen Kurs.

B 3 **„Sprechen" oder „Schreiben" in der Fremdsprache? Was ist für Sie leichter? Sammeln Sie Argumente.**

Sprechen	*Schreiben*
+ Es geht schneller.	*+ Ich habe Zeit zum Überlegen.*

Vergleichen Sie Ihre Ergebnisse.

4

Was und wofür möchten Sie auf Deutsch schreiben können?
Wie schreiben Sie? Markieren Sie.

WAS?	WOFÜR?		WIE?			
	für die Arbeit	privat	Ich schreibe in kompletten Sätzen.	Ich schreibe in Stichwörtern.	Ich achte auf formale Kriterien.	Ich überarbeite und korrigiere den Text.
persönlicher Brief						
formeller Brief						
E-Mail						
Notizen						
Kurznachricht						
Formular						
Lebenslauf						
Wegbeschreibung						
Gedicht						
Geschichte						

Arbeiten Sie zu dritt und vergleichen Sie. Was für Texte schreiben Sie besonders oft?

5 **Welche Probleme haben Sie beim freien Schreiben in der Fremdsprache? Markieren Sie.**

- Ich habe keine Ideen.
- Es macht mir keinen Spaß.
- Ich schreibe sehr schnell und habe keine Lust, mir am Ende alles noch einmal durchzulesen.
- Mir fehlt der Wortschatz, um bestimmte Sachen auszudrücken.
- Ich mache sehr viele Fehler.
- Ich mache immer wieder dieselben Fehler.
- Ich weiß oft nicht, wie ich anfangen soll.
- ______________________________

Vergleichen und diskutieren Sie. Können Sie sich gegenseitig Tipps geben?

B 6

Welche der folgenden Tipps gehören zu den Schritten Planen (a), Formulieren (b) und Überarbeiten (c)? Markieren Sie.

1 b **Schreiben Sie kurze und einfache Sätze!**

Versuchen Sie, bestimmte Wörter oder Satzkonstruktionen nur zu benutzen, wenn Sie glauben, dass sie korrekt sind. Wenn Sie unsicher sind, schlagen Sie in einem Wörterbuch oder in einer Grammatik nach.

2 **Achten Sie auf den Ausdruck!**

Vermeiden Sie Wiederholungen. Achten Sie z. B. darauf, dass die Sätze nicht alle mit demselben Wort beginnen. Verbinden Sie die Sätze mit Wörtern wie „aber“, „dann“, „manchmal“, „als“ usw. Der Text sollte sich flüssig anhören.

3 **Sammeln Sie passenden Wortschatz!**

Bevor Sie anfangen zu schreiben, sammeln Sie passende Wörter (Adjektive, Verben, Nomen) typische Ausdrücke und Formulierungen, die für das Thema und die Textsorte wichtig sind. Sie können auch im Wörterbuch nachschlagen. Ein einsprachiges Wörterbuch kann dabei sehr hilfreich sein.

4 **Analysieren Sie Ihre Fehler!**

Wenn Sie einen korrigierten Text zurückbekommen, versuchen Sie, Ihre Fehler genau zu analysieren. Sie können auch eine Fehlerstatistik machen: Machen Sie eine Strichliste. Wenn Sie merken, dass Sie einen bestimmten Fehler immer wieder machen, notieren Sie ihn in einem „Fehlerheft“, diesmal aber korrekt und unterstrichen.

5 **Korrigieren Sie Ihren Text!**

Lesen Sie Ihren Text mehrmals sorgfältig durch, bevor Sie ihn abgeben, und achten Sie auf Rechtschreib- und Grammatikfehler.

6 **Sammeln Sie Ideen!**

Sammeln Sie immer erst Ihre Gedanken und Ideen zu dem Thema, bevor Sie mit dem Schreiben beginnen. Machen Sie zuerst Notizen. Versuchen Sie dann, diese Notizen neu zu ordnen: Was ist besonders wichtig? Was kommt zuerst? Was kommt zuletzt? Was sind übergeordnete Punkte? Was sind untergeordnete Punkt? Was gehört zusammen?

7 **Haben Sie Mut zum Durchstreichen!**

Lassen Sie sich Zeit. Viele Gedanken kommen erst beim Schreiben. Machen Sie Pausen. Lesen und überarbeiten Sie immer wieder das, was Sie bisher geschrieben haben. Streichen Sie Passagen durch und fangen Sie wieder von vorne an. Das macht der beste Schriftsteller so.

8 **Machen Sie sich Gedanken über die Textsorte und die Adressaten!**

Überlegen Sie: Was für einen Text möchte ich schreiben? Wie lang soll er werden? Was ist typisch für so einen Text (z. B. formeller Brief)? Für wen schreibe ich? Was weiß der Leser vom Thema? Was könnte für ihn interessant sein?

Vergleichen Sie Ihre Ergebnisse und diskutieren Sie: Wie finden Sie die Tipps? Welche Schritte sind für Sie besonders wichtig? Kennen Sie weitere Tipps?

B 7

Schreiben Sie eine kleine Geschichte mit max. 150 Wörtern zu einer dieser Fragen. Beachten Sie dabei die Tipps aus B6.

- Ja, es war die richtige Adresse, aber war es auch die richtige Stadt?
- Wohin gehen die geträumten Dinge?
- Wohin gehen die unerfüllten Wünsche?
- Wenn all die Flüsse doch süß sind, woher hat das Meer so viel Salz?
- Wen kann ich fragen, wozu ich auf die Welt gekommen bin?

Der Ton macht die Musik

1 **Sehen Sie sich die Bildgeschichte an, lesen Sie den Text und markieren Sie alle Akzente.**

Lesen Sie den Text laut und probieren Sie verschiedene Betonungen aus.
Achten Sie auch auf Pausen (bei allen Satzzeichen!) und auf die Satzmelodie:
Die Satzzeichen helfen dabei.

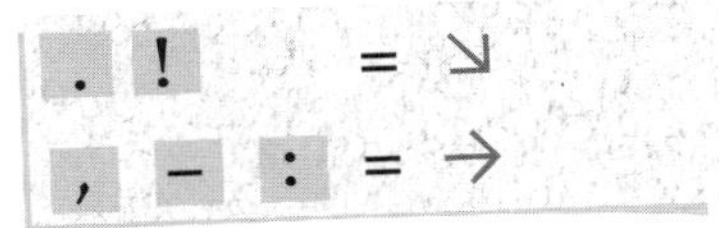

Es schallt ein Ruf von Mund zu Mund:
Bei Zirkelmenschen geht es rund!

Ob Mann, ob Frau, ob groß, ob klein:
Sie wollen Zirkelmenschen sein.

Sie da! Sie haben es erreicht —:
Am Anfang scheint das Kreisen leicht.

Das geht, solang es geht. Doch schon
nach kurzer Zeit wirds monoton.

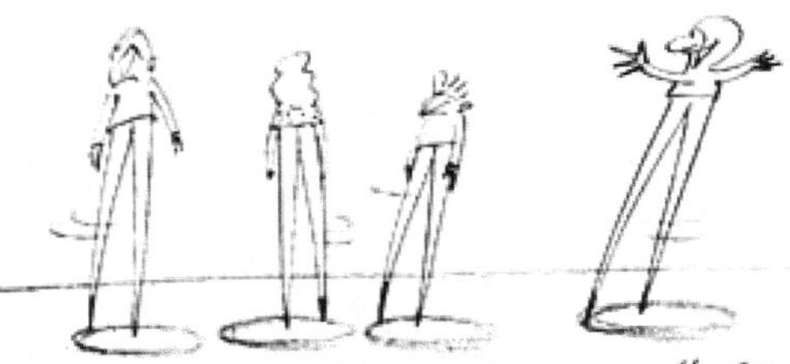

Da merkt sogar der minder Helle:
Es geht zwar rund, doch auf der Stelle.

Der Radius schrumpft, der Strich wird breiter —
die Zirkelmenschen drehn sich weiter.

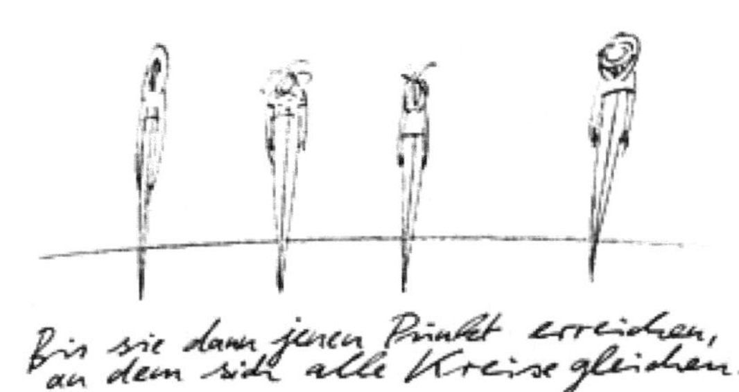

/14 **Jetzt hören und vergleichen Sie.**

Zirkel	= Instrument zum Zeichnen	Radius	= Größe des Kreises
monoton	= ohne Abwechslung, langweilig	schrumpfen	= kleiner werden
minder	= weniger	Greis	= alter Mensch
hell	= *hier:* klug		

2 **Was sind für Sie „Zirkelmenschen"? Diskutieren oder schreiben Sie.**

„Zirkelmenschen" sind alle, die jedem aktuellen Trend folgen und jede Mode mitmachen. Sie …

Ein „Zirkelmensch" dreht sich um sich,
und das ist ziemlich langweilig.
Er bleibt immer auf Distanz –
Aber das mit Eleganz.
…

Robert Gernhardt, geboren am 13.12.1937 in Reval/Estland, Studium der Malerei und Germanistik in Stuttgart und Berlin. Romanschriftsteller, Dichter und Zeichner, Mitbegründer der „Neuen Frankfurter Schule", Mitglied der „Titanic"-Redaktion (einer politischen Satirezeitschrift). Er lebt in Frankfurt/Main und in Montaio/Toscana.

Der Ton macht die Musik

1 **Sehen Sie sich die Bildgeschichte an, lesen Sie den Text und markieren Sie alle Akzente.**

Lösungsschlüssel

Lektion 1

A1 1 Einfamilienhaus, das, ¨er: Haus für eine Familie 2 Wohnheim, das, -e: großes Haus mit vielen Einzelzimmern ... 3 Ökohaus, das, ¨er: besonders umweltfreundliches Haus 4 das Reihenhaus, das, ¨er: ein Haus in einer Reihe von ... 5 Villa, die, -en: ein großes, sehr teures Haus 6 Fachwerkhaus, das, ¨er: ein Haus mit Wänden aus Holz und Lehm 7 Schloss, das, ¨er;: großes und sehr wertvolles Haus 8 Hochhaus, das, ¨er: ein sehr hohes Haus 9 Altbau, der, -en: ein Haus, das vor 1949 gebaut wurde 10 Bauernhof, der, ¨e: Grundstück mit Wohnhaus eines Bauern 11 Gartenhaus, das, ¨er: kleines Haus im Garten

A3 1 das Elternhaus 2 der Hausarzt 3 das Ferienhaus 4 der Hausmeister 5 das Wohnhaus 6 die Hausordnung 7 das Möbelhaus 8 die Haustür 9 das Krankenhaus 10 die Hausschuhe 11 das Traumhaus 12 das Haustier 13 der Hauseigentümer 14 das Treppenhaus

A5 *linke Spalte:* 15, 1, 2, 7, 10, 5, 4, 6, 13 *rechte Spalte:* 3, 8, 14, 11, 12, 16, 9, 17

B1 *1. Spalte:* Abstand, Zweizimmerwohnung, Einbauküche, Umlagen, Kaution, Quadratmeter, Balkon, Nebenkosten; *2. Spalte:* geeignet, Zimmer/Küche/Bad, von privat, zuzüglich, zwei Monatsmieten, Dachgeschoss, Wohnküche, sofort; *3. Spalte:* Gäste-WC, Terrasse, Garten, Reihenhaus, Doppelhaushälfte, Tiefgarage, Garage, Neubau

B2 2 Rödelheim 3 Häuschen im Grünen 4 Bockenheim 5 keine Wohnung

B3 *vgl. Hörtext im Cassetten-/CD-Einleger*

B5 1a 2c 3b 4b 5c 6b 7a 8c 9a 10b 11a 12b

C2 [E] Gedicht, Liebe, beliebt, Frage, ich bügle, Besuch, ich besuche, ich schenke, geschenkt, Geschenke, Treppe, ich fahre, Fahrerin, Hilfe, geholfen, ich klingle [A] lieber, Besucher, Fahrer, Helfer (–) lieben, Fragen, bügeln, besuchen, schenken, Treppen, Regel, Regeln, fahren, helfen, Klingel, klingeln, Schlüssel

C3 Probleme, Angebote, Söhne, Woche, Größe, Pauschale, Tiere, Küche, ich lerne, spiele, singe, lache, weine, hoffe, wollte, musste, hatte, würde, wäre, Beruf, begonnen, beendet, bezahlbar, gegeben, genug, in zentraler Lage, mehrere Angebote, eine feste Summe, am Jahresende, viele Möbel

D1 2–10 Schrankwand; Kerzenständer, Stereoanlage, Obstschale, Tischdecke, Sitzecke, Stofftiere, Holzfigur, Bodenvase 11–18 Aquarium, Spiegel, Kommode, Globus, Pflanzen, Vorhang, Glastisch, Stehlampe *weitere Lösungen:* Bücherregal, Balkontür

D 2 *(positiv)* gemütlich, freundlich, stilvoll, luxuriös, großzügig, ordentlich, hell; *(neutral)* extravagant, modern, konservativ, kühl, leer, voll, nüchtern; *(negativ)* kitschig, langweilig, protzig, chaotisch *(Lösungsvorschlag)*

D 4 1 Garten 2 Küche 3 Esszimmer 4 Wohnzimmer 5 Bad 6 Arbeitszimmer 7 Kinderzimmer 8 Schlafzimmer 9 Toilette 10 Flur 11 Keller 12 Hobbyraum 13 Garage

D 5 *nach Spalten:* 11, 2, 3, 10, 9, 8, 4, 7, 6, 1, 5, 12

D 6 1 Einsamkeit 2 hatten eine schwere Zeit

D 7 *vgl. Hörtext im Cassetten-/CD-Einleger*

D 8 *vgl. Hörtext im Cassetten-/CD-Einleger*
Liste: Der „Infinitiv mit zu" *nach Verben*: anfangen, lernen, schwer fallen, vorhaben, überreden, (sich) freuen, bitten, hoffen, aufhören, versuchen; *nach Adjektiv/Nomen + „sein"*: froh sein, superglücklich sein, es ist anstrengend, ... , es ist nicht leicht, ... , es ist schlimm, ... , es ist wichtig, ..., es ist normal, ..., es ist schwierig, ... , es ist toll, ... ; *nach Nomen + „haben"*: Angst haben, Lust haben, das Gefühl haben
1 Adjektiven und Nomen; das Verb 2 Verbstamm 3 „sein" oder „haben" 4 beide Verben; Verb + „zu" + Modalverb

D10 *vgl. Hörtext im Cassetten-/CD-Einleger*

E1 das/alles Ähnliche, etwas/nichts Ähnliches; das/alles Neue, etwas/nichts Neues; das/alles Passende, etwas/nichts Passendes; das/alles Schöne, etwas/nichts Schönes; das/alles Wichtige, etwas/nichts Wichtiges; das/alles Interessante, etwas/nichts Interessantes
1 alles; etwas; nichts; neutrum 2 Nach „etwas" und „nichts"...*-es*, ...nach „das" und „alles" ... *-e*
3 Adjektive schreibt man *klein*; Adjektiv-Nomen ... *groß*

E 2 *vgl. Hörtext im Cassetten-/CD-Einleger*

F2 3 Franz 4 Franz 5 Gabi 6 Gabi 7 Peter 8 Gabi 9 Peter 10 Franz

F3 1a 2b 3a 4a 5a 6b 7a 8b

F4 in der Hasengasse; wohnt gleich nebenan; blonden Ringellocken, einem Herzkirschenmund und veilchenblauen Sternenaugen; bekommt er eine Pieps-Stimme; ein Mädchen; weil du für einen Buben einfach zu schön bist; Wirklich lieben kann ich nur wirklich schöne Menschen; fährt Gabi zu ihrer Tante Anneliese aufs Land; kann angeblich über eine zwei Meter hohe Mauer springen, beim Raufen gegen drei große Jungs gewinnen und bis in den Wipfel einer riesigen Tanne klettern. Er kann singen. Aus Holz eine Mickymaus schnitzen, beim Schirennen den ersten Preis gewinnen., ist klug, weiß alles; der Peter wirklich schön ist.

Lektion 2

A1 *linke Spalte:* 5, 3, 1, 2, 10 *rechte Spalte:* 7, 6, 4, 9, 8

B2 **regelmäßige Verben/Mischverben**: arbeitete, heiratete, machte, musste, studierte, veröffentlichte,

wusste; **unregelmäßige Verben**: begonnen, bekam, erhielt, gab, schrieb, wurde
1 *Präteritum*: ..., schriftliche Berichte, ... *Perfekt*: ..., mündliche Berichte, ... 2 Verb-Endung; „-t-"; *ich* und *sie/er/es*; *bei wir und sie Endung „-en"* 3 Verbstamm; Verb-Endung

B3 **Verben ohne Vokalwechsel im Präsens:** beginnen, begann, begonnen; bleiben, blieb, geblieben; denken, dachte, gedacht; finden, fand, gefunden; fliegen, flog, geflogen; gehen, ging, gegangen; kommen, kam, gekommen; kriechen, kroch, gekrochen; singen, sang, gesungen; sitzen, saß, gesessen; trinken, trank, getrunken; verbringen, verbrachte, verbracht
Verben mit Vokalwechsel im Präsens: essen, isst, aß, gegessen; fahren, fährt, fuhr, gefahren; geben, gibst, gab, gegeben; lesen, liest, las, gelesen; nehmen, nimmt, nahm, genommen; schlafen, schläft, schlief, geschlafen; sehen, siehst, sah, gesehen; sprechen, spricht, sprach, gesprochen; sterben, stirbt, starb, gestorben; treffen, trifft, traf, getroffen; vergessen, vergisst, vergaß, vergessen; wissen, wusste, gewusst

C1 *von links nach rechts:* 1 riechen – Geruch – Nase – Parfum, Schweiß 2 schmecken – Geschmack – Zunge – Salz, Zucker 3 hören – Geräusch – Ohren – Musik, Stimmen 4 sehen – Augen – Foto, Bilder, Farben

C2 *linke Spalte:* Gehirn, Gedächtnis, Erfahrung; *rechte Spalte:* Gefühl, Stimmung, Persönlichkeit

C4 *hören:* der Donner, der Bohrer, der Wasserhahn, der Regen, das Gewitter *sehen:* der Blitz, die Faust, der Regen *fühlen:* der Regen, der Wind *riechen:* der Regen *(Lösungsvorschlag)*

C5 der Wasserhahn tropfte, die Treppe knarrte, der Wind wehte, Flugzeuge starten, lautes Donnern, mit der Faust gegen eine Holztür schlagen

C6 1 Als, war; *b* 2 wenn, ging; *c* 3 wenn, wehte; *c* 4 wenn, herausholte; *c* 5 als, sah; *b* 6 als, erleuchtete; *b* 7 als, anmachte; *b* 8 wenn, kriechen; *a*

C7 1 temporale, am Anfang 2 *Gegenwart oder Zukunft*: wenn; *Vergangenheit: ein Zustand oder einmaliges Ereignis*: als

C8 *vgl. Hörtext im Cassetten-/CD-Einleger*

C9 *vgl. Hörtext im Cassetten-/CD-Einleger*

D1 bleiben – blieben, hieß – heiß, leider – Lieder, reichen – riechen, schrieben – schreiben, seit – sieht, Wien – Wein, Ziele – Zeile, Zeit – zieht

D2 **unbetontes „ie" und „ien":** Asien, Australien, Brasilien, Familie, Ferien, Immobilie, Italien, Komödie, Linie, Materialien, Medien, Petersilie, Prinzipien, Spanien, Studien, Textilien
betontes „ie" und „ien": Allergien, Biografie, Energie, Fantansie, Garantie, Knie, Melodien

D3 Jahr, jemand, jetzt, Jugend, Juli, Junge, Konjunktion, New York, Objekt, Projekt, Yuppie
1 j 2 y

E1 2 ein Grenzübergang 3 eine Botschaft 4 die Bürger 5 DDR 6 ein Ausreiseantrag 7 der Protest 8 Reformen 9 die Führung 10 die Opposition 11 eine Partei 12 die Versammlungsfreiheit 13 das Gesetz 14 eine Menschenmasse

E2 Reformen, Führung, DDR, Bürger, Ausreiseantrag, Botschaft, Grenze, Opposition, Protesten, Parteien, Versammlungsfreiheit, Gesetz, Grenzübergängen, Menschenmassen

E3 *vgl. E2*
1 Vergangenes, Plusquamperfekt 2 „hatt-" oder „war-" 3 nachdem

E4 Nachdem Bayern München die ... gewonnen hatte, feierten die Münchner ...; Nachdem Berlin die ... geworden war, zogen die meisten ausländischen Botschaften ...; Nachdem der Bundestag ein neues ... verabschiedet hatte, stellten viele Ausländer .; Nachdem Rot-Grün ... gewonnen hatte, wählte der Bundestag...;. Nachdem Lady Di ... verunglückt war, trauerten viele Menschen ...; Nachdem die Telekom die Telefongebühren gesenkt hatte, stieg die Zahl der Internet-Anschlüsse .; Nachdem die Kultusministerkonferenz die ... beschlossen hatte, mussten viele Verlage....; Nachdem in ... die Ferien begonnen hatten, waren die Autobahnen ...; Nachdem die Proteste gegen die ... zugenommen hatten, versprach die Regierung ...; Nachdem Nelson Mandela ... geworden war, feierten die Menschen ...; Nachdem der Euro ... geworden war, musste man bei Urlaubsreisen ...

F1 *Häufigkeit:* immer, manchmal, nie, oft, ständig; *Reihenfolge/Zeitpunkt:* damals, danach, dann, einmal, früher, jetzt, später, letztes Jahr, schließlich, zuerst; *Zeitdauer:* stundenlang, ein paar Wochen, kurz, lange, seit drei Jahren

F2 *vgl. Hörtext im Cassetten-/CD-Einleger (Lösungsvorschlag)*

G2 1 Hosenknöpfe 2 Stirnband 3 Nussknacker 4 Briefpapier 5 Duschhaube 6 Ansteckknopf 7 Schraubenzieher 8 Quakfrosch aus Blech

G3 1r 2r 3r 4f 5f 6r 7r 8r 9f

G4 1c 2h 3a 4g 5j 6d 7i 8b 9e 10f

Lektion 3

A1 *von links nach rechts:* 7, 2, 9, 1, 3, 5, 4, 6, 8

A2 1 Aussichtsturm 2 Bahnhof 3 Denkmal 4 Zoo 5 Museum

A3 1b 2a 3a 4c 5a 6b 7c

B1 1 Radio im Zimmer 2 Doppelzimmer 3 Hunde erlaubt 4 Telefon im Zimmer 5 Vollpension 6 TV im Zimmer 7 Fitnessraum 8 Restaurant 9 Minibar 10 Parkplatz 11 Halbpension 12 Gepäckträger 13 Einzelzimmer 14 behindertengerecht

B2 *Pension Ing. Johannes:* interessant für Hundebesitzer, Radio in allen Zimmern, Restaurant, selbst gebackene Kuchen und Torten, ist günstiger *Grand Hotel Wiesler:* „Fünf-Sterne-Hotel", interessant für Geschäftsleute, Radio in allen Zimmern, Minibar in allen Zimmern, TV in allen Zimmern, Restaurant, im Internet

B4 D 1, I 2 e D 3, I 4 h I 5, D 6 a D 7, I 8 g I 9, D 10 b I 11, D 12 f D 13, I 14 c I 15, D 16 i D 17, I 18 j D 19, I 20 d
1 Verb, Am Anfang 2 „ob" 3 *Bei* Fragen ..., *bei* Aussagen *steht* .... *Zwischen* Hauptsatz *und* Nebensatz ....

B5 *vgl. Hörtext im Cassetten-/CD-Einleger*

B7 *vgl. Hörtext im Cassetten-/CD-Einleger*

C1 2 der Wert 3 die Arbeit 4 die Liebe 5 das Herz 6 die Sprache 7 der Sinn 8 die Grenze 9 der Reiz

10 die Treue 11 die Pause 12 die Rücksicht

C2 1 *Die Zusätze* -los *und* -voll *machen aus Nomen* Adjektive. 2 *Der Zusatz* -voll *bedeutet mit, der Zusatz* *-los bedeutet* ohne. ... 3 *Ein* -e *am Ende ... Man nimmt die* Plural-Form. *Man ergänzt ein* -s-.

C3 1 Persönliche ... reizvoller ... sinnvoller ...telefonische ...: ... berufliche ... menschliche
2 Sie ist eine liebevolle Mutter, ein ruhiger und geduldiger Mensch, ... rücksichtsvoll und herzlich ... grenzenlos: ... pausenlos ... energisch werden.
3 Seit er arbeitslos ist, ... täglich ... lustlos zu Hause herum, ... humorlos und hat ... vernünftigen Ideen ...traurig. 4 Er war treulos, sie war sprachlos. Er ... bedeutungslos, sie ... rücksichtslos. Er ... kopflos, sie ihn herzlos. Er ... schuldig, ... stillos. So ... endlos, bis sie dann grußlos, ziellos und partnerlos loszog.

D2 Page, Portier, Zimmermädchen, Kellner, Hotelmanager, Aufseher *Liste:* noch eine Scheibe Toast, Uhrzeit, Information, frische Luft, Portion gegrillte Kalbsleber, mit Luxuslimousine ausfahren, Bauchtänzerinnen

D3 2 mich, Erzähler 3 sie, Zimmernummer 4 sie, Seife 5 sie, Antwort 6 ihn, Hotelmanager 7 Sie, Erzähler 8 uns, die Angestellten 9 ihn, Orangensaft 10 es, Missverständnis 11 sie, Portion Kalbsleber 12 sie, 29 Portionen Kalbsleber

D4 *vgl. Grammatik*
1 *ersetzen* Pronomen *bekannte* Nomen. ... Nomen. ... *benutzt man das kürzere* Pronomen. 2 *Das* Bezugswort ..., *das* Verb *oder die* Präposition *bestimmen den Kasus.*

D5 *vgl. Hörtext im Cassetten-/CD-Einleger*

E1 *linke Spalte*: 7, 5, 10, 11, 4, 6 *rechte Spalte*: 1, 8, 9, 2, 3

E2 *vgl. Hörtext im Cassetten-/CD-Einleger*

F1 *gutes Wetter:* freundlich, Föhn, heiß, das Hoch, klar, kühl, mild, Sonne, sonnig, trocken, warm, ... *schlechtes Wetter:* Blitz, Donner, Eis, Frost, Gewitter, gewittrig, Hagel, kalt, Nebel, Niederschlag, Regen, Schauer, Schnee, Sturm, Tief, unbeständig, windig, Wind, Wolken, ... *(Lösungsvorschlag)*

F2 1r 2f 3f 4f 5r

F3 1a, c 2a, b 3a, c 4b

G1 [v] was, **W**ein, **W**olle, **V**erben, **W**ortakzent, **V**ase, Kra**w**atte, ner**v**ös, Adjekti**v**e
[f] **F**ass, **f**ein, **v**olle, **v**erbinden, **V**orsilbe, **Ph**ase, Kara**ff**e, per**f**ekt, Adjekti**v**
1 *„w:"* [v], *„f" und „ph:"*[f] 2 *Deutsche Wörter mit „v":* [f]. *Internationale Wörter mit „v":* [v], *„v" am Wortende:* [f]

G2 **v**ier, **f**eiern, **v**iele, **F**este, **V**erwandte, **F**reunde, **f**ragen, frischer, **F**isch, **f**ällt, o**ff**en, **F**rost, **F**rühling, **F**öhn, **v**erwöhnt, kreati**v**, **v**orlesen, **V**ergnügen, **V**orsicht, da**v**on, **Ph**onetik, **F**an, Di**ph**thonge, **v**erwechseln, **v**erstehen, **v**on, Al**ph**abet, **V**ater, **Ph**iloso**ph**, ho**ff**en, Wil**f**ried, hal**b**fertig

H3 1A 2C 3E 4B 5G 6H 7D 8F

H4 2 kassieren 3 verzweifelt 4 auf und ab 5 gleich ... gleich
6 Gipfel 7 Wort 8 tief 9 hüpfen 10 Unrecht 11 prächtige 12 kugelrunden ... offenem 13 schlechtes 14 schaffen

Lektion 4

A1 *persönliche Eigenschaften:* ehrlich (+), anspruchsvoll (+), charmant (+), energisch (+), erfolgreich (+), fantasievoll (+), optimistisch (+), gefühlvoll (+), humorvoll (+), intelligent (+), lebenslustig (+), lieb (+), niveauvoll (+), romantisch (o), selbstbewusst (+), tolerant (+), treu (+); *beides:* langweilig (–); *Aussehen:* blond (o), dunkelhaarig (o), gut aussehend (+), hübsch (+), schlank (+) *(Lösungsvorschlag)*

A2 aktiv, attraktiv, ehrlich, häuslich, leidenschaftlich, naturverbunden, natürlich, offen, schön, sensibel, seriös, sportlich, unkompliziert, zärtlich, zuverlässig

A3 1 Aus Spaß wird Ernst 2 Familienfeste – kein Grund zur Freude 3 Liebe – nicht mehr als ein Geschäft? 4 Ehrlichkeit ist wichtig

A4 1c 2a 3b 4b

A5 1 beeile dich 2 freue mich 3 Interessieren Sie sich 4 euch ... treffen 5 uns amüsieren wollen 6 freut sich 7 möchte sich ... verlieben 8 entscheiden sich 9 findet sich ... wieder 10 Präsentiere dich
1 *Verben mit* Reflexivpronomen. ... *zeigt zurück auf das* Subjekt 2 *Reflexivpronomen und* Personalpronomen *sind im* Akkusativ *gleich.* ... im Singular und Plural

A6 *vgl. Hörtext im Cassetten-/CD-Einleger*

B1 *von oben nach unten:* 7, 9, 8, 3, 4, 2, 10, 6, 1, 5

B2 1r 2f 3f 4f 5r 6f 7f 8f

C1 *etwas in der Gegenwart oder Vergangenheit:* freuen + sich + über (AKK); bei *(=Person);* für *(=Anlass, Grund)*

C2 *vgl. Hörtext im Cassetten-/CD-Einleger*

D1 1 Ich helfe ihnen. 2 Ich vertraue ihr. 3 Ich glaube es Ihnen. 4 Ich sage ihr die Meinung. 5 Ich schreibe ihm einen Brief. 6 Ich frage ihn. 7 Ich verabrede mich mit ihr. *(Lösungsvorschlag)*
Verb + AKK: fragen; *Verb + DAT:* helfen, vertrauen; *Verb + DAT + AKK:* glauben, sagen, schreiben

D2 *gemeinsame Erlebnisse:* Holger, Martin; *Vertrauen:* Oliver, Eva, Heinrich, Tanja; *Kritik und Offenheit:* Gerda und Walter, Tanja

D3 *vgl. D2*
1 die Verben 2 rechts 3 beginnen 4 Relativpronomen, Hauptsatz, Relativsatz 5 Relativpronomen, Dativ Plural

D4 1 die, der, der, die, die 2 der, den, dem, den, dem 3 die, denen, die, die, die, denen

D6 *vgl. Hörtext im Cassetten-/CD-Einleger*

E1 1 abnehmen 2 annehmen 3 besichtigen 4 feiern 5 gratulieren 6 bekommen 7 zusagen 8 bedanken 9 holt ab

E2 2 das Sternzeichen 3 der Krebs 4 die Sternenkonstellation 5 das Horoskop

E3 2 eine Erfindung der Konsumgesellschaft 3 wollen mich in ihre Gesellschaft integriert sehen 4 scheitert 5 meine Zukunft hängt von diesem Datum ab
Gemeinsamkeiten: leben in Deutschland, haben nicht die deutsche Nationalität, finden Geburtstage nicht wichtig, in ihrer Kultur feiert man Geburtstage nicht

E4 *vgl. E2 und E3*
1 keine *weitere Akkusativ-Ergänzung* ... Akkusativ 2 eine, Dativ 3 Personalpronomen, sich

F1 **[pf]** **Pf**effer, Schnu**pf**en, Ko**pf**, **Pf**lanze, tro**pf**en, **pf**legen, **Pf**und, Ä**pf**el **[kv]** **Qu**atsch, **Qu**alität,

Aquarium, **qu**engeln, **Qu**ote, **qu**er, Antiqu**i**tät, **Qu**al
[ts] ziemlich, Partizip, ganz, Sitz, nutzlos, Sätze, nichts, Rätsel **[ks]** Fax, reflexiv, links, denkst, magst, wächst, sechs, Wechsel
1 [pf] 2 [kv] 3 tz, ts 4 ks, gs, chs

F2 Hochzeitstag, jetzt, Herz, Konjunktion, Wanze, Zäpfchen, Spezialist, Ergänzung, zart, schmutzig, Platz, verzweifelt, Präposition, Zeug, Schmerzen, Zahnarzt, plötzlich

G4 **2** Franz zu Franz-Mama **3** Franz zu Franz-Papa **4** Gabi und Sandra zu Franz **5** Gabi und Sandra zu Franz **6** Franz-Papa zu Franz **7** Franz zu Franz-Papa **8** Gabi zu Gabi-Mama **9** Gabi-Mama zu Franz **10** Franz zu Franz **11** Franz zu Gabi **12** Gabi zu Franz **13** Franz zu Gabi **14** Gabi zu Franz und Sandra **15** Sandra zu Franz **16** Franz zu Sandra **17** Gabi zu Franz **18** Franz zu Gabi **19** Gabi zu Franz

Lektion 5

A1 **2** der Geist **e** **3** der Außerirdische **h** **4** der Engel **a** **5** die Fee **d** **6** der Hellseher **c** **7** die Hexe **f** **8** der Vampir **b**

A3 *vgl. Hörtext im Cassetten-/CD-Einleger*

A4 *vgl. Hörtext im Cassetten-/CD-Einleger*

A5 **1** Absicht **2** Hauptsatz **3** zu

B1 **1** Telefon **2** Automobil **3** elektrisches Licht **4** Dynamit **5** Dampfmaschine **6** Relativitätstheorie **7** Antibiotika **8** DNA **9** Computer **10** Buchdruck **11** Kernspaltung

B2 1, 2, 4, 5, 6, 8, 10, 11

B3 **1** Präsens **2** werden **3** Position 2 **4** Satzende

C2 **1** Licht **2** nicht **3** nicht **4** Kino **5** Kilo **6** Kino **7** weil **8** weil **9** Wein **10** halt **11** Hand **12** halt **13** führen **14** fühlen **15** fühlen **16** reicht **17** reicht **18** leicht **19** Welt **20** Wert **21** Welt **22** vier **23** viel **24** viel

C5 Frühling, prima, Gefühl, Insel, Inserat, Technik, Klima, treffen, künstlich, Computer, Engel, singen, bügeln, schlafen, Herz, Kühle, rechts, links, allein, leer, denn, überall, lautlos, Stille, plötzlich, verwechseln, schnell, sprechen, lächeln, hell

D2 1a 2h 3f 4g 5d 6e 7b 8c

D3 1A 2D 3B 4C

D4 *Hauptsatz:* Ich **werde** überhaupt nicht **ernst genommen**. ... **werden** mir meistens Antibiotika **verschrieben**.; Durch Gespräche ... **können** diese Ängste **bewusst gemacht** und **behandelt werden**.; Mit Hilfe dieser Bakterien **wird** Ihr Darm **saniert**. *Nebensatz*: ..., dass Heuschnupfen mit einer ... **behandelt werden kann**.; ... immer nur **untersucht** oder **geröntgt zu werden**.; ... wie ihre Darmerkrankung **behandelt werden kann** ...
1 Personen **2** werden, Partizip Perfekt **3** Passiv-Hauptsatz **4** Passiv-Nebensatz

D5 *Eigenbluttherapie:* ... Dann wird Blut in den rechten Gesäßmuskel eingespritzt *Inhalieren:* Zuerst wird ...gegeben. Dann wird ... über den Kopf gelegt und der heiße Dampf wird inhaliert. *Wadenwickel:* Zuerst werden ... bereitgestellt. Dann werden ... gewickelt und der Patient wird gut zugedeckt.

D6 *vgl. Hörtext im Cassetten-/CD-Einleger*

E1 auf, auf, mit, an, von, zu, auf, über, über, an, an, von, nach, mit, mit, über, bei, zu, um

E2 *vgl. E1*

F3 2r 3f 4r 5r 6f 7r 8f 9r 10f

F4 2g 3l 4j 5a 6i 7b 8k 9d 10f 11h 12e

Lektion 6

A1 **1 a** (G) L 1, A **2 a** (W) L 1, B **3 c** (W) L 1, B **4 b** (W) L 1, B **5 c** (G) L 1, C **6 b** (G) L 1, C/D **7 b** (G) L 2, C **8 c** (G) L 2, C **9 a** (W) L 2, C **10 b** (G) L 2, D **11 a** (G) L 2, D **12 c** (W) L 2, D **13 c** (W) L 3, A **14 a** G) L 3, B **15 a** (G) L 3, B **16 b** (G) L 3, D **17 c** (W) L 3, E **18 b** (W) L 3, F **19 b** (W) L 4, A **20 c** (G) L 4, A **21 b** (W) L 4, C **22 b** (G) L 4, D **23 a** (G) L 4, E **24 c** (W) L 4, E **25 a** (G) L 5,A **26 a** (G) L 5,B **27 c** (G) L 5,D **28 b** (G) L 5,D **29 b** (W) L 5,E **30 b** (W) L 5, E

B2 1f 2r 3f 4r 5r 6r 7f

B4 1B 2A 3E 4C 5D

B6 **1** Du sitzt auf den Ohren! **a** **2** Das ist ein Ohrwurm **b** **3** Wer nicht hören will, ... **c** **4** Der Lauscher an der Wand ... **e** **5** Auf dem Ohr bin ich taub **d** **6** Ich bin ganz Ohr **f** **7** Man höre und staune! **g**

C1 sprechen, der Sprecher, die Sprecherin, die Sprecherinnen, die Sprache, der Spruch, die Sprüche , sprachlos, sprachlich
besprechen, die Besprechung, wir versprechen, das Versprechen, entsprechend, sie bespricht, du versprichst, sie versprach, das Gespräch, gesprochen, besprochen, versprochen
aussprechen, nachsprechen, er spricht nach, du sprichst aus, die Aussprache, ausgesprochen, nachgesprochen, der Widerspruch, die Widersprüche, anspruchsvoll
die Sprechstunde, das Wahlversprechen, das Sprichwort, die Sprachschule, die Muttersprache, deutschsprachig, umgangssprachlich, der Gesprächspartner, das Telefongespräch, das Gesprächsthema
1 Stammsilbe, Stammvokal, Umlaut **2** Vorsilbe **3** Wort-Endung **4** erste

C2 **– sicht –** besichtigen, die Besichtigung, der Besichtigungstermin, die Stadtbesichtigung, das Gesicht, die Rücksicht, rücksichtslos, rücksichtsvoll, die Vorsicht, vorsichtig, unvorsichtig, die Absicht, absichtlich, unabsichtlich **– zahl –** die Zahl, die Lottozahl, zahlen, zahlreich, bezahlen, bezahlbar, unbezahlbar, abbezahlen, die Anzahl, zählen, erzählen, der Erzähler **– halt –** halten, die Haltung, die Buchhaltung, abhalten, anhalten, aushalten, behalten, enthalten, erhalten, erhält; erhältlich, festhalten, der Haushalt, der Inhalt, zurückhalten, zurückhaltend, das Verhalten, der Verhaltensforscher, das Verhältnis

C3 **such** aufsuchen, aussuchen, besuchen, besucht, der Besuch, der Besucher, der Versuch, die Besuchszeit, die Partnersuche, die Suche, er suchte aus, gesucht, sie haben aufgesucht, suchen, versuchen, wir versuchten, der Sucher, die Versuchung, ersuchen
freund befreundet, der Freund, der Freundeskreis, der Schulfreund, die Freundin, die Freundschaft,

freundlich, unfreundlich, freundschaftlich, Freundschaftsdienst, sich anfreunden **lieb** am liebsten, beliebt, das Lieblingsbuch, die Liebe, die Liebesgeschichte, die Vorliebe, geliebt, lieb, lieben, lieber, liebeskrank, liebevoll, lieblos, sich verlieben, verliebt, beliebig, Lieblosigkeit, Verliebtheit

Lektion 7

A2 1b 2b 3c 4a
A3 2d 3e 4c 5g 6b 7a
B1 *Heimat = Person,* Wohnort, Erinnerung, Kindheit, Muttersprache, Natur, Gefühl, Brauchtum, Geschichte, Belastung
B2 Wenn Heimat ein Haus wäre, welches Haus wäre sie? Wenn Heimat ein Kleidungsstück wäre, welches Kleidungsstück wäre sie? Wenn Heimat ein Lebensmittel wäre, welches Lebensmittel wäre sie? Wenn Heimat ein Fahrzeug wäre, welches Fahrzeug wäre sie? Wenn Heimat eine Person wäre, welche Person wäre sie? Wenn Heimat ein Tier wäre, welches Tier wäre sie? Wenn Heimat ein Geräusch wäre, welches Geräusch wäre sie?
B3 *Wohnort:* 31 %, *Geburtsort:* 27 %, *Familie:* 25 %, *Deutschland:* 11 %, *Freunde:* 6 %
eher an Bedeutung gewonnen: 56 %, *eher an Bedeutung verloren:* 25 %, *weder noch:* 19 %
B5 *vgl. Hörtext im Cassetten-/CD-Einleger*
B6 1 damit; um ... zu + Infinitiv 2 unterschiedliche Subjekte 3 kein Subjekt
B7 *zieht die Menschen in die Ferne:* Abenteuer/Risiko/Herausforderung suchen, neue Erfahrungen sammeln, fremde Sprachen und Kulturen kennen lernen, eigene Grenzen erfahren, Distanz zur eigenen Kultur haben, einen anderen Blick auf die eigene Kultur suchen, bessere Chancen im Beruf haben, mit Menschen in anderen Kulturen zusammenarbeiten, Menschen in anderen Ländern helfen, über andere Länder berichten können, Langeweile haben, eigenen Horizont erweitern; *hält die Menschen zu Hause:* Sicherheit im Beruf nicht aufgeben wollen, Freunde/Partner verlieren, Familie/Freunde/Verwandte in nächster Nähe haben, Geborgenheit/Sicherheit suchen, Heirat/Freundschaft/Partnerschaft, Angst vor der Einsamkeit/dem Alleinsein/dem Neuen/dem Fremden/dem Ungewohnten haben; *weitere Gründe:* Mich zieht es in die Ferne, weil ich die ganze Welt mit eigenen Augen sehen will. Viele Menschen gehen ins Ausland, damit ihr Lebenslauf besser aussieht. Ich bleibe lieber zu Hause, weil ich hier einen guten Job habe. Manche bleiben lieber zu Hause, weil sie sich da am wohlsten fühlen. *(Lösungsvorschlag)*
B8 1c 20 3f 4j 5g 60 7a 8b
C1 1 Sehnsucht nach 2 Liebe zu 3 Angst vor 4 Zeit für 5 Lust auf 6 Verständnis für 7 Interesse an 8 Hoffnung auf
C2 *nach + DAT:* Sehnsucht nach meinen Freunden *vor + DAT:* Angst vor der Abhängigkeit *an + DAT:* Interesse an fremden Kulturen *zu + DAT:* Liebe zu einem Deutschen *für + AKK:* Zeit für Heimweh, Verständnis für meine Kultur *auf + AKK:* Lust auf arabische Küche, Hoffnung auf einen guten Job
C3 1 Zeit für 2 Heimweh nach 3 Angst vor 4 Verständnis für 5 Liebe zu 6 Hoffnung auf 7 Lust auf 8 Interesse an 9 Sehnsucht nach
D1 *vgl. Hörtext im Cassetten-/CD-Einleger*
D2 *irreal: hätte, würde ...legen,* müsste ... steigen/anschalten, wäre, müsste ... verlassen, gäbe, würden ... gewinnen, hätte ... geklappt, gewesen wäre, hättest ... denken können *real:* gibt, haben, hat geklappt, war
1 Fantasien, Träume, Wünsche 2 würde- + Infinitiv 3 Konjunktiv II der Vergangenheit;
linke Spalte: könnte, müsste *rechte Spalte:* hätte, wäre, würde, fände, gäbe
1 Umlaute, e 2 würde- + Infinitiv
D3 1 Du trainierst so oft, als ob du an der Olympiade teilnehmen wolltest. 2 Sie singen so schön, als ob Sie Opernsängerin wären. 3 Wir tun so, als ob wir alles verstanden hätten. 4 Er macht den Eindruck, als ob er Bescheid wüsste. 5 Ihr strahlt, als ob ihr im Lotto gewonnen hättet. 6 Du benimmst dich so, als ob du hier zu Hause wärst. 7 Es sieht so aus, als ob sie uns helfen könnte. 8 Sie schauen dauernd auf die Uhr, (so) als ob Sie gleich gehen müssten. 9 Man sollte so leben, als ob es kein „Morgen" gäbe.
Wenn ...: Wenn ich Gedanken lesen könnte, würde ich damit viel Geld verdienen. Wenn ich mein Leben noch einmal leben dürfte, würde ich vieles anders machen. Wenn ich Deutschlehrerin wäre, würde ich immer viele Hausaufgaben aufgeben. Wenn ich so viel wie Albert Einstein wüsste, würde ich viele Bücher schreiben. Wenn ich früher Deutsch gelernt hätte, hätte ich jetzt wahrscheinlich schon einen guten Job. Wenn es im Mittelalter schon Computer gegeben hätte, dann würden wir heute schon auf dem Mars leben. Wenn ich als Vogel auf die Welt gekommen wäre, könnte ich mehr von der Welt sehen. *(Lösungsvorschlag)*
D4 *vgl. Hörtext im Cassetten-/CD-Einleger*
E1 „Ich heiße Ricardo | und bin 16 Jahre alt. Ich bin hier in Berlin geboren, auch wenn ich nicht so aussehe. Meine Mutter ist Japanerin | und mein Vater Bolivianer. In meiner Klasse | sind von 30 Schülern | nur vier Deutsche. Meine Freunde beneiden mich, weil ich mehrere Sprachen spreche. Mit meinem Bruder Deutsch, mit meiner Mutter Japanisch | und mit meinem Vater Spanisch. Ich bin sehr gern | bei meinen Großeltern in Japan: Das Klima ist angenehm | und die Menschen sind ruhig. Mir gefallen aber auch | die lauten Südamerikaner, die jeden gleich zum Freund haben. Ich möchte später mal | für ein Jahr nach England, da war ich noch nie. Und die britische Lebensart, die finde ich irgendwie interessant. Aber meine Heimat, das ist Deutschland."
E2 *Nomen:* in meiner Klasse, nur vier Deutsche *Verben:* auch wenn ich nicht so aussehe, meine Freunde beneiden mich *Adjektive:* das Klima ist angenehm, die Menschen sind ruhig *Adverbien:* ich bin sehr gern, ich möchte später mal
E3 ●●: die Welt, ●●●: mein Glaube, ●●●: an mein Dorf, ●●●●: an die Kindheit, ●●●●: das ist die Welt, ●●●●●●: das ist mein Elternhaus, ●●●●●●: an die erste Liebe

E4 ●●: die Welt mein Land; ●●●: mein Glaube, nach Knoblauch, nach Sonne; ●●●: an mein Dorf, meine Stadt, nach dem Meer; ●●●●: an die Kindheit, meine Sprache, nach Tomaten, wo ich lebe; ●●●●: das ist die Welt, meine Musik, wo man mich kennt, nach frischem Fisch; ●●●●●: das ist mein Elternhaus wo ich geboren bin; ●●●●●: an die erste Liebe, das ist die Familie, das sind meine Freunde

E5 Heimat ist für mich meine Familie. Heimat ist auch meine Sprache. Heimat riecht nach Wald. Heimat schmeckt nach frisch geröstetem Kaffee. Heimat ist die Erinnerung an meine erste Liebe. Heimat ist die Sehnsucht nach der Kindheit. Heimat ist da, wo mein Bett steht. Meine Heimat, das ist mein Leben. *(Lösungsvorschlag)*

Lektion 8

A1 1g 2k 3e 4n 5l 6c 7b 8m 9a 10h 11d 12i 13f 14o 15j

A2 *vgl. Hörtext im Cassetten-/CD-Einleger*

A3 1 Nebensätze, Hauptsatz 2 Hauptsatz, Nebensatz 3 Hauptsatz, Nebensatz 4 Hauptsätzen

A4 2 Sie haben überall ein Handy dabei, so dass sie für die Redaktion immer erreichbar sind. 3 Sie berichten regelmäßig über aktuelle Ereignisse, deshalb brauchen sie gute Kontakte zu wichtigen Persönlichkeiten. 4 Sie müssen die politischen Verhältnisse der Gastländer so gut kennen, dass sie auch über Hintergründe von Ereignissen informieren können. 5 In der Regel bleiben sie nur einige Jahre an einem Ort, also lernen sie im Laufe des Berufslebens viele Länder kennen. 6 Meistens berichten sie in Livesendungen, so dass sie manchmal auch mitten in der Nacht arbeiten müssen. 7 Sie treten so oft im deutschen Fernsehen auf, dass sie in Deutschland sehr bekannt sind. 8 Sie brauchen guten Kontakt mit den Kollegen in Deutschland, deshalb besuchen sie regelmäßig die Zentrale in Mainz.

A5 *Gerd Glückspilz:* ... Er hat alle Papiere bereits gestern fertig gemacht, so dass er vor dem Meeting noch einen Kaffe trinken kann. Er macht so gute Vorschläge, dass er beim Meeting vom Chef gelobt wird. Er macht eine Diät, also isst er mittags nur ein Joghurt und einen Apfel. Er erwartet eine Nachricht von einem wichtigen Kunden und checkt deshalb nachmittags noch einmal seine E-Mails. Bingo! Er hat den Auftrag bekommen, also kann er heute früher Feierabend machen. Er kommt so früh nach Hause, dass er noch zwei Stunden ins Sportstudio gehen kann. Das tut gut! Er ist mit seiner neuen Freundin zum Kino verabredet – deshalb freut er sich schon jetzt auf einen netten Abend. *(Lösungsvorschlag)*
Petra Pechvogel: 2 Sie muss sich beeilen, so dass sie keine Zeit fürs Frühstück hat. 3 Sie findet keinen Parkplatz und kommt deshalb zu spät ins Büro.
4 Sie muss alles noch einmal machen – sie hat nämlich Kaffee über wichtige Papiere geschüttet.
5 Sie wird beim Meeting vom Chef kritisiert, denn sie hat keine guten Ideen. 6 Sie hat sehr viel zu tun, so dass sie keine Mittagspause macht.
7 Sie wird erst spät fertig, weil sie sich nicht auf die Arbeit konzentrieren kann. 8 Auf der Heimfahrt ist sie sehr nervös. Deshalb verursacht sie einen Unfall.
9 Zu Hause kommt sie nicht in die Wohnung, sie hat nämlich den Schlüssel im Büro vergessen.
10 Sie will in ein Restaurant essen gehen, weil sie den ganzen Tag noch nichts gegessen hat.
11 Es ist aber schon so spät, dass die Küche bereits geschlossen ist. *(Lösungsvorschlag)*

B1 *horizontal: Bäcker*, Autor(in), Pilot, Friseur, Arzt, Koch, Ärztin, Sekretärin, Lehrer(in) *vertikal: Schauspieler*, Hausfrau, Fotomodell, Verkäufer, Kellner, Taxifahrer, Student(in)

B2 *Kfz-Mechaniker:* flexibel, geduldig, ordentlich, sorgfältig, zuverlässig *Krankenschwester:* einfühlsam, energisch, freundlich, verständnisvoll, sorgfältig *Friseur:* freundlich, kommunikativ, kreativ, offen, sorgfältig *Sekretärin:* flexibel, intelligent, kontaktfreudig, selbstbewusst, unbestechlich *(Lösungsvorschlag)*

B3 1 Zuverlässigkeit 2 Lern- und Leistungsbereitschaft 3 Ausdauer und Belastbarkeit 4 Sorgfalt und Gewissenhaftigkeit 5 Konzentrationsfähigkeit

B4 1 Bezugswort; *wegen, außerhalb*, innerhalb, während, trotz 2 f, Pl; m, n; *die Endung „s"* 3 von + Dativ

B5 1 der Erreichbarkeit, der Bewerbungsmappen 2 des Bewerbers, der Bewerberin, des Trainings 3 des Teamplayers, der Bürger 4 der Ausbildung, von Bewerbungen 5 des Gesprächspartners, des Vorstellungsgesprächs 6 von Fachkenntnissen

C1 *kleine Enkeltochter:* zur Milchfrau laufen *große Enkeltochter:* erst im vierten Geschäft das richtige T-Shirt finden *Tochter:* dreimal in einer halben Stunde während des Bügelns ans Telefon gehen *Sohn:* wegen des starken Verkehrs zehn Minuten länger im Auto sitzen *kleiner Enkelsohn:* an einem Abend viel lernen *großer Enkelsohn:* beim Weggehen den Müll hinuntertragen

C2 1 tagaus, tagein 2 Schrebergarten 3 hundemüde 4 anscheinend 5 Rendezvous 6 nicht einen Tupf 7 alles Versäumte 8 überfordern 9 am Lenkrad 10 annehmen 11 wissbegierig

C3 *A:* 2 ..., wenn deine Mutter deine Unterstützung braucht ... 3 ... und du zur Heimfahrt vom Schwimmbad zehn Minuten länger als üblich brauchst.
B: 2 ..., aber dadurch braucht ihr euch doch nicht „überfordert" zu fühlen. 3 Solche Kleinigkeiten brauchen euch doch nicht „unter Druck" zu setzen.
1A 2B 3B 4A 5B 6A

C4 *Die jungen Leute* brauchen heute nicht mehr alle Haushaltsarbeiten zu machen. Sie brauchen nicht mehr die Kinder alleine großzuziehen. Sie brauchen nicht so früh aufzustehen. Sie brauchen nicht im Garten zu arbeiten. Sie brauchen nicht so lange zu arbeiten. Die jungen Leute brauchen heute keinen Schrebergarten mehr, aber ein Sportstudio, ein Auto, einen Führerschein und modische Kleider. *Die Oma* brauchte nicht für Prüfungen zu lernen. Die Oma brauchte keinen Führerschein, sie hatte kein Auto. Sie hatte auch kein Telefon. Sie brauchte auch kein Sportstudio, aber einen Schrebergarten. *(Lösungsvorschlag)*

C5 *vgl. Hörtext im Cassetten-/CD-Einleger*

D2 1 sprichst 2 künstlich 3 pünktlich 4 Schreibtisch 5 Text 6 Ausdruck 7 nachts 8 schenkst 9 seltsam 10 komplett 11 empfiehlt 12 manchmal

D3 abwechslungsreich, Anschreiben, Arbeitsplatz, anspruchsvoll, Ausbildungsberuf, Ausstrahlung, Berufsperspektive, Bewerbungsmappe, entscheidungsfreudig, Halbtagsjob, Lichtbild, Schulabschluss, Sprachkenntnisse, Staatsdienst, Wirtschaftszweig

E1 2 Ansprechpartner fehlt; falsche Anrede 3 Datum und Stellenbeschreibung fehlen 4 Information, warum er sich für die Stelle interessiert, fehlt 5 Information, wann er anfangen kann, fehlt 6 Angaben nicht besonders konkret; Bezug zu Firma und Job fehlen 7 Bitte um Vorstellungsgespräch fehlt 8 falsche Grußformel 9 Hinweis auf Anlagen fehlt 10 sehr umgangssprachlich

E2 *von oben nach unten:* Absender (Telefonnummer), Anschrift (Ansprechpartner), Betreff (genauer formulieren), Anrede (Ansprechpartner), Einstieg (Interesse allgemein und speziell an der Firma), Überleitung (Ausbildungsbeginn), Erläuterung (einschlägiges Praktikum, Kundenbetreuung, Sprachkenntnisse), Ausstieg (Bitte um Vorstellungsgespräch), Grußformel (Standardformel), Anlage (eingefügt)

F1 *rechte Spalte:* der Alkohol, das Auto, der Erfolg, die Fantasie, das Fett, die Gebühr, die Hilfe *linke Spalte:* die Idee, die Kalorie, der Konflikt, der Kontakt, der Niederschlag, die Tradition, der Umfang, das Vitamin

F2 1 -reich, -frei, -arm, Adjektive 2 -reich, wenig, ohne

F3 *Sie sind ein* erfolgreicher *Macher:* kontaktarm, fantasielos, abwechslungsreichen, konfliktfreier, einflussreiche, ideenreiche, zahlreichen, gebührenfrei
Kellner/in gesucht: traditionsreiches, abwechslungsreiche, umfangreiches, Zahlreiche, hilfreich
Sie leiden an Stress und Schlaflosigkeit? kalorienreich, fettarmer, kalorienarmer, vitaminreicher, alkoholfreien, stressfreie, niederschlagsarmen, autofreien

Lektion 9

A1 1 sich über die Kleidung des Partners ärgern 2 eifersüchtig sein 3 Langeweile 4 Unpünktlichkeit 5 laute Musik 6 sich wegen der Kinder streiten 7 sich wegen Geld streiten 8 sich über die Faulheit des Partners im Haushalt ärgern 9 sich über das Zeitunglesen des Partners ärgern 10 sich ärgern, dass der Partner ständig liest

A2 1c 2a 3b

A3 1c, e, i 2d, g, k 3b, f, h, j

B1 *vgl. Hörtext im Cassetten-/CD-Einleger*
Katharina sollte auf keinen Fall aggressiv reagieren. Es ist wichtig, dass sie klar ihre Meinung sagt. Das Beste wäre, wenn sie mit dem Chef reden würde. Katharina sollte ganz offen mit der Kollegin sprechen. Ich finde, sie sollte den Arbeitsplatz wechseln. *(Lösungsvorschlag)*

B2 *von oben nach unten:* 2 *bitten* um, Worum? 3 *träumen* von, Wovon? 4 *denken* an, Woran? 5 *lachen* über, Worüber? 6 *protestieren* gegen, Wogegen?
1 Pronominaladverbien 3 Satz/Text 4 da-, Fragepronomen, r

B4 *vgl. Hörtext im Cassetten-/CD-Einleger*

C2 1 Es ist etwas Unbestimmtes, nichts Konkretes. 2 vor unbestimmten Artikeln, vor Indefinitpronomen, vor Fragepronomen. 3 hat die Pluralform „irgendwelche".

C3 *vgl. Hörtext im Cassetten-/CD-Einleger*

D1 *waagerecht:* 2 Höflichkeit 4 Personal 5 Bedienung 9 Störung 10 Kunde *senkrecht:* 1 Kompromiss 3 Kundenservice 6 Beschwerde 7 Wunsch 8 Geduld

D2 *Es passt nicht:* 1 entschuldigen 2 bemüht 3 beschweren 4 drücken 5 lösen 6 warten 7 zeigen 8 machen 9 verlieren

D3 *Von wem?* Werner Grill *An wen?* Geschäftsleitung des Heimwerkermarktes „Bauland" *Was?* falsche Auskunft *Wo?* im Geschäft *Wann?* letzten Montag *Warum?* unwissende Lehrlinge im Bereich des Kundenverkehrs

D4 *f:* fachkundigen *m:* gut geführten *n:* kompetenten *Pl:* schüchterner
1 Bezugswort 2 f, Pl; m, n 3 Adjektive; f, Pl
1 arroganten 2 pickliger 3 kleinen 4 unfreundlichen 5 unhöflichen 6 unzufriedenen 7 netten 8 sympathischen 9 charmanten 10 großen 11 neuen 12 hilfsbereiter

E1 der Berufsalltag – der berufliche Alltag, die Fremdsprache – die fremde Sprache, Haushaltsgeräte – Geräte im Haushalt, eine Hörübung – eine Übung zum Hören, die Klotür – die Tür zum Klo, Kurzgeschichten – kurze Geschichten, Lerntipps – Tipps für das Lernen, Namenskärtchen – Kärtchen mit Namen, am Nebentisch – am Tisch nebenan, ein Sprechanlass – ein Anlass zum Sprechen, Überstunden – zusätzliche Stunden, eine Wortfamilie – eine Familie von Wörtern

E2 1 auf dem ersten Teil *Nomen + Nomen:* Haushaltsgeräte, Klotür, Namenskärtchen, Wortfamilie *Adjektiv + Nomen:* Kurzgeschichten *Verb(stamm) + Nomen:* Hörübung, Lerntipps, Sprechanlass *Präposition + Nomen:* Nebentisch, Überstunden
2 auf dem letzten Wort *Beispiele:* die fremde Sprache, Geräte im Haushalt, eine Übung zum Hören, die Tür zum Klo, kurze Geschichten, Tipps für das Lernen, Kärtchen mit Namen, am Tisch nebenan, ein Anlass zum Sprechen, zusätzliche Stunden, eine Familie von Wörtern

E3 Hellseher, keine Erfolgsgarantie, Experten für Kommunikation, Fachkenntnisse, im Streitfall, Schnapsideen, mehr Erfolg beim Lernen, Kopfkissen, Auskünfte über Preise, Sendungen im Radio, Schreibaktivitäten, zusätzliche Aufgaben, beim Lernen der fremden Sprache

E4 **Verrückte Ideen, um mehr Erfolg beim Lernen zu haben**: Tipps für das Lernen an die Tür zum Klo hängen, Wörterbücher als Kissen unter den Kopf legen, mit Familien von Wörtern Ratespiele machen

und Kärtchen mit den Namen an die Geräte im Haushalt kleben, Auskünfte über Preise als Anlass zum Sprechen nehmen, Sendungen im Radio als Übungen zum Hören nutzen, mit Artikeln aus der Zeitung Hellseher spielen und kurze Geschichten als Aktivitäten zum Schreiben nutzen – kurz gesagt: sich verrückte Ideen als zusätzliche Aufgaben ausdenken, um beim Lernen der fremden Sprache mehr Erfolg zu haben.
Mehr Lernerfolg mit Schnapsideen
Lerntipps an der Klotür, Wörterbücher als Kopfkissen,
Ratespiele mit Wortfamilien und Namenskärtchen an Haushaltsgeräten, Preisauskünfte als Sprechanlässe, Radiosendungen als Hörübungen, Hellseher spielen mit Zeitungsartikeln und Kurzgeschichten als Schreibaktivitäten. Kurz: Schnapsideen als Zusatzaufgaben, um beim Fremdsprachenlernen mehr Lernerfolg zu haben.

Lektion 10

A2 1 Pubertät 2 Lebenssinn 3 Umbruch 4 Lebenskrise 5 Sekte 6 Engagement 7 Gleichgültigkeit 8 Selbsthilfegruppe

A3 1 Zufriedenheit ohne Sinnsuche
2 Der Mensch auf Sinnsuche
3 Sinnsuche früher und heute
4 Der richtige Weg

A4 *von oben nach unten:* 3, 6, 2, 4, 1, 5

B1 1e 2d 3h 4c 5g 6b 7f 8a

B2 *vgl. Hörtext im Cassetten-/CD-Einleger*

B3 *vgl. Hörtext im Cassetten-/CD-Einleger*

B4 *vgl. Hörtext im Cassetten-/CD-Einleger*
Singular NOM: der/ein Mensch, der/ein Dirigent, der/ein Nachbar, der/ein Assistent *AKK:* den Menschen, den Dirigenten, den Nachbarn, den Assistenten *DAT:* dem Menschen, dem Dirigenten, dem Nachbarn, dem Assistenten *GEN:* des Menschen, des Dirigenten, des Nachbarn, des Assistenten *Plural NOM:* die Menschen, die Dirigenten, die Nachbarn, die Assistenten *AKK:* die Menschen, die Dirigenten, die Nachbarn, die Assistenten *DAT:* den Menschen, den Dirigenten, den Nachbarn, den Assistenten *GEN:* der Menschen, der Dirigenten, der Nachbarn, der Assistenten
1 Nomen, Nominativ Singular 2 Nationalitäten
3 -ist, _ent/-ant

B6 1 Kontakte für Seniorenorchester 2 Garten für betreute Anwohner 3 Deutschunterricht 4 Büroarbeit / Archivierung / Telefon 5 Arbeitskreis Weihnachtsbasar

C1 3 die Partnerschaft, -en 4 die Verwandtschaft
5 die Mannschaft, -en 6 die Nachbarschaft
7 die Kameradschaft 8 die Bereitschaft
9 die Gemeinschaft, _en 10 die Wissenschaft, -en
Nomen mit der Endung „-schaft“: die, Plural, Partnerschaft, Gemeinschaft

C2 2 die Wohngemeinschaft 3 der Gemeinschaftsraum
4 Fußballmannschaften
5 die Zweckgemeinschaft

C3 1 Nachbarschaft 2 Wohngemeinschaft
3 Bereitschaftsdienst 4 Gemeinschaftsräume
5 Fußballmannschaft 6 Partnerschaft
7 Verwandtschaft 8 Zweckgemeinschaft
9 Freundschaften

D1 zum Beispiel, kein Problem, falls nötig, viel wert, alles Gute, Moment mal!, am liebsten, ziemlich verrückt, Urlaub machen, nach Paris, nach Berlin, in Rom, nicht fließend, jeden Tag trainieren, das klingt gut, nimm dein Buch, ein paar Vokabeln, was mich nervt

D2 schnell‿lernen, viel‿lieber, im‿Moment, komm‿mit, kann‿nicht, mein‿Name, fünf‿vor halb, aktiv‿fördern, effektiv‿vorbereiten, Stoff‿für, intensiv‿Phonetik, Deutsch‿schreiben, Englisch‿sprechen, fantastisch‿still, ab‿Paris, Partizip‿Perfekt, privat‿treffen, und‿trotzdem, statt‿Tropfen, ein Stück‿Kuchen, jeden Tag‿kochen; bis‿Sonntag, nichts‿sagen, ab‿Berlin, ein Job‿bei, ist‿das, und‿du, genug‿Geld, Glück‿gehabt!, 100 Mark‿Gewinn, auf‿Wunsch, aktiv‿werden, elf‿Videos

D3 Fahrt | ihr‿mit‿dem | Auto | oder‿mit‿der‿Bahn | in Urlaub? | Ich‿will‿fliegen, |
aber‿Ralf‿will‿lieber‿mit‿der‿Bahn‿nach‿Rom‿fahren, | und‿Tom‿möchte | nicht‿nach‿Rom, | sondern‿nach‿Paris.
Und‿was‿soll‿jetzt‿passieren? | Worauf wollt | ihr | euch‿verständigen? | Wie | sieht‿da | ein‿Kompromiss | aus? | Im Moment‿ziemlich‿verrückt: | Wir‿fahren | erst mit‿dem | Auto‿nach‿Berlin, | nehmen | ab‿Berlin‿die | Bahn‿nach‿Paris, | fliegen | ab‿Paris‿und‿fahren | in‿Rom‿mit‿Mietwagen. |
Und‿was‿mich | am‿meisten‿nervt: |
Jeden‿Tag‿kommt | ein‿neuer‿Vorschlag! | Ich mag‿gar‿keinen | Urlaub‿mehr‿machen ...
Ich‿kann‿noch‿nicht‿fließend‿Deutsch‿sprechen. | Was‿soll | ich‿tun? | Was‿rätst‿du‿mir? |
Dir‿fehlt‿Training! | Du | musst‿täglich | üben: | ein‿paar‿Vokabeln, | ein‿Stück‿Grammatik‿und | intensiv‿Phonetik. | Jeden‿Tag‿gezielt‿trainieren? | Viel‿Deutsch‿sprechen? ... | Am‿besten‿zu | zweit! ... | Sich‿privat‿treffen? | Fantastisch‿schnell‿lernen? | Bei | Kaffee | und‿Kuchen? | Das‿klingt‿doch‿gut! | Wann‿fangen‿wir | an? | Wann‿soll | es‿losgehen? | Wo | treffen‿wir | uns? | Bei | mir | oder‿dir? | Moment‿mal! ... | Was‿soll‿das? ... | Nein, | ich‿kann‿nicht. ... | Nun‿mal‿langsam. | Du | kannst‿doch | auch | allein | aktiv‿werden. | Nimm‿dein‿Buch‿und‿lern‿mit‿Tangram!

E1 *Biotonne:* Mülltonne für Küchenabfälle (Kartoffelschalen etc.) *Der Grüne Punkt / Gelber Sack:* Lebensmittelverpackungen, die recycelt werden können, werden mit einem „grünen“ Punkt markiert. Für sie gibt es eine spezielle, gelbe Mülltonne. *Glascontainer:* Container für Glasmüll (Flaschen, Gläser etc.) *Müll trennen:* unterschiedlichen Müll in unterschiedliche Mülltonnen werfen *Recycling-Hof:* Ort, an dem man Müll, der recycelt werden kann, abgeben kann/muss. *Restmüll:* Müll, der nicht recycelt werden kann. *Verpackungsmüll:* Lebensmittelverpackungen *(Lösungsvorschlag)*

E2 *Vorurteil 1:* B *V 2:* E *V 3:* C *V 4:* A *V 5:* F *V 6:* D

E3 1 einen Gegensatz 2 Konjunktion 3 Präposition
Anstatt den Kunden, der Müll sortiert, zu belohnen,

weil er Ressourcen schont, bitten ihn die Firmen zur Kasse. (Text B). Zahlreiche Firmen und Versandhäuser haben ganz auf Verpackungen verzichtet, statt die Verpackungen größer, aufwendiger und schöner zu machen. (Text E) Dann müssen Verbraucher, wenn sie ihr Geld wiederhaben wollen, die Dosen in den Supermarkt zurückbringen, statt sie einfach wegzuwerfen. (Text F) Wenn nur zehn Prozent der Verbraucher die leeren Verpackungen einfach wegwerfen, statt sie zurückzubringen, bleiben den Supermärkten mehrere Millionen Mark Gewinn. (Text F)

E4 1d 2b 3a 4c

E5 vgl. Hörtext im Cassetten-/CD-Einleger

Lektion 11

A1 das Internet der Brief, -e das Fernsehen der Computer, - das Buch, ¨er das Fax, -e das Radio, -s die Zeitung, -en das Telefon, -e die E-Mail, -s das Handy, -s
Man liest es: Brief, Buch, Fax, Zeitung, E-Mail *Man hört und/oder sieht es:* Film, Fernsehen, Radio *elektronische Medien:* Internet, Computer, Fernsehen, Radio, Telefon, E_Mail, Handy *Printmedien:* Buch, Zeitung *Unterhaltung/Information:* Film, Internet, Fernsehen, Buch, Radio, Zeitung *Kommunikation:* Brief, Computer, Fax, Telefon, E-Mail, Handy

A2 *Fernseh-:* **2** Fernsehsendung **3** Fernsehzeitschrift **5** Fernsehprogramm **6** Fernsehgerät/-apparat **8** Fernsehantenne **9** Fernsehzuschauer **10** Fernsehkonsum **11** Fernsehgebühren **12** Fernsehsender; *-fernsehen:* **1** Privatfernsehen **4** Farbfernsehen **7** Kabelfernsehen

A3 *„vor" der Kamera:* Nachrichtensprecher/-in, Schauspieler/-in, Ansager/-in, Showmaster/-in, Reporter/_in *„hinter" der Kamera:* Regisseur/-in, Kameramann/-frau, Reporter/-in
Regisseur/-in: Ein Regisseur macht einen Spielfilm oder eine Fernsehsendung. Er führt Regie. *Nachrichtensprecher/-in:* Eine Nachrichtensprecherin spricht die Nachrichten. Sie berichtet über aktuelle Ereignisse. *Schauspieler/-in:* Ein Schauspieler spielt eine Rolle in einem Film/Theaterstück. *Ansager/-in:* Eine Ansagerin sagt das Programm an. *Kameramann/-frau:* Ein Kameramann macht die Aufnahmen bei einem Spielfilm, er filmt Quizsendungen, Interviews, aktuelle Ereignisse etc. *Showmaster/-in:* Eine Showmasterin moderiert eine Show, z. B. eine Quizsendung. Sie stellt den Gästen Quizfragen. *Reporter/_in:* Ein Reporter berichtet über aktuelle Ereignisse aus dem In- und Ausland. Er macht Interviews. *(Lösungsvorschlag)*

A4 1C 2E 4D 5B
1 Sender **2** zappen **3** verkabelt sein **4** Satellitenschüssel **5** zulassen **6** kommerziell **7** charakterisieren **8** Wettbewerb **9** Logik **10** Pay-TV **11** Leitmedium **12** Tendenz(en) **13** Einschaltquoten **14** Marktanteil
von oben nach unten: 5, 2, 3, 1, 4

A5 **1** verkabelt ist **2** zugelassen wurde **3** ist ... konfrontiert **4** wird ... gedrängt **5** ist ... beendet
1 Partizip Perfekt **2** Zustand, sein, Adjektiv

A6 *vgl. Hörtext im Cassetten-/CD-Einleger*

B1 **1** Tageszeitungen (3 x) **2** Nachrichtenmagazine **3** Boulevardzeitungen **4** Wochenzeitungen **5** Fachzeitungen
Rubriken: Feuilleton/Kultur, Sport, Nachrichten, Fernsehprogramm, Lokalnachrichten, Wirtschaft, Vermischtes, Wetter, Leserbriefe

B2 1e 2g 3b 4f 5d 6a 7c

B3 *Es geht:* um eine Tageszeitung.
1b 2c 3c 4a 5c 6b 7b

B4 **1** formulierte **2** passenden **3** rasende **4** ausgearbeitete **5** werdende **6** entscheidende **7** wachsende **8** bestehende **9** endenden **10** eingegangene **11** bleibenden **12** zusammengesetzten
1 Partizip Präsens, Nomen, kurz und bündig **2** Infinitiv, Adjektivendung **3** Passiv **4** Adjektive

B5 ... Ein viel versprechender Titel und ein paar gut formulierte und neugierig machende Sätze sind die entscheidenden Voraussetzungen. Der Artikel selbst sollte nur gut recherchierte und zum Thema gehörende Informationen enthalten. Auf unwichtige, niemand interessierende Informationen, auf unklare, verwirrende Formulierungen und auf ermüdende Wiederholungen sollte man verzichten. Eine beeindruckende Reportage enthält immer auch überraschende Aspekte und glänzt mit treffenden und gut gewählten Formulierungen.

C2 *Es passt nicht:* **1** (aus)drucken **2** einschalten **3** zappen **4** chatten **5** surfen **6** zappen **7** abstürzen

C3 *vgl. Hörtext im Cassetten-/CD-Einleger*

C4 *vgl. Hörtext im Cassetten-/CD-Einleger*
temporale, am Anfang, gleichzeitig, nacheinander, seit, bis

C5 **1** bis **2** Als **3** Seit **4** wenn **5** Bevor **6** als **7** Nachdem **8** Seit

D1 1d 2d 3e 4g 5b 6a 7c 8f

D2 *vgl. Hörtext im Cassetten-/CD-Einleger*

D3 *Umgangssprache:* ... sollte man vorsichtig benutzen. ... wird meistens von jungen Menschen verwendet.

E1 Wer nicht liest ist doof. Wer nicht liest, ist trotzdem doof.
Das Lesen ist für mich lebenserklärend.; Das Lesen ist für mich lebenserklärend.; Das Lesen war und ist für mich lebenserklärend.; Das Lesen ist nicht nur für mich lebenserklärend.; Das Lesen ist für mich lebenserklärend, ja sogar lebensrettend.; Ich habe das Leben kennen gelernt.; In den Büchern habe ich das Leben kennen gelernt.; In den Büchern habe ich das Leben kennen gelernt, das die Schule vor mir versteckt hatte.; In Büchern zeigt sich mir eine andere Realität.; In Büchern zeigt sich mir eine andere Realität.; In Büchern zeigt sich mir eine andere Realität als die, in die meine Eltern mich pressen wollten.; Die Fernsehprogramme haben sich verändert.; Die Fernsehzuschauer haben sich verändert.; Nicht nur die Fernsehprogramme, auch die Fernsehzuschauer haben sich verändert.; Wenn Sie einen Telefonanschluss haben, können Sie im Internet surfen.; Wenn Sie nur einen Telefon-

anschluss haben, können Sie nicht telefonieren, wenn Sie im Internet surfen.

E2 1 Kontrastakzente, Normalakzente
2 Funktionswörter: ist, mich, das, die, nicht; unbetonte Silben: -klä-, -ret-, -ken-, Le-, -steck-, -tät, an-, -än-, zu-, In-

E3 Früher habe ich mich als Münchner gefühlt, heute eher als Gast., Überall gibt es Menschen, die mich nicht akzeptieren, aber auch solche, mit denen ich mich nicht identifizieren kann.; In Deutschland muss man sich für eine Staatsangehörigkeit entscheiden. Das finde ich schade. ; Mir macht es nichts aus, älter zu werden. Im Gegenteil, ich freue mich darauf.; Ich habe ein fantastisches Leben: Ich verzichte auf wenig und bekomme unglaublich viel.; Eigentlich ist Ihre Beziehung ganz gut. Eigentlich ..., aber „irgendwie" scheint sie Ihnen festgefahren. Nein, unglücklich sind Sie nicht, glücklich aber auch nicht.; Für die einen sind Polizisten „Freunde und Helfer", für die anderen Vertreter der Staatsmacht., Ich bin abends fix und fertig, ich kann nicht mal mehr „mu" sagen. Und er will sich unterhalten.; Mit der Zahl der Internetsurfer ist auch die Zahl der Internetsüchtigen rapide gestiegen.

Lektion 12

A1 **1b** (G) – 7 B, **2a** (W) – 7 B, **3b** (G) – 7 C, **4b** (W) – 7 C, **5c** (G) – 7 D, **6a** (G) – 7 D, **7c** (G) – 8 A, **8a** (G) – 8 B, **9b** (W) – 8 B, **10b** (G) – 8 C, **11b** (G) – 8 C, **12c** (W) – 8 E, **13a** (W) – 9 A ?, **14c** (G) – 9 B, **15a** (G) – 9 B, **16c** (W) – 9 AB! C, **17c** (W) – 9 D, **18b** (G) – 9 AB! D, **19a** (W) – 10 A, **20b** (G) – 10 B, **21c** (W) – 10 AB! B, **22a** (W) – 10 C, **23b** (G) – 10 E, **24c** (G) – 10 E, **25c** (G) – 11 A, **26c** (W) – 11 A, **27a** (W) – 11 AB! B, **28c** (G) – 11 B, **29a** (W) – 11 C, **30b** (W) – 11 C

B6 2b 3a 4c 5c 6a 7c 8a

C1 „Die Zirkelmenschen"
Es schallt ein Ruf von Mund zu Mund:
Bei Zirkelmenschen geht es rund.
Ob Mann, ob Frau, ob groß, ob klein:
Sie wollen Zirkelmenschen sein,
Sieh da! Sie haben es erreicht –:
Am Anfang scheint das Kreisen leicht.
Das geht, solang es geht. Doch schon
Nach kurzer Zeit wird's monoton.
Da merkt sogar der minder Helle:
Es geht zwar rund, doch auf der Stelle.
Der Radius schrumpft, der Strich wird breiter –
Die Zirkelmenschen drehen sich weiter.
Und ziehen noch als Zirkelgreise
Nun immer zittrigere Kreise –
Bis sie dann jenen Punkt erreichen,
an dem sich alle Kreise gleichen

(Lösungsvorschlag: Gerade bei literarischen Texten gibt es mehrere Betonungsmöglichkeiten.)

Quellenverzeichnis

Umschlagfoto mit Freya Canesa, Susanne Höfer und Robert Wiedmann: Gerd Pfeiffer, München

Seite 1: Fotos: Alastair Penny, Berlin
Seite 2: Fotos: Gerd Pfeiffer, München
Seite 9: Türen: Gerd Pfeiffer, München; Fotos unten: Werner Bönzli, Reichertshausen
Seite 10: Fotos: Claus Breitfeld, Madrid
Seite 14/15: Text und Abbildungen aus: Christine Nöstlinger, *Die Franz-Geschichten* © Verlag Friedrich Oetinger, Hamburg; Illustrationen von Erhard Dietl
Seite 17: Fotos: Anja Schümann, München
Seite 18: Foto: Gerd Pfeiffer, München
Seite 19: Foto von Christine Nöstlinger: Alexa Gelberg, Weinheim
Seite 20/57: Text und Foto: Sinasi Dikmen, Frankfurt
Seite 22: Foto: Deutsches Institut für Filmkunde, Frankfurt
Seite 28: Text und Zeichnungen aus: Christine Nöstlinger, *Die Franz-Geschichten* © Verlag Friedrich Oetinger, Hamburg; Illustrationen von Erhard Dietl; Abbildungen: Werner Bönzli, Reicherthausen
Seite 32: Texte und Abbildungen mit freundlicher Genehmigung von Pension Ing. Johannes, Graz und Grand Hotel Wiesler, Graz
Seite 37: Text aus: Ephraim Kishon: *Kishons beste Reisegeschichten* © by Langen Müller in F.A. Herbig Verlagsbuchhandlung, GmbH. München; Umschlaggestaltung: Franz Nellissen
Seite 39: Fotos: Grand Hotel Wiesler, Graz
Seite 40/41: Stadtplan/Fotos: Bern Tourismus
Seite 43: Zeichnung von Katja Dalkowski aus: Sprechen Hören Sprechen, Verlag für Deutsch, Ismaning
Seite 44: Abbildung: MHV-Archiv
Seite 45: Zeichnungen aus: Christine Nöstlinger, *Die Franz-Geschichten* © Verlag Friedrich Oetinger, Hamburg; Illustrationen von Erhard Dietl
Seite 47: Fotos: siehe Kursbuch Seite 42
Seite 48: Text *Ein Frommer sucht die Frömmlerin* (leicht geändert und gekürzt) von Christian Nürnberger aus: Spiegel special, Nr. 5/1998, S. 64-67
Seite 51: Gedicht aus: Hans Manz, Die Welt der Wörter, 1991 Beltz Verlag, Weinheim und Basel, Programm Beltz & Gelberg, Weinheim
Seite 55: Text unten: Zitat nach H. Grit Seuberlich
Seite 56: Text *Sternzeichen* aus: Rafik Schami, Gesammelte Olivenkerne. Aus dem Tagebuch der Fremde © Carl Hanser Verlag, München-Wien
Seite 60: Text und Zeichnungen aus: Christine Nöstlinger, *Die Franz-Geschichten* © Verlag Friedrich Oetinger, Hamburg; Illustrationen von Erhard Dietl
Seite 73: Gedicht *lichtung* von Ernst Jandl aus: Poetische Werke in 10 Bänden hg. von Klaus Siblewski, ©1997 Luchterhand Literaturverlag GmbH, München
Seite 76: Foto: MHV-Archiv
Seite 80/81: Text und Zeichnungen aus: Siehe Seite 60
Seite 87: Foto: Russell Underwood, London
Seite 88: Text aus: Brigitte 21/97, Picture Press, Hamburg
Seite 89: gekürzter Text *Heimat ist...* aus: Spiegel Spezial 6/99, S. 30; Foto: DIZ Süddeutscher Verlag, Bilderdienst, München (Hipp-Foto)
Seite 90: Text und Grafik aus: Spiegel Spezial 6/99; Fotos: MHV-Archiv (Dieter Reichler/Franz Specht)
Seite 95: Foto 2: Werner Bönzli, Reichertshausen
Seite 98: Foto: Russel Liebmann, Berlin
Seite 99: Text *Freiheit* ... aus: Gabriele Pommerin, Tanzen die Wörter in meinem Kopf, Max Hueber Verlag, 1996
Seite 105: Text aus: Was erwartet die Wirtschaft von den Schulabgängern in: position, IHK-Magazin für Berufsbildung, 3/96, Josef Keller Verlag, Starnberg
Seite 106: Umfrage von Renate Giesler aus Brigitte Special Job & Karriere, Picture Presse, Hamburg; die Fotos wurden von den interviewten Personen privat zur Verfügung gestellt
Seite 107: Christine Nöstlinger *Werter Nachwuchs. Die nie geschriebenen Briefe der Emma K.*, Dachs-Verlag, Wien
Seite 110/111: Bewerbung Falsch/Richtig aus: Start 1/98, Marlen Theiß/Stern, Picture Press, Hamburg
Seite 113: Text aus: Rafik Schami, Gesammelte Olivenkerne, Carl Hanser Verlag, München
Seite 119: Aufpassen: Zitat aus Hans Manz, Die Welt der Wörter, 1991 Beltz Verlag, Weinheim und Basel
Seite 120: Foto: Werner Bönzli, Reichertshausen
Seite 128: Foto: Juniors Bildarchiv, Ruhpolding (© by Wyrich)
Seite 132: Text nach einem Bericht über *Das Zusammenleben von Frauen und Männern proben* (Don Bosco-Haus in Düsseldorf) aus: Frankfurter Rundschau vom 17.11.99, Nr. 266/ Redaktion Zeitung in der Schule
Seite 134: Abbildung aus einem Prospekt der Firma C. F. Maier Polymertechnik, Schillingsfürst
Seite 140: Text aus: Deutschland Nr. 2, April 1998, Societäts Verlag, Frankfurt
Seite 141: Statistik aus: Das Freizeit-Forschungsinstitut im Internet, British American Tobacco, Hamburg
Seite 143: Abbildungen: Werner Bönzli, Reichertshausen
Seite 144: Text aus: SZ intern 1998 *Aus dem Leben eines Nachrichtenredakteurs* (Eigener Bericht); Fotos: Eberhard Wolf: DIZ, Süddeutscher Verlag, Bilderdienst, München
Seite 147: Hörtext *Großmutter surft im Internet* von Barbara Tauber aus: Frankfurter Rundschau vom 21.8.1999
Seite 159: Abbildungen *Die Zirkelmenschen – Eine ausgesprochen aktuelle Allegorie* aus: Robert Gernhardt, Vom Schönen, Guten, Baren © 1997 by Haffmans Verlag AG Zürich
Seite 89, 129, 146: Wörterbuchauszüge aus Langenscheidts Großwörterbuch Deutsch als Fremdsprache, Neubearbeitung 1998, 2. Auflage mit freundlicher Genehmigung des Langenscheidt Verlages, München
Fotos von Gerd Pfeiffer, München: Seite 95 (8) , 118 (3), 128, 146, 147.

Wir haben uns bemüht, alle Inhaber von Bild- und Textrechten ausfindig zu machen. Sollten Rechteinhaber hier nicht aufgeführt sein, so wäre der Verlag für entsprechende Hinweise dankbar.